Louise Courteau

Du même auteur chez Louise Courteau : *Livre jaune n° 2 – La guerre des francs-maçons*

Titres complémentaires :
– *Les Enfants de la matrice*, David Icke (tomes 1 & 2) ;
– *Les Anges ne jouent pas de cette HAARP*, Jeane Manning et Dr Nick Begich ;
– *Énergie libre et technologies*, Jeane Manning ;
– *Le Gouvernement secret*, Milton William Cooper.

Édition originale en allemand.
Coédition en français Hesper-Verlag / Louise Courteau

ISBN : 978-1-913191-24-5

Dépôt légal : deuxième trimestre 2010
Bibliothèque et Archives nationales du Québec
Bibliothèque et Archives Canada

Talma Studios International Ltd.
Clifton House, Fitzwilliam St Lower
Dublin 2 – Ireland
www.talmastudios.com
info@talmastudios.com

Jan van Helsing

Livre jaune
N° 1

Ne touchez pas à ce livre

2e édition

Traduit de l'allemand par Christoph Böttinger

Louise Courteau

REMERCIEMENTS

Je voudrais remercier Klaus Dona, qui m'a donné l'autorisation d'utiliser quelques objets, très impressionnants, de son exposition *Unsolved Mysteries* ;

Merci à Uwe Selke, le traducteur et éditeur du livre du professeur Ernest Muldashev, dont les résultats de recherche vont faire grand bruit ;

À Helma Hinterstößer (bise !), qui m'a poussé à écrire ce livre ;

Évidemment à ma famille et à mes amis, pour leur compréhension pendant l'écriture de ce livre ;

À mon père, pour ses critiques et ses conseils ;

À ma chère Anya pour ses corrections ;

À mon ami Wolfgang Sipinski, qui m'a accompagné toutes ces années, même dans les périodes difficiles, et a toujours été un bon conseiller ;

En dernier lieu, je voudrais remercier mes lecteurs, qui ont fait un long chemin émotionnel et spirituel avec moi (vous comprenez ce que je veux dire), et sans qui je ne serais pas la personne que je suis aujourd'hui.

Jan van Helsing

POURQUOI ?

Pourquoi l'avoir fait ?

Pourquoi avoir ouvert ce livre, alors que je vous ai mis en garde ?

Êtes-vous un rebelle, un non-conformiste, quelqu'un qui ne veut pas s'adapter, qui fait souvent le contraire de ce qu'on lui demande ? Même au travail ? Quand votre supérieur vous dit de ne pas faire quelque chose, vous le faites quand même ? Qu'en est-il de votre partenaire ? Faites-vous, là aussi, le contraire de ce qu'on attend de vous ? Et dans votre club de sport, dans votre parti politique ou lors d'une manifestation publique ?

Peut-être êtes-vous tout simplement curieux ? Ce livre pourrait contenir des vérités que vous ignorez ? Avouez que, malgré que vous croyiez savoir ce qu'est la vie et ce qu'elle vous réserve, vous pensez secrètement que le destin vous prépare quelque chose d'inattendu, qui va enfin vous sortir du train-train quotidien.

Quelque chose – comme une fée de la forêt – qui vous servira le miracle que vous attendez depuis votre enfance ? L'inattendu, qui apportera à votre vie ce qui lui manquait – le succès, un mariage heureux, une bonne santé, la révélation du secret de la vie ? Pouvoir enfin vous expliquer pour quelle raison hallucinante vous vous trouvez sur cette planète, entourés de tous ces fous à lier ?

Vous observez les jeunes qui passent devant chez vous, et vous constatez que tout va de mal en pis ; vous jetez un œil sur votre relevé bancaire, vous faites un malaise, l'ambiance au travail vous fait penser à la banquise, et les hommes politiques, vous aimeriez les clouer au pilori… La vie dehors, et la vôtre, s'effondrent. Pourquoi ? Pourquoi ne pouvons-nous rien faire ?

Vous le pouvez – et l'inattendu, que vous avez toujours espéré, s'est manifesté !

Vous avez vu ce livre. En fait, vous vouliez faire tout autre chose, mais une voix intérieure vous a poussé jusqu'ici, et que voyez-vous devant vous ? Ce livre étrange et tout à fait unique.

Quel titre bizarre ! Quel individu a eu l'idée de donner ce titre à un livre ?

Cet homme, c'est moi, qui pensais aussi ne rien pouvoir changer à ma vie, jusqu'à ce que je pactise avec mon créateur, lui demandant de m'expliquer sa création, la vie en fait, pas en paroles, mais par une vie intense. Et depuis ce jour, j'ai parcouru le globe, de haut en bas, de long en large, chez les pauvres comme chez les riches, chez les bienveillants, les malveillants, les affectueux et les laids ; et cet individu, votre humble serviteur, vous veut du bien, et voudrait partager avec vous ses aventures et ses connaissances, qui vous aideront, j'en suis tout à fait sûr, à progresser dans la vie. Comme un père ou une mère conseille son enfant, avec l'espoir qu'il ne répète pas les mêmes erreurs. Ce que l'enfant décide au bout du compte n'est pas du pouvoir des parents – mais d'aucuns ont entendu tel ou tel conseil…

Qu'en est-il de vous ? Croyez-vous que votre vision du monde n'est basée que sur vos propres expériences et qu'elle résiste à un examen approfondi ? Ou vient-elle en grande partie de ce que vous avez lu ?

Posez-vous la question et répondez-y le plus honnêtement possible – je ne peux pas vous entendre…

Croyez-vous vraiment les sottises qu'on vous a inculquées depuis l'enfance – que l'homme descend du singe, par exemple, ou que les bâtisseurs des pyramides faisaient coulisser les blocs de pierre sur des rondins de bois, qu'aucune machine actuelle ne pourrait soulever ? Ne vous êtes-vous jamais demandé pourquoi le drapeau que les Américains avaient hissé sur la Lune flottait au vent, alors que la NASA voulait nous faire croire que la Lune n'avait pas d'atmosphère, et qu'il ne pouvait donc pas y avoir de vent ? Pourquoi l'Allemagne a-t-elle un Office fédéral de la protection de la constitution, alors qu'elle n'a pas de constitution ? Lors de sa création en 1949, la République fédérale a promulgué une constitution provisoire appelée loi fondamentale. Celle-ci s'est révélée une assise solide pour la démocratie et on l'a maintenue. Après la réunification, on a modifié le préambule et l'article final. Elle est entrée en vigueur le 3 octobre 1990 pour l'Allemagne réunifiée. Pourquoi dit-on loi fondamentale *pour* la République fédérale ?

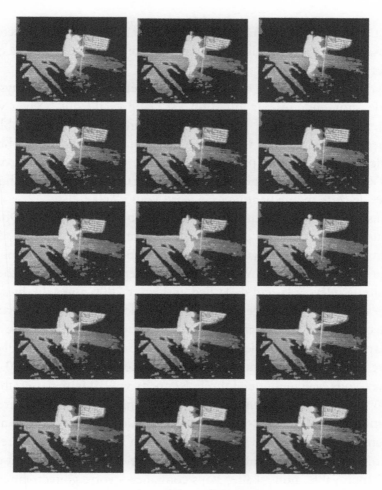

1. Du vent sur la Lune ?

Avez-vous cru ce que nos « libérateurs » ont fait écrire dans nos livres d'histoire, en suivant le principe que l'histoire est écrite par les vainqueurs, alors que vos parents et grands-parents vous ont raconté autre chose, ce qu'ils ont vécu, en fait ? Qui croyez-vous en priorité ? Et pourquoi…?

Les lecteurs qui connaissent mes livres précédents ont déjà eu l'occasion de se poser ce genre de questions, ils ont déjà certaines connaissances. Mais je ne peux partir du fait que tous les lecteurs disposent de ces informations, je demande donc de l'indulgence à ceux qui les connaîtraient déjà.

Voyons ce qu'il en est de notre culture générale : tous les pays du monde sont endettés ; la question est : auprès de qui ? Savez-vous que les États-Unis n'ont pas de monnaie propre, qu'ils sont obligés d'acheter les dollars à la Réserve fédérale, qui est la banque centrale américaine, une banque privée, émettrice de la monnaie ? Savez-vous que l'ensemble de la propriété foncière des États-Unis est hypothéqué auprès de cette même banque ? Ça y est, vous y êtes ?

Vous comprenez pourquoi quels que soient les présidents, Obama ou Bush, le président réel est le chef de la Réserve fédérale (FED), Alan Greenspan jusqu'au 31 janvier 2006, puis Ben Bernanke ! (Nommé par le président George W. Bush, ce dernier eut la lourde tâche de prendre la relève à la tête de la Fed en février 2006 après dix-huit ans de présidence d'Alan Greenspan. Le magazine *Time* sacra, le mercredi 15 décembre 2009, le patron de la banque centrale américaine Ben Bernanke « personnalité de l'année 2009 », pour la manière dont il géra la pire crise financière depuis la Grande Dépression des années 30.)

Savez-vous également que John F. Kennedy voulait faire passer une loi peu avant sa mort, qui permettait aux États-Unis de redevenir maîtres de leur monnaie ? Il fut assassiné. Pensez-vous que c'est une coïncidence si la première mesure de son successeur, Lyndon B. Johnson, fut de retirer ce projet de loi, empêchant l'instauration d'un dollar indépendant de la Fed ? Incroyable, non ? Faites-vous confiance à votre gouvernement et aux hommes politiques en général ? Pourquoi allez-vous encore voter ? Ah, vous êtes donc chrétien ? Vous croyez que Jésus a réellement existé ? D'accord, et vous avez la conviction que Marie était vierge ? Que Jésus a marché sur l'eau…?

Ou bien êtes-vous juif ? Et convaincu que le Créateur de toute chose, de ces milliers d'étoiles, est apparu personnellement à Moïse, au sommet d'une montagne en Palestine, et qu'il lui remit deux tables de pierre en main propre ? Pourriez-vous confirmer cela devant un auditoire ? Vous êtes donc musulman ? Heu ! Je me demande si vous pensez qu'Allah croit qu'il est juste d'enlever le clitoris aux jeunes filles, qu'il est juste de soumettre les femmes aux hommes, et qu'un commando suicide recevra une prime en arrivant au ciel ?

Ne faites-vous pas partie de ceux qui sourient en présence de personnes prétendant avoir eu une expérience proche de la mort et conversant avec leur ange gardien ? Que pensez-vous de ceux qui prétendent guérir les autres, par imposition des mains ? Ce n'est pas très sérieux, n'est-ce pas ? Comment Jésus a-t-il pu guérir des malades ?

Que pensez-vous de ceux qui disent méditer un quart d'heure par jour ? Trouveriez-vous drôle que l'on se moque de votre grand-mère, parce qu'elle récite tous les jours le rosaire en égrenant un chapelet ? Nous constatons que nous sommes prompts à juger les autres, leur vision du monde et leurs croyances, même à en rire. Mais ce que nous croyons personnellement – Jésus marchait sur l'eau, Marie était vierge en donnant naissance à Jésus – n'est pas très rationnel. Vous êtes d'accord ? La vision du monde que nous acceptons depuis l'enfance n'est pas très sérieuse ; nous y croyons, même si elle n'est pas scientifique. Si Jésus se trouvait parmi nous, et qu'il affirmait ce qu'on peut lire dans le Nouveau Testament, beaucoup d'entre nous se moqueraient de lui et le voueraient aux gémonies, n'est-ce pas ? Croyez-vous donc tout ce qui est écrit dans la Bible ou non ? Pourquoi continuez-vous à faire partie de l'Église ? Sérieusement, ce n'est pas très logique…

Je vais être clair : j'ai dû moi-même accepter certaines choses qui ne me plaisaient pas. J'ai dû comprendre que ce que j'avais appris dans mon enfance ne correspondait pas à la vérité. Beaucoup de gens croient les informations qu'on leur présente au journal télévisé, ce qui s'est passé le 11 septembre 2001 à New York, la genèse du SIDA, les effets géniaux de la chimiothérapie et des vaccins. Mais avez-vous été voir le monde ? Je veux dire, seul avec votre sac à dos ou votre valise, à Singapour, à Athènes, à Dallas, au Caire ou dans la jungle du Yucatan, au centre de Sydney, Djakarta ou New York. Pas en voyage d'affaires, non ; prêt à vivre l'aventure, pour échapper à la réalité virtuelle d'Internet, des livres, de la télévision et de la radio, entrer dans la réalité, dans la vie, là où elle se passe vraiment.

Non ? Moi si. Et c'est là – pendant tous ces voyages de par le monde, après d'innombrables échanges avec des gens que vous ne verrez jamais dans les médias – que j'ai entendu des choses qui ont non seulement changé ma vision du monde, mais m'ont imposé un changement radical de comportement, de manière de vivre.

Ne vous êtes-vous jamais demandé pourquoi vous payez des impôts et des taxes pour tout ce que vous avez acquis par la force de votre travail ? Et pourquoi quelques familles se sont approprié l'or du monde et en ont fait un monopole ? Pareil pour les diamants et d'autres matières premières. Des familles qui ont tout simplement fait main basse sur les terres et les exploitent à outrance... Et vous, en bon citoyen, vous continuez à payer vos impôts et à vous mettre en colère contre les hommes politiques qui font échouer un projet après l'autre. Au Japon, ces hommes politiques se seraient fait hara-kiri ; de nos jours, on leur propose des parachutes dorés dans les grandes entreprises, et ils touchent des retraites indécentes. Un monde étrange, non ? Et vous, au milieu de tout cela...

Moi aussi. C'est pour cela que nous allons nous amuser, car tout le monde n'est pas résigné. Il y en a qui prennent la parole ouvertement, agissent, travaillent sur eux-mêmes, changent... C'est en changeant soi-même que l'on change le monde.

Savez-vous pourquoi vous continuez à exercer votre métier, pourquoi vous n'avez pas émigré, comme vos ancêtres ? Pourquoi avez-vous voulu faire carrière ? Parce que vous le vouliez vraiment, ou pour en imposer à votre famille, à votre entourage ?

Posez-vous la question : qui suis-je, qu'est-ce que je veux ?

Que me disent mes émotions sur ce que je voudrais vraiment faire ? Qu'est-ce que mon éducation m'impose ? Ai-je vraiment choisi consciemment le métier que j'exerce, ou il n'y avait rien d'autre à faire, je n'ai rien trouvé de mieux ou bien ce métier correspond à la tradition familiale ?

Soyez sincère et réfléchissez en profondeur (vous pouvez faire une pause, le livre ne va pas s'échapper, personne ne vous l'enlèvera...).

Revenons à notre livre : vous disiez que le titre est provocant ? C'est vrai ! Je veux vous provoquer (comme je le fais avec moi-même), pour savoir si votre vision du monde repose sur vos propres expériences ou si vous reprenez les paroles de votre famille, de vos livres d'histoire, de vos professeurs, des médias. Je veux vous mettre au défi et remettre en question votre façon de vivre. Pourquoi ? Pour que vous viviez le mieux possible, et que vous soyez au bout du compte heureux, avec vous-même et les autres. C'est à vous de déterminer comment vous le ferez ; je peux vous montrer et expliquer les mécanismes, si vous ne les connaissez pas encore. Je vous donnerai quelques conseils sur leur application.

Laissez-moi vous provoquer encore un peu plus. Pourquoi environ trois cents familles ont-elles engrangé plus d'argent que le reste du monde ? Pourquoi la vie est-elle si injuste ? Pourquoi ne faites-vous pas partie de ces familles ? Pourquoi avez-vous choisi une famille de la classe moyenne ou même une famille pauvre ? Pourquoi personne ne peut-il répondre à cette question ?

Pourquoi ai-je l'impression que l'Église m'a abandonné ? Pourquoi dois-je me sentir comme un pécheur, alors que je n'ai fait de mal à personne ? De quoi suis-je coupable ? J'ai suivi un régime, je médite, j'ai fait le pèlerinage de Compostelle, je prie le Seigneur depuis des décennies – rien ne change. Les riches vivent à cent à l'heure, ont des villas magnifiques, les plus belles voitures de sport, un jet privé, ils sont en bonne santé, ils consultent dans les meilleures cliniques… tandis que moi... Ce n'est pas possible.

Il y a quelque chose qui cloche. Les uns mentent et trompent, ils vivent dans le luxe, et moi, qui fais bien attention de ne nuire à quiconque, qui milite pour l'environnement et la défense des animaux, je dois me battre ou avancer en me traînant à quatre pattes.

POUR QUELLE RAISON ?

Pour quelle raison avez-vous pris ce livre ? Est-ce par curiosité ?

D'accord, vous êtes donc curieux. Êtes-vous également curieux quand il s'agit d'autres visions du monde, d'adopter éventuellement celle des riches et puissants ? Voulez-vous vraiment vous mettre dans leur peau et comprendre leur façon de raisonner, ce qu'ils pensent du succès et de leurs profits ? Cherchez-vous à savoir en quels dieux ils croient, s'ils s'agenouillent humblement comme vous, ou s'ils ne le font pas ? Êtes-vous prêt à adopter le point de vue de votre ennemi, peut-être de votre voisin avec qui vous êtes en conflit, ou de votre rival au travail ? Qu'en est-il de vos concurrents ? Avez-vous toujours raison et les autres, tort ?

Jusqu'où va votre curiosité ? Si vous êtes un bon chrétien, iriez-vous compulser les archives du Vatican pour examiner de près ce qu'il en est de votre foi ? Si tout a été publié sur la vie de Jésus et de sa famille, il n'y a donc plus de raison de garder des secrets ? Êtes-vous assez curieux pour remettre en question ce que vous avez cru pendant toutes ces années ?

Comment cela se passe-t-il dans la religion juive ? Pourquoi y a-t-il un enseignement secret, la Kabbale ? Si tous les juifs sont égaux, pourquoi le savoir est-il caché aux plus nombreux ? Quels sont ces secrets ?

Et l'Islam ! Pourquoi les soufis sont-ils de « meilleurs » musulmans ? Pourquoi peuvent-ils accomplir des miracles dont un musulman moyen n'est pas capable ? Quelle connaissance des soufis serait cachée aux autres ? Et les derviches ? Eux aussi ont conservé un enseignement secret, qu'ils ne dispensent qu'à certains initiés. Si vous êtes musulman, je vous demande si vous ne voudriez pas connaître les secrets que cachent les derviches.

Seriez-vous prêt à donner un peu de votre vie pour acquérir ces connaissances ? Seriez-vous prêt à remettre en question votre vision du monde, si elle se révélait insuffisante ou incomplète ?

Prenons un exemple : vous êtes un banquier ou un ancien étudiant en économie, formé avec succès au système financier actuel. Êtes-vous assez curieux pour vous intéresser à un système monétaire différent, qui est peut-être plus efficace, et qui pourrait rendre caduc tout ce que vous avez mis des années à apprendre ?

Si vous avez des réponses pertinentes aux questions que je viens de poser, si vous voulez enfin avoir du succès dans votre vie et regarder l'avenir de façon saine et positive, il existe des solutions.

Suivez mes propos au fil de votre lecture, et observez vos réactions, ce que manifeste votre âme, si vos émotions, votre courage, votre envie de prendre des risques augmentent pour défier la vie, vous trouver et « casser la baraque ».

Ce livre que vous tenez peut vous aider, car il a une faculté : bousculer vos certitudes. Je l'ai prouvé dans les livres précédents. Mais qu'en est-il de mes capacités à vous aider à échafauder une vision du monde nouvelle, qui s'appuie sur des faits réels et surtout sur vos propres expériences – une matrice qui vous permettra tout au long de votre vie de reconnaître et d'évaluer correctement les situations et de prendre des décisions courageuses ?

C'est de cela dont il s'agit – être indépendant : des doctrines politiques, d'une vision de l'histoire censurée, des différents statuts sociaux, des organisations ou partis, de l'opinion de vos parents et de votre communauté ; en bref, être libre, libre de décider et de s'épanouir, enfin !

C'est l'exigence que j'ai, vis-à-vis de moi-même et de ce livre, de vous aider à vous libérer et à prendre en main votre avenir, que cela plaise ou non aux autres.

Cela sonne bien, n'est-ce pas ? Presque trop beau pour être vrai… N'avez-vous pas déjà eu envie de tout plaquer, les traditions des générations précédentes, le politiquement correct, les opinions des autres ? Ne vouliez-vous pas leur montrer ce que vous aviez dans le ventre ? Mais les circonstances vous en ont empêché, et vous avez toujours remis cela à plus tard, aujourd'hui encore vous repoussez l'échéance… ? Pensez-vous qu'il soit trop tard maintenant ?

Non, mon ami, sûrement pas. Il n'est jamais trop tard ! Aujourd'hui est le meilleur jour pour créer quelque chose de neuf, et je vais vous aider. À condition que vous ignoriez mon conseil de poser ce livre, et que vous vous sentiez appelé à la maîtrise de votre propre vie. Finies les dépendances vis-à-vis des médecins, des scientifiques, des organisations religieuses, des partis politiques, des équipes de football, des obligations ou, comme disent les sages, du vieux karma !

Tout ce que je vous demande est de vous délester de vos points de vue rigides, et de suivre l'élan de votre cœur. Rien d'autre.

Le pire qui puisse vous arriver sera de dire : « Je n'aurais jamais dû ouvrir ce livre. » Mais je ne le pense pas. Êtes-vous prêt ? Alors, suivez mon cheminement, je reviens à la question…

DANS QUEL BUT ?

Quel est le but de ce livre ? Des secousses violentes ont récemment touché tous les pays. Nombre de livres ont fait leur apparition sur le marché (certains ont disparu à cause de la censure). Tous expliquent que les politiques et les médias essaient de nous endoctriner et que la propagande ne correspond pas à la réalité. Nous comprenons que le bourrage de crâne qui dure depuis des décennies ne doit pas rester ancré dans nos têtes. Internet joue un rôle primordial pour nous procurer et diffuser des informations alternatives.

Prenons l'exemple du 11 septembre 2001. Peu de gens croient encore à la version officielle, qu'on a essayé de nous inculquer de façon presque hypnotique. Quand il s'agit de la déclaration officielle du gouvernement américain avant l'invasion de l'Irak, on n'entend que des rires, et quand on parle de l'introduction de l'euro, les mines s'assombrissent… Les gens se réveillent, et il est de plus en plus difficile de les tromper. On remet en question les livres d'histoire. Comme les photos de l'expédition sur la Lune, la physique quantique a bouleversé les certitudes scientifiques. Il est temps de penser autrement.

Et pourtant – j'en viens à parler de mes motivations personnelles – bien qu'il y ait de plus en plus de gens informés de la face cachée des événements actuels, qui apprennent à penser en fonction de *Qui bono ?* (à qui cela profite ?) et qui ne se contentent plus de répéter bêtement ce qu'ils entendent, ce qui est si pratique ; j'ai dû constater que la plupart n'arrivent pas à intégrer ces informations et cette nouvelle façon de penser dans leur vie.

Nous avons reconnu que les loges secrètes jouent un rôle prépondérant dans la politique mondiale, que les hommes politiques sont souvent des hommes de paille. Nous savons que les hommes, ou plutôt leur âme, se réincarnent plusieurs fois, pour faire un apprentissage. Nous avons pris conscience qu'il y a apparemment des formes de vie dans l'univers, qui agissent sur nous (*La Matrice*…). Nous savons que les fêtes de Noël et de Pâques ont un rapport avec les cycles de la nature, avant d'être associées à Jésus, que Moïse et Akhénaton (Amenhotep IV) sont la même personne, que le cerveau humain peut être influencé par des ondes à basse fréquence, etc.

À quoi nous sert ce savoir ? Comment l'intégrer dans notre vie ? Quelles implications pour moi, personnellement ? En réalité, les gens qui s'intéressent à ces sujets, sont prêts à adopter de nouvelles formes d'alimentation ou à envisager la médecine de façon critique, ceux qui sont ouverts à de nouvelles voies, même alternatives, trébuchent dans leur quotidien. Très peu savent mettre en pratique ces connaissances. Certains rencontrent beaucoup d'incompréhension ou sont victimes de moqueries de la part de leur entourage. D'autres se sentent une âme de missionnaire et finissent par se fâcher avec le peu d'amis qu'il leur reste…

La plupart n'ont pas assez d'argent, font un travail qui ne leur plaît pas, se sentent opprimés et n'ont donc pas les deux pieds ancrés sur le sol. Ce n'est pas possible, n'est-ce pas ? Encore pire, et c'est ce qui m'a poussé finalement à reprendre mon clavier d'ordinateur, c'est le manque d'amour et de générosité de ceux qui pensent avoir trouvé de nouvelles voies. D'un côté, on fait des chaînes de lumière, on médite et on prie pour la paix dans le monde ; de l'autre, on est fâché avec son beau-père, on est en conflit avec son propriétaire, avec ses collègues de travail, on devient soi-même un fanatique.

Beaucoup de ceux qui passent souvent des nuits sur Internet pour trouver des informations ne sont pas en mesure de comprendre le concept dans son ensemble, la vision objective et ample. Ils prennent quelques éléments de ce qu'ils voient et l'intègrent dans leur vision.

Untel s'intéresse au système de l'intérêt sur l'argent, un autre à l'énergie libre, un troisième à l'environnement, au Nouvel Ordre Mondial, aux Illuminati, aux extraterrestres, aux survivants du Troisième *Reich*, au Vatican, aux prophéties sur la troisième guerre mondiale, aux loges maçonniques. On approfondit le sujet, on trouve un bouc émissaire qu'on montre du doigt et sur qui on peut se défouler ; il devient le responsable de nos échecs, de notre vie ratée, de notre impuissance.

Ce qui signifie que beaucoup de gens préfèrent montrer du doigt les méchants, en pensant qu'eux-mêmes sont du côté des bons, mais personne ne veut faire le ménage devant sa porte. Ainsi, ils passent à côté de leur objectif de vie. Car : « Rien n'est bien, sauf si on le fait ! »

Ou : « Vous les reconnaîtrez à leurs fruits ! »

Il est dramatique de voir que la plupart des gens incriminent les autres, leur attribuent la responsabilité de leur situation désagréable, de leurs problèmes financiers, de leur état de santé ou des conditions familiales. Et ils cherchent la solution à l'extérieur, se tournent vers l'État, le système de santé ou même l'ONU, qui sont censés trouver la solution. C'est ce que suggèrent les médias et les organisations publiques : la solution est toujours à l'extérieur.

On nie l'importance de l'esprit, qui agit sur la matière, de l'amour, de l'intuition, de l'âme, du divin. C'est de la superstition, de l'imagination, des fantasmes. Et c'est exactement ce qui différencie « l'initié » du bourgeois moyen, de l'athée ou du matérialiste, qui ne connaît pas les mécanismes de la vie. Il est influençable et se repaît de la vie des grands, des riches et des puissants.

Je divise les mécanismes *secrets* de la vie en deux parties distinctes. D'un côté, on peut profiter des faiblesses des gens, pour les dominer et les empêcher de se développer, ou, de l'autre, développer les qualités qui feront de nous un être accompli spirituellement, qui rencontre un succès sans limites, en appliquant ces mécanismes consciemment.

Voici les dix règles du maître [général] chinois Sun Tzu, exprimées dans son livre le plus connu, *L'Art de la guerre*. Elles ont 2 500 ans et nous montrent qu'il y eut toujours des hommes pour étudier nos faiblesses et en profiter. Si on connaît les mécanismes cachés de la vie, ici les mécanismes négatifs, il est probable que l'on s'en serve à son propre profit :

1) Détruisez tout ce qu'il y a de bien sur les terres de vos ennemis.

2) Ridiculisez leurs dieux, et traînez dans la boue leurs traditions.

3) Ruinez par tous les moyens l'image de leurs dirigeants. Entraînez-les le plus possible dans des affaires douteuses, et exposez-les à la honte au moment voulu.

4) Semez la zizanie parmi le peuple.

5) Montez la jeunesse contre leurs aînés.

6) Entravez par tous les moyens le travail des administrations.

7) Mettez des espions partout.

8) Ne reculez devant aucune proposition de collaboration, même de la part des plus vils.

9) Perturbez le plus possible l'entraînement et l'approvisionnement des forces ennemies, ruinez leur discipline et paralysez leur ardeur au combat par de la musique entêtante, envoyez-leur des femmes légères et laissez-les terminer le travail de sape.

10) N'épargnez aucune promesse d'argent ou de cadeaux, les intérêts seront juteux.

Ces « dix commandements » étaient une bonne base pour les jeunes dirigeants et leur permettaient d'atteindre leurs objectifs politiques. On en retrouve une partie dans le *Testament de Pierre Le Grand*, dans les documents des Illuminés de Bavière et les écrits de Machiavel.

Pour comprendre la politique, il faut avoir étudié Machiavel. Nicolas Machiavel (1469-1527) fut un homme politique et un historien génial, qui exposa dans son livre le plus connu, *Le Prince* (1515), les raisons de l'impuissance politique de l'Italie de son temps. Il décrit un seigneur dont la seule ambition est le pouvoir. Un seigneur doit s'appliquer à créer des factions hostiles qui s'entre-déchirent, pour que le peuple puisse trouver en lui protection et sécurité.

On pourrait y voir une analogie avec la peur d'attaques terroristes, propagée par les médias à notre époque. Vers qui se tourne le citoyen ? Si la menace est (dit-on) mondiale, auprès de qui la population du globe va-t-elle chercher à se protéger ? Je vous en dirai plus dans le chapitre « Le Nouvel Ordre Mondial »…

Je vous expliquerai abondamment les mécanismes de la vie, dans ses aspects positifs, tout au long de ce livre.

2. Le trou du Pentagone fait 19 mètres de large.
L'avion qui s'y est encastré fait 38 mètres de large.
Pourquoi le bâtiment ne porte-t-il pas les traces des ailes ?
Étaient-elles rétractables ?

3. Nous pouvons voir que les ailes n'ont pas touché le bâtiment.
Comment est-ce possible ? Il n'y a pas de débris de l'avion,
ni de train d'atterrissage, ni d'ailes, pas même de cadavres ; même le
gazon n'a pas souffert. Dois-je vous préciser ce que cela signifie,
ou avez-vous le courage de penser par vous-même
la « vérité interdite » ?

QUI NE POSE PAS DE QUESTIONS RESTE IGNORANT

Revenons à la question soulevée précédemment, au sujet des trois cents familles qui, par leur capital, contrôlent l'économie du monde. Avez-vous réfléchi à cette question : comment est-ce possible ? Comment ces gens sont-ils devenus si riches ? Pourquoi n'en faites-vous pas partie ? La vie est-elle injuste avec vous ? Dieu est-il injuste dans la distribution ? Ou ces nantis ont-ils accès à des informations qui vous sont cachées ?

Je vous expliquerai une partie de cette énigme dans ce livre. Comment je l'ai su ? Eh bien, cela fait plusieurs années que j'écris sur le sujet, et que j'ai rencontré des personnes qui ont travaillé pour eux. Mais j'ai surtout un ami passionnant, que je vous présenterai plus loin, qui m'a initié depuis l'enfance aux choses de la vie et à ses phénomènes.

Dans ce livre, je traite de choses cachées, secrètes. Je voudrais montrer qu'il y a un savoir qu'on cache à l'humanité. Les uns retiennent les informations, pour ne pas mettre en péril leurs objectifs de domination mondiale. Les autres le font pour ne pas aggraver la situation, car il faut du temps pour réagir sagement à ces informations.

Osons la comparaison avec des parents qui cachent les couteaux tranchants à leurs jeunes enfants. Un couteau n'est pas mauvais en lui-même, mais un jeune enfant peut se blesser en l'utilisant.

C'est un peu pareil avec la vérité et les informations. Elles peuvent être des armes. Dans l'histoire, des informations furent cachées ou dispensées à dessein, pour commencer des guerres, les influencer ou y mettre un terme. Prenons deux exemples :

I – La bataille de Waterloo

La famille de banquiers des Rothschild eut une influence déterminante sur la politique européenne des XVIIIe et XIXe siècles.

En 1815, Nathan Mayer Rothschild – un des cinq fils du banquier fondateur Mayer Amschel Rothschild [né Mayer Amschel Bauer en 1744] – avait gravi tous les échelons pour devenir le banquier le plus puissant d'Angleterre. Les Rothschild avaient mis au point un système perfectionné d'espionnage et de transport de courrier couvrant toute l'Europe, qui prouva son efficacité pendant les guerres napoléoniennes. Ils disposaient d'agents chargés de collecter des informations dans les grandes capitales et les places économiques stratégiques. L'auteur américain Des Griffin raconte : « Les calèches des Rothschild sillonnaient les grandes routes d'Europe, leurs navires traversaient la Manche, les agents se déplaçaient comme des ombres dans les rues des grandes villes. Ils transportaient de l'argent liquide, des titres, des lettres et des informations. Surtout des informations, les plus récentes, les plus confidentielles, qu'on allait exploiter aussitôt aux différentes Bourses. »

Le 20 juin 1815, Nathan Rothschild reçoit un rapport secret d'un de ses agents sur l'état de la guerre. Il se met en route pour Londres. Arrivé à la Bourse de Londres, il fait croire en vendant toutes ses actions English Consul que l'Angleterre a perdu la guerre. La rumeur « Rothschild le sait » − « Wellington a perdu à Waterloo ! » s'ébruite si vite que la plupart des actionnaires, pris de panique en pensant tout perdre, vendent leurs actions English Consul. Au bout de quelques heures, la valeur des actions tombe à 5 cents, les agents de Nathan les rachètent pour une bouchée de pain. Peu de temps après, la nouvelle officielle sur l'issue de la guerre se répand à Londres. En l'espace de quelques secondes, le cours des English Consul repart à la hausse. Napoléon a frappé son Waterloo et Nathan a obtenu le contrôle de l'économie anglaise. En une nuit, la fortune déjà gigantesque des Rothschild est multipliée par vingt.

Les Français ont beaucoup de mal à se remettre de leur défaite. En 1817, ils concluent un accord pour obtenir un crédit d'un montant considérable, avec la banque française de Gabriel-Julien Ouvrard et la banque Baring Brothers de Londres. Les Rothschild ne sont pas sollicités. L'année suivante, la France a un nouveau besoin de crédit ; là non plus, on ne fait pas appel à eux. Cela ne pouvait leur plaire, ils essaient de convaincre le gouvernement par tous les moyens possibles de faire affaire avec eux, mais en vain.

Le 5 novembre 1818 survient un événement inattendu. Le cours des obligations du gouvernement français, qui n'avait cessé de monter pendant un an, se met à chuter brutalement, sans interruption. L'atmosphère est tendue à la cour du roi Louis XVIII. Les seuls à ne pas en être affectés, et même à en rire, sont les frères Rothschild, Calmann Mayer [plus tard Carl Mayer von Rothschild] et Jakob [futur baron James de Rothschild]. Ils ont acheté, en octobre 1818, une énorme quantité d'obligations du gouvernement français, à l'aide de leurs agents et de leurs réserves illimitées – des obligations émises par leurs rivaux, Ouvrard et Baring Brothers. Le cours des obligations monte. Mais le 5 novembre 1818, ils se mettent à inonder le marché des principales places commerciales d'Europe de ces obligations, et provoquent une panique sur le marché.

La situation a changé d'un seul coup, les Rothschild sont devenus numéro un en France. Ils bénéficient de toute l'attention de la cour de France, et pas seulement dans le domaine financier.

À Paris, la Maison Rothschild a accru son influence après la défaite de Waterloo, et à Londres, Nathan Rothschild, par son influence sur la Banque d'Angleterre, peut faire pression sur le Parlement britannique.

Cette histoire illustre parfaitement mon propos sur les conséquences que peut avoir la rétention ciblée d'une information – ici sur la Bourse, et indirectement sur le gouvernement d'un pays.

Prenons un deuxième exemple pour expliquer comment la rétention d'une information poussa une nation entière à la guerre.

II – Pearl Harbor

Le président américain Franklin Delano Roosevelt avait provoqué les Japonais, en leur lançant le 26 novembre 1941 un ultimatum les sommant de retirer leurs troupes d'Indochine et de Chine (Mandchourie). C'est une réalité historique, mais aussi un secret bien gardé : cet ultimatum fut caché au Congrès américain et révélé après l'attaque de Pearl Harbor. Tout le monde s'accorde pour affirmer que les Japonais n'avaient pas d'autre choix que la guerre. Ils avaient tout fait pour éviter un conflit avec les Américains. Le prince Kenoye, ambassadeur du

Japon aux États-Unis, avait à plusieurs reprises demandé à rencontrer Roosevelt à Honolulu ou Washington pour trouver un compromis. Il était même prêt à obéir aux exigences des Américains afin d'éviter la guerre. Mais Roosevelt avait refusé à plusieurs reprises de lui parler, car la guerre avec le Japon était planifiée depuis longtemps – comme auparavant celle avec l'Allemagne.

Simultanément, Roosevelt expliquait au peuple américain : « C'est aux mères et aux pères que je m'adresse, et à qui je fais la promesse suivante, comme je l'ai dit souvent, et je le répéterai encore et encore : je n'enverrai pas vos fils pour faire la guerre dans des pays étrangers. »

Les militaires américains savaient que les Japonais allaient commencer par attaquer Pearl Harbor, comme le confirment plusieurs sources antérieures :

– l'ambassadeur américain à Tokyo, Joseph Grew, envoie une missive à Roosevelt le 27 janvier 1941, dans laquelle il explique qu'en cas de guerre entre le Japon et les États-Unis, Pearl Harbor serait le premier objectif des Japonais ;

– le membre du Congrès américain Martin Dies (président de la Commission de la Chambre sur les activités antiaméricaines) remet à Roosevelt au mois d'août 1941 un rapport confirmant que Pearl Harbor serait la cible d'une attaque, et qui détaille le plan de la stratégie d'attaque. On lui demande de se taire ;

– en 1941, les services secrets américains réussissent à déchiffrer le code militaire et diplomatique secret des Japonais. Roosevelt et ses conseillers connaissent la date exacte, l'heure et l'objectif de l'attaque.

Al Bielek, l'un des deux survivants du *Projet Philadelphie*, me raconta en 1991 qu'il était en poste à Pearl Harbor en 1941 et avait été rapatrié une semaine avant l'attaque, car il devait faire partie du *Projet Philadelphie*, en compagnie de Nikola Tesla. On lui aurait dit qu'il avait été éloigné en prévision de l'attaque, qu'il était trop précieux pour y laisser la vie.

On avertit la base militaire de Pearl Harbor deux heures avant l'attaque, personne n'était préparé, le désastre serait sans pitié. C'est ce que voulait Roosevelt, il pouvait maintenant présenter les Japonais comme des « porcs perfides », les États-Unis se devaient de réagir par des représailles.

Devinez maintenant ce que George W. Bush a déclaré à la nation américaine après l'attaque du 11 septembre 2001 : « Ceci est un deuxième Pearl Harbor ! » Que voulait-il dire par là ? Nous le verrons plus tard.

Voilà donc deux exemples tirés de la réalité politique. Pouvez-vous imaginer qu'il existe des secrets qui concernent la genèse de l'histoire des hommes, ou des secrets sur des technologies existantes, qu'on cache à l'opinion publique, comme le moteur magnétique ou le moteur à eau ?

Vous n'en avez jamais entendu parler ? Je vais vous aider…

En 1992, j'entrepris un voyage de six mois dans l'hémisphère Sud, en Australie, en Nouvelle-Zélande et en Asie. Je rencontrai dans une librairie du sud de la Nouvelle-Zélande un homme, M. Ross, qui me demanda si j'avais envie de lui raconter, de même qu'à quelques-uns de ses amis, mon expérience et mes recherches sur les armes secrètes (disques volants) des Allemands pendant la guerre. Il était à la tête d'un cercle d'amateurs d'Ovni à Dunedin et en contact avec d'autres groupes en Nouvelle-Zélande. Je donnai aussitôt mon accord. Il m'appela le lendemain et m'enjoignit de me rendre chez un de ses amis à Invercargill, à la pointe sud de l'île, où se réunissait une fois par semaine ce petit cercle.

Après que j'eus exposé mes recherches ce soir-là, l'hôte me dit sur un ton moralisateur : « Vous les Allemands, on vous a bien lavé le cerveau. » Une phrase que je ne pouvais pas comprendre, car je pensais encore que l'Allemagne était un des pays les plus libres, après avoir survécu au national-socialisme. Ce soir-là, je devais comprendre que je me trompais : l'homme me conduisit dans une pièce remplie de livres et de cassettes vidéo, qui traitaient de sujets n'existant pas de manière officielle. Il m'expliqua que tous ces ouvrages étaient interdits dans mon pays. Il y avait des livres sur les recherches des Allemands sur l'antigravité, l'énergie libre, les expéditions lunaires, la face cachée du Troisième *Reich*, les francs-maçons, les poisons dans l'alimentation, des personnes ayant guéri de maladies incurables, la Terre creuse et les bases souterraines, les contacts des extraterrestres avec nos gouvernements.

Un homme de ce cercle m'appela le lendemain, car il voulait me montrer certaines choses. Il vint me chercher et nous roulâmes pendant deux heures à travers une forêt primaire pour atteindre une petite maison. Il m'indiqua que personne ne la connaissait et que, si je devais me cacher un jour, je pourrais m'y réfugier. Il ajouta que si je voulais construire une soucoupe volante, l'endroit s'y prêtait parfaitement. La proposition me parut étrange. Je fus étonné aussi lorsqu'il alluma en pénétrant dans la maison, alors qu'il n'y avait pas de ligne électrique à l'extérieur. Je l'interrogeai et il me prit par la main en me montrant une petite machine dans la cave, qui ronronnait doucement. Il me dit : « Voici la raison principale de notre venue ici. » Je cherchais le fil d'alimentation et une prise dans le mur, mais en vain. L'homme m'expliqua qu'il s'agissait d'un convertisseur magnétique, un générateur de courant électrique, qui n'avait besoin d'une impulsion extérieure qu'au départ, à l'installation. Cette impulsion venait d'une petite roue, placée sur le côté de la machine, à faire tourner une fois. Ce générateur pouvait donner assez de courant pour une grande maison ou, dans un modèle plus grand, pour une voiture.

Cet homme était né britannique, il avait émigré en Nouvelle-Zélande après avoir essayé en vain de vendre son invention en Angleterre, où il avait même reçu des menaces de mort. Il n'avait pas trouvé d'autre issue que de quitter son pays et de se taire. Voilà pour le côté technique.

Là, vous vous dites sans doute :

Fantastique, ce moteur magnétique. Si j'en installais un chez moi, je n'aurais plus à payer mon électricité. Le chauffage et l'eau chaude seraient gratuits. Je pourrais aussi mettre une serre dans le jardin, que je chaufferais gratuitement en hiver, et faire pousser ce que je mange. Je m'achèterais une voiture électrique, plus d'essence à payer, et je préserverais l'environnement. En faisant mes comptes, je m'apercevrais qu'en déduisant les coûts d'essence, d'électricité et d'alimentation, je pourrais travailler moins... Je pourrais aussi acheter un avion d'occasion avec mes amis, y installer un grand générateur, nous rendre sur la Lune pour vérifier par nous-mêmes ce qu'il en est réellement de son atmosphère !

Il n'y a pas de limites à l'imagination dans ce domaine. Tout devient possible. Dans votre euphorie, vous vous êtes dit que cela créerait également beaucoup de chômage dans l'industrie du pétrole et le secteur de l'automobile, chez les chauffagistes, etc.

Êtes-vous conscient que vous servez là les forces qui veulent toujours le bien en détruisant ? Vous serez le déclencheur d'une misère infinie, des gens vous haïront, car vous aurez ruiné leur vie. Je sais, vous ne vouliez faire que du bien…

Je ne veux en aucun cas vous détourner de l'énergie libre – au contraire. Elle est notre avenir, et sera mise sur le marché un jour ou l'autre (le plus tôt sera le mieux), ce qui enrichira le monde et le bouleversera. Vous savez que chaque chose a son revers ici-bas. Parfois, il est important de prendre les décisions qui présentent un avantage pour la majorité des gens, mais peuvent détruire ceux qui sont attachés aux technologies conventionnelles, s'ils n'arrivent à penser et à agir différemment.

C'est ce qui s'est produit, quand on a commencé à introduire l'ordinateur. Il nous a simplifié la vie ; en même temps, il a fait disparaître beaucoup de métiers et continue de mettre des gens au chômage. Seriez-vous prêt à y renoncer aujourd'hui ?

C'est la loi de polarité.

Ces exemples vous permettent de prendre conscience que vous blesserez et attaquerez des gens, quel que soit le chemin que vous choisissez, même si vous êtes un idéaliste habité de motivations inoffensives.

Une invention – un petit moteur – que j'ai pu découvrir dans une jungle lointaine devient une « arme » qui changera le destin de millions de personnes.

Vous comprenez maintenant que la connaissance de certains secrets puisse se révéler dangereuse, qu'un esprit innocent, dans sa spontanéité, pourrait être à l'origine de destruction et faire beaucoup de mal s'il n'apprend pas à les manier.

Je prétends ici et maintenant que les trois cents familles dont je vous ai parlé sont si riches et puissantes car elles détiennent un savoir secret, sur quelque chose dans le monde extérieur et autre chose se trouvant en nous, qui fut consciemment caché au plus grand nombre.

Les gens naïfs nous expliquent qu'il n'y a plus de secrets aujourd'hui, que la planète a été explorée et l'histoire est connue de tous. Pourquoi y a-t-il des services secrets qui emploient des milliers de collaborateurs, si tout le monde sait tout et que tout est connu ?

Je me rappelle un entretien avec un intellectuel ne croyant ni en Dieu ni au Diable, sans parler de l'âme, de l'intuition et des lois cosmiques. Il n'y aurait aucune base scientifique pour tout cela, rien qu'un fatras d'élucubrations. Quand je lui demandai s'il aimait sa femme, il m'en assura d'un air convaincu.

Je lui répondis qu'il mentait, que c'était faux, et il commença à grimacer et à s'emporter. Je lui expliquai que l'amour n'existait pas et qu'il n'y en avait aucune preuve scientifique, et le priai de redescendre sur terre. Il n'y a pas d'amour, car ce que la science ne peut expliquer n'existe pas.

Évidemment, je lui expliquai que je l'avais provoqué volontairement, en lui retournant son argumentation bancale. Il me répondit que, de temps en temps, il avait eu des pressentiments que son côté cérébral ne pouvait expliquer…

Ce n'est pas nécessaire, mais refuser quelque chose qu'on ne comprend pas tout de suite n'est pas juste. Ainsi en est-il des secrets. Réfléchissez : il existe des centaines d'instituts de recherche, qui ne font qu'analyser les gens, leurs habitudes, leurs comportements et leurs besoins. Il y a en Europe beaucoup d'instituts qui s'intéressent à la guerre psychologique, comme le Tavistock Institute. Que pensez-vous qu'il advient des résultats de ces études et expériences ? Finissent-ils à la poubelle ou les remet-on à ceux qui ont fondé et financent ces instituts ? Et là, nous nous retrouvons dans les milieux des puissants et des riches…

Pensez-vous que les mécanismes de la pensée humaine et de la vie soient déchiffrés depuis longtemps ? Ils le sont, de façon définitive. Les puissants, les magnats, se servent de ces mécanismes à leur avantage et à votre désavantage. Je me demande seulement pourquoi vous ne le saviez pas, et ce que vous allez faire de ces connaissances. Nous revoilà donc au même chapitre : à quoi nous sert tout ce savoir si nous ne savons pas l'intégrer dans notre vie personnelle ?

C'est une bonne raison pour essayer d'en savoir plus sur les secrets de la vie.

Dans mes livres précédents, j'ai mis l'accent sur les secrets négatifs, menaçants et désagréables de la vie. Il y avait un besoin de rattrapage de l'autre côté – du côté agréable, qui nous libère et nous construit.

Car n'est-ce pas ce que nous cherchons tous – le bonheur, la santé, la prospérité, les voyages, la paix ?

C'est possible, mais cela demande d'être prêt, motivé à accepter l'apparition de nouveaux éléments dans ma vision du monde, afin de mieux le regarder, de l'exploiter et de développer la confiance que la vie peut m'offrir encore plus que je ne l'avais imaginé, car c'est…

1. UN MONDE MIRACULEUX

Beaucoup de gens, surtout en Occident, ne croient plus aux miracles ; ils sont surpris quand ils se cassent une jambe, perdent leur travail, sont quittés, ou qu'on les percute en voiture.

Cela vient du fait qu'ils ne s'intéressent pas à ce qui constitue la vie réellement. Ils ont trouvé des chemins pour s'en sortir, mais ils ignorent le sens profond de leur vie, ce qu'ils font sur cette terre, qui ils étaient et ce qui les attend après la mort.

Le pire est évidemment que la majorité des gens ne savent pas ce qu'ils font sur terre et ne comprennent donc pas les mécanismes de la vie. Les naïfs diront qu'elle n'a pas de mécanismes particuliers, qu'il n'y a pas de lois de l'esprit, pas de plans de vie et sûrement pas de miracles.

Que penser des gens qui marchent pieds nus sur la braise ? Comment font-ils pour ne pas se brûler les pieds ? Leur foi ne leur permet pas de déplacer des montagnes, mais de suspendre momentanément les lois de la nature. La personne qui court sur les braises sans se brûler s'est préparée mentalement pour y parvenir. Si elle en est absolument convaincue, elle ne se brûlera pas. Il suffit d'un moment de doute et tout aura été vain.

Comment font certaines personnes pour plier des cuillers par leur force mentale, devant une caméra, alors qu'il est scientifiquement prouvé que ce n'est pas possible ?

Et que penser de l'effet placebo ? En 2003, plusieurs magazines publièrent un article sur une étude médicale de l'opération du ménisque, sur un groupe de malades. La moitié des patients fut réellement opérée, l'autre moitié ne subit qu'une petite entaille au genou, après avoir été anesthésiée, pour faire croire à une opération. On ne dit rien aux patients et, ô miracle, même ceux qui ne furent pas opérés montraient des signes de guérison ! L'étude conclut à la preuve de l'effet placebo. De quoi s'agit-il ? Rien d'autre qu'une des lois cosmiques fondamentales mises en application :

L'esprit domine la matière !

Il fut un temps où un jeune homme de Palestine disait « À chacun selon sa capacité », ce qui revient à peu près au même. Par expérience, je peux vous dire la chose suivante : la vie est pleine de miracles. Et nous pouvons les créer nous-mêmes. Comment ? Je vais vous l'expliquer dans ces pages et vous donnerai des conseils pour les mettre en pratique dans votre vie, sur-le-champ. En réalité, il n'y a pas de vrais « miracles » – cette déclaration vous étonne ? –, il s'agit simplement de suivre et de mettre en pratique certaines lois naturelles permettant ces phénomènes.

Je m'apprête à vous présenter des personnes *miraculeuses,* dont l'action *miraculeuse* nous permet de pénétrer dans des domaines de la vie que vous aviez complètement exclus de votre vision du monde. Vous entendrez parler d'événements qui vous paraîtront assurément incroyables, je vous expliquerai ensuite comment ces miracles sont possibles, comment vous pourrez en profiter et les appliquer dans votre vie.

Soyons concrets.

La première question consiste à déterminer si les miracles existent ou non. Voici l'une des personnalités les plus intéressantes du dernier millénaire, quelqu'un qui réalisa sans doute autant de miracles que les saints, que tous ses contemporains purent observer – un homme qui va vous surprendre.

LE COMTE DE SAINT-GERMAIN

2. L'HOMME QUI SAIT TOUT
ET NE MEURT POINT !

L'*Encyclopaedia Britannica* décrit le comte de Saint-Germain comme un aventurier célèbre du XVIIIe siècle, connu en Europe comme un *homme de miracles*. On ne connaît pas précisément ses origines, la date de sa mort est également incertaine. Voltaire, un grand cynique qui ne se laissait pas facilement impressionner, le décrivit auprès de Frédéric II de Prusse, dit Frédéric le Grand, comme « l'homme qui sait tout et qui ne meurt point » !

À en croire ses contemporains, il vécut au moins deux cents ans sans que son apparence change.

Le comte surgit un jour du néant. Sa vie entière fut entourée de mystère, d'intrigues et de rumeurs sur ses pouvoirs magiques. Il avait plus de quatre-vingts pseudonymes, le nom de Saint-Germain n'étant sans doute pas son vrai nom.

Dans un entretien avec Madame de Pompadour, une des maîtresses du roi de France Louis XV, Saint-Germain résumait son époque de la façon suivante : « Les femmes veulent la jeunesse éternelle, les hommes cherchent la pierre philosophale, l'élixir de vie, qui transmutent les métaux vils en or. Les uns veulent la beauté éternelle, les autres la richesse éternelle. »

Beaucoup de ceux qui le connurent pensaient qu'il avait découvert les deux. C'était sans doute dû à sa longévité. Il déclara un jour à Frédéric le Grand qu'il avait trouvé un élixir capable de prolonger la vie immensément, qu'il vivait lui-même depuis plus de deux mille ans. Au baron d'Alvensleben, il expliqua un jour : « Je tiens la nature dans ma main, et comme Dieu qui a créé le monde, je peux faire apparaître tout ce dont j'ai besoin à partir du néant. »

Un autre jour, il assurait, sur un ton affable, être peut-être plus âgé que Mathusalem !...

4. Le comte de Saint-Germain.
Cette gravure sur cuivre, réalisée en 1783 par N. Thomas à Paris,
a appartenu à Jeanne de La Rochefoucauld, marquise d'Urfé.

Essayons d'y voir plus clair. Il apparaît la première fois en l'an 1710,
comme en témoignent le compositeur Jean-Philippe Rameau et la jeune
comtesse de Georgy, qui le décrivent comme un homme entre quarante
et quarante-cinq ans. On en sait peu sur les deux décennies suivantes,
à part qu'il est devenu un confident de Madame de Pompadour et
a une grande influence dans diverses loges maçonniques et autres
sociétés secrètes de l'époque. L'esprit qui anime et rassemble les frères
de loge de ce temps est différent de celui d'aujourd'hui. Les hommes
qui s'y réunissent sont des êtres de grand esprit, qui s'intéressent à la
spiritualité, alors qu'aujourd'hui, les membres des degrés supérieurs ont
pris une orientation diamétralement opposée.
   Entre 1737 et 1742, on le trouve à la cour du shah de Perse, où il
acquiert sans doute ses connaissances considérables sur les diamants. En
1743, il est à la cour de Louis XV. Il y est célèbre pour sa richesse et ses

compétences en alchimie. Il prétend avoir trouvé la pierre philosophale, être capable de fabriquer des diamants, avoir été dans l'Himalaya et y avoir rencontré des gens « omniscients ». Il ajoute qu'il faut avoir étudié à l'intérieur des pyramides, comme il l'a fait, pour connaître son secret. Il prétend également avoir voyagé dans l'espace. « J'ai volé longtemps dans l'espace. J'y ai vu des globes terrestres tourner autour de moi et des mondes à mes pieds. » Un autre jour, on l'entend dire : « J'ai voyagé dans le temps et me suis retrouvé sans le savoir dans des contrées lointaines. »

Il possède des dons de visionnaire – il parle des découvertes du futur. On prétend qu'il a en outre le don d'apparaître et de disparaître devant témoin, quand et où il veut.

Des contemporains – de la marquise de Pompadour au baron von Grimm – soulignent dans leur correspondance et journal intime les talents extraordinaires du comte. Le talent de raconter des histoires, son savoir immense sur les événements historiques, des anecdotes merveilleuses sur Cléopâtre VII, Ponce Pilate, Marie Tudor, Henri VIII et François Ier, qu'il distillait avec tant de détails que seul un témoin oculaire pouvait connaître, que ses auditeurs, Louis XV inclus, pensaient qu'il y avait réellement pris part.

La psychiatrie moderne connaît sans doute des cas similaires, mais la grande différence est que Saint-Germain impressionnait ses contemporains par des actes « miraculeux » bien réels.

Revenons aux faits historiques : emprisonné en 1744 en Angleterre pour espionnage, le comte est relâché aussitôt après avoir été interrogé. De 1745 à 1746, il séjourne à la cour de Vienne, où il vit comme un prince ; on le trouve « doué et plein d'esprit ». On ne le décrit pas seulement comme un homme très riche qui maîtrise, en dehors des langues européennes, les langues arabes, orientales et classiques, il est aussi un musicien accompli, au piano comme au violon. Il est végétarien et ne boit que très peu de vin.

On sait qu'il est allé en Inde au moins à deux reprises, entre 1747 et 1756. Dans une lettre, il explique avoir obtenu « la maîtrise de la fonte des pierres précieuses ». Il parvient au faîte de la gloire entre 1757 et

1760 à la cour de Louis XV, où il multiplie les diamants à volonté. On met à sa disposition un laboratoire pour des expériences en alchimie. La comtesse de Georgy, qui a soixante-dix ans, s'étonne de voir qu'il n'a pas changé physiquement depuis leur première rencontre, cinquante ans auparavant.

Madame du Hausset, femme de chambre de la Pompadour, le décrit en 1760 de la façon suivante : « Il avait l'air d'avoir cinquante ans environ. Il n'était ni gros ni maigre, il avait des manières parfaites, l'air intelligent, et s'habillait de façon simple, mais avec beaucoup de goût. Il portait aux doigts des diamants d'une grande pureté, il y en avait sur sa tabatière et sur sa montre. On estimait à 200 000 francs ceux qu'ils portaient aux genoux et sur les boucles de ses souliers. Les dentelles de ses habits étaient ornées de rubis étincelants d'une grande beauté [...]. »

La comtesse se souvient l'avoir rencontré à Venise, cinquante ans avant, quand il se faisait appeler « marquis Balletti ». Elle jure, comme le musicien Rameau, qu'il a maintenant l'air plus jeune.

Il paraît à Versailles en 1757, où il jouit d'une grande influence auprès de Louis XV, qu'il voit quand il le veut, ce qui offusque les officiers de la cour. Il passe en effet de nombreuses soirées auprès du souverain.

Entre 1760 et 1762, on le voit à la cour de Hollande négocier la paix avec l'Angleterre. Il dérange les seigneurs et les hommes politiques, Louis XV cesse apparemment de le protéger, car il se retire de façon temporaire en Hollande, pour poursuivre ses travaux et ses recherches. Dans une lettre, Voltaire écrit au roi de Prusse : « On dit que seul le comte de Saint-Germain connaît les secrets qui entourent la paix, celui même qui a soupé jadis avec les pères du Concile. C'est un homme qui ne meurt point et qui sait tout. »

De 1762 à 1773, apparaissent dans l'Europe entière des comptes rendus de ses activités scientifiques et politiques : « Un homme à part, capable de changer le fer en un métal, qui pour le travail de joaillerie est au moins aussi approprié et beau que l'or. »

À Venise, il possède une fabrique avec cent ouvriers, dans laquelle on produit des tissus de lin qui imitent la soie. Après la mort de Louis XV, entre 1774 et 1784, il met en garde Louis XVI et Marie-Antoinette contre un « complot gigantesque », dont il a pu voir les contours par ses fréquentations des cercles maçonniques et des Illuminati. En vain.

Puis il séjourne le plus souvent en Allemagne. Un témoin lui donne entre soixante et soixante-dix ans. Il s'engage avec son élève et mécène, le prince Charles de Hesse-Cassel, dans les cercles des francs-maçons, de la Rose-Croix et des chevaliers du Temple. Ils prennent part à des expériences qui doivent servir « au bien de l'humanité entière ».

5. Le comte de Saint-Germain dans un laboratoire d'alchimie avec deux moines.

Il vit plusieurs années à la cour du prince, en royaume prussien, et enseigne au souverain l'expérimentation scientifique. Il propose à Frédéric le Grand une liste de procédés chimiques, qui « si le monarque les avait pris au sérieux, auraient donné à l'Allemagne une avance considérable dans la révolution industrielle et en auraient fait le maître de l'Europe ».

À la cour de Charles de Hesse-Cassel, il avoue pour la première fois se sentir vieillir. Il meurt de façon subite le 27 février 1784, dans les bras de deux femmes de chambre. L'enterrement est consigné dans les archives de l'église St-Nicolas d'Eckernförde, le 2 mars 1784. Quand on ouvre à nouveau le cercueil quelques jours plus tard, il est vide !

Il réapparaît à Wilhelmsbad le 15 février 1785 dans une assemblée d'occultistes – des francs-maçons, des Illuminati et des nécromanciens. Plusieurs témoins l'attestent. On le voit en compagnie du célèbre alchimiste et aventurier italien, le comte de Cagliostro, du médecin viennois Franz Anton Mesmer, le créateur du mesmérisme, la théorie du magnétisme animal, et de l'écrivain et philosophe français Louis-Claude de Saint-Martin.

À partir de 1788, il séjourne à nouveau en France et met en garde à plusieurs reprises les nobles contre les dangers d'une révolution imminente. On ne le prend pas au sérieux. En 1789, il se rend en Suède pour veiller le roi Gustave III, qui craint une maladie grave.

Il enseigne aux personnes qu'il fréquente le sens caché de la vie, il les console – il a vu la révolution qui s'annonce – en leur parlant des mondes subtils, de l'au-delà, en fait.

Il prédit à Marie-Antoinette le jour et l'heure de sa mort en 1793. La reine elle-même atteste avoir senti la présence du corps astral du comte dans sa cellule, il l'aide à relever son âme, en l'assurant de la vie magnifique qui l'attend dans l'au-delà, ce qui l'aida à monter sur l'échafaud avec une dignité empreinte de noblesse.

Gustave III prédit plus tard à son amie et chroniqueuse, Madame d'Adhémar, que Saint-Germain viendrait lui rendre visite à cinq reprises, elle qui pensait qu'il avait toujours l'allure d'un homme de quarante-cinq ans. Des années après, elle confirma ce que le roi lui avait dit, la dernière visite ayant eu lieu le soir de l'assassinat de Charles Ferdinand d'Artois, duc de Berry et fils de Charles X de France, en février 1820.

Il réapparaît à plusieurs reprises, principalement dans des cercles occultes, mais sans laisser de traces. On l'aurait vu en 1821 à Vienne, en compagnie de la comtesse de Genlis, en 1836 à l'enterrement du prince Charles de Hesse-Cassel, cinquante-deux ans après être officiellement décédé. Plusieurs témoins l'y reconnurent. En 1842, on le dit un ami très proche de sir Edward Bulwer-Lytton (lord Litton). En 1867, il aurait participé à une réunion de la Grande Loge de Milan, et inspiré Frédéric Chopin et Piotr Ilitch Tchaïkovski par la suite. Pour finir, une célèbre théosophe, la D^{re} Annie Besant (née Wood et successeur d'Helena Petrovna Blavatsky, fondatrice de la Société théosophique), prétend l'avoir rencontré pour la première fois en 1896.

Qui est le comte de Saint-Germain ?

De qui tenait-il ses connaissances sur les procédés des alchimistes ? D'où lui venait sa richesse ? Comment faisait-il pour ne pas vieillir ou si peu, tel qu'attesté par de nombreux témoins ?

Son histoire nous rappelle évidemment le héros du film américain *Highlander*, qui ne perd jamais son apparence juvénile et voit ses amis vieillir d'année en année.

Est-il immortel, ou même un voyageur temporel ? En dehors de lui, personne ne le sait sans doute. Il est avéré qu'il étonna souvent son auditoire, en décrivant au XVIIIe siècle des inventions qui n'existaient pas encore – le chemin de fer et la navigation à vapeur. Comment faisait-il pour le savoir ?

Son nom ne revient ensuite que dans les années 1930. Il apparaît à Guy Warren Ballard, un ingénieur des mines américain, sur le mont Shasta, au nord de la Californie, en se matérialisant subitement devant lui, avant de disparaître peu après de la même façon mystérieuse. (J'ai été plusieurs fois sur place et questionné beaucoup de gens, mais personne ne connaissait l'existence du comte de Saint-Germain.)

Il prétendit devant cet homme être un membre de la « Fraternité Blanche ». Selon ses mots, elle était un groupe d'êtres d'une dimension supérieure, qui observait le développement de notre planète et soutenait les âmes dans leur apprentissage spirituel. Les explications de Godfre Ray King, le nom de plume de Guy Ballard pour ses deux livres, m'intéressent au plus haut point, dans le sens où elles convergent avec ce que j'ai écrit sous forme de roman dans *Die innere Welt – Das Geheimnis der Schwarzen Sonne* (*Le monde intérieur – Le secret du soleil noir*) qui aborde le thème de la Terre creuse.

Selon la théorie de la Terre creuse, elle est un corps creux, en son centre se trouve une cavité habitée, plus ou moins grande selon les témoignages, qui communique avec notre monde par deux ouvertures, aux deux pôles. Selon cette théorie, la Terre est un organisme – comparable à une cellule et son noyau – qui a au centre de sa cavité interne un noyau, sous la forme d'un soleil central. C'est du moins ce que relatent les personnes qui prétendent y avoir séjourné. La Terre aurait une forme de respiration, qui déterminerait l'ouverture et la fermeture des deux pôles.

Différentes tribus inuites affirmèrent aux membres d'expéditions polaires les questionnant sur leurs origines qu'elles venaient « d'un pays où le soleil ne se couche jamais », en pointant vers le pôle Nord.

Ce sont surtout les explorateurs polaires, les capitaines Robert Scott et Roald Amundsen, les amiraux Robert Peary et Richard E. Byrd, ainsi que le Dr Fridjof Nansen, qui relatent à l'unanimité qu'à partir du 77e degré de latitude nord, la température extérieure et celle de l'eau remonte, et que tous virent à un certain moment deux soleils. L'amiral Byrd prétend dans son journal de bord être entré dans une ville couverte d'or, où il aurait rencontré le roi et le peuple d'une très ancienne civilisation, qui l'aurait accueilli de façon amicale.

Nous n'avons pas assez de place pour traiter plus amplement du sujet de la Terre creuse, mais il y a un fait irréfutable : elle est traversée par un système millénaire de tunnels, qui étaient habités autrefois et dans lesquels on trouva des machines et autres artefacts. J'eus la chance de pénétrer moi-même dans plusieurs de ces tunnels, qui mènent, dit-on, à des villes souterraines immenses, supposément encore habitées par d'anciennes civilisations. En Amérique centrale, j'eus la possibilité de discuter avec un homme disant avoir accès à ces villes « habitées », et qui me narra des histoires passionnantes sur leurs habitants.

En 1989, je vécus une expérience remarquable. Je me trouvais à Sedona, en Arizona, une petite ville bien située, entourée de rochers rouges, à deux cents kilomètres environ au nord de Phoenix. Ce n'est pas seulement la Mecque de ceux qui s'intéressent à la spiritualité aux États-Unis, mais également le lieu où l'on trouve un nombre important de milliardaires y ayant des résidences secondaires.

À la limite ouest de la ville se trouve une vallée, le Boynton Canyon. Un guérisseur de la tribu des Lakotas, de la nation Sioux, me raconta une histoire, alors que nous prenions part à une cérémonie dans une vallée voisine. Cela se passait à l'époque où l'homme blanc pourchassait les Indiens. Un général (dont j'ai oublié le nom) était avec sa compagnie à la poursuite d'un groupe d'Autochtones, qu'ils avaient réussi à repousser dans le Boynton Canyon. Comme c'était un cul-de-sac, le général pensait pouvoir les capturer facilement, mais les Indiens avaient disparu.

Le guérisseur m'expliqua qu'il y avait dans le canyon une ouverture vers un tunnel qui conduisait en Californie, à environ quatre cents kilomètres de là. Il n'avait pas été construit par les Indiens, me dit-il, mais par une autre civilisation, et serait très ancien. Les Indiens n'ont pas le droit de toucher ou d'emporter les objets qu'ils peuvent trouver dans le tunnel. Ce qui retenait les Indiens ne fit pas reculer l'armée américaine. Après avoir construit un lieu de villégiature dans le canyon, ils commencèrent à s'intéresser au tunnel.

Comme je suis curieux, je me mis un jour à sa recherche, en compagnie de deux amies. Nous allions et venions autour du complexe touristique, quand nous fûmes repérés par un ranger, qui nous intima de quitter les lieux. Quelques jours plus tard, je le revis et nous entamâmes une conversation. Quand je lui dis que j'étais allemand, il me répondit que ses grands-parents étaient venus d'Allemagne. J'étais soudain dans ses petits papiers et nous parlâmes de choses et d'autres, jusqu'à ce que j'aborde le sujet du canyon. Il m'avoua qu'il s'y passait des choses peu communes. On avait découvert un tunnel, si spacieux qu'on pouvait y pénétrer en camion et stocker différents objets encombrants. On y avait observé d'innombrables apparitions d'Ovni, lui-même avait vu une soucoupe volante disparaître dans la montagne, un peu plus loin, à un endroit appelé Bell Rock.

La nuit, quand il patrouillait, il entendait régulièrement des bruits venant de l'intérieur de la Terre, qui ressemblaient au travail de machines…

Un an plus tard, je pus rencontrer, par l'entremise d'un général américain qui était un ami, un homme de la CIA faisant partie de l'unité responsable du tunnel du Boynton Canyon. Il m'expliqua que le complexe touristique était à l'origine un camouflage, dans le but de travailler sans être dérangé. On avait trouvé dans le tunnel des machines immenses faites d'un métal qui n'existait pas sur terre, ensuite transportées dans la zone 51 pour être analysées. Il me montra une photo d'une de ces machines, qui ressemblait à un sextant géant, d'un diamètre de quatre à cinq mètres. J'ai immédiatement pensé au célèbre film *Stargate, la porte des étoiles.*

6. J. van Helsing au Brésil cherche l'entrée d'un tunnel avec des guides locaux.

7. La Terre creuse selon Marshall B. Gardner.

L'homme me raconta ensuite qu'on avait continué à creuser le tunnel avec des excavatrices géantes, fabriquées par la Rand Corporation. Entre-temps, le sous-sol des États-Unis avait été traversé en entier de tunnels géants, où on avait construit quatre-vingts grandes villes souterraines, reliées par un réseau de chemin de fer. On avait combiné l'ancien réseau de tunnels avec le nouveau. La construction des villes respectait les normes les plus exigeantes, afin d'accueillir l'élite mondiale en cas d'éventuelle catastrophe.

8. Photo satellite (Apollo 16) montrant le trou.

Il me dit y avoir séjourné à plusieurs reprises, chaque grande ville américaine ayant un ou plusieurs accès à ce monde souterrain, en partie par des ascenseurs débouchant sur des bâtiments publics. Une fois entré dans le système, plus personne ne pose de questions. Le réseau de tunnels fonctionne en autarcie, la technologie qu'on y trouve étant du domaine de la science-fiction.

9. Une carte préparée par un témoin, qui montre les villes souterraines à l'ouest des États-Unis, d'après William Hamilton.

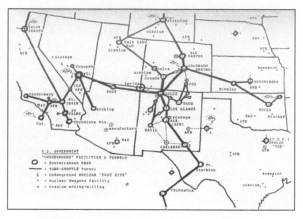

Le témoignage de cet homme recoupe les recherches que j'ai pu faire en Australie. Au sud de la formation rocheuse d'Ayers Rock, se trouve la plus grande installation militaire du monde : Pine Gap.

En 1992, j'interviewe à Sydney une femme souhaitant rester anonyme, qui a travaillé pour une entreprise de nettoyage. Affectée pendant un certain temps à la station de suivi de satellites de Pine Gap, elle m'explique, malgré la menace de sanctions pénales, que cette base est construite sur une profondeur de treize kilomètres, qu'elle fonctionne sur la base de l'énergie libre, qu'il y a des lacs souterrains, des trains suspendus, des vergers et des potagers. Selon les informations officielles, Pine Gap peut survivre à une explosion atomique.

10. Des excavatrices à moteur atomique (brevet américain
nº 3.693.731) creusent des tunnels pour relier
les villes souterraines entre elles. La chaleur dégagée
en creusant fait fondre la roche, qui se fige ensuite comme si
elle était vernie. Ici, il s'agit d'une machine traditionnelle.

Grâce à la loi de résonance, je rencontrai trois semaines plus tard un homme des services spéciaux britanniques ayant servi à Pine Gap. Il était citoyen britannique et désirait être rapatrié. Il me raconta avoir vu des choses difficiles à supporter. Il avait déjà bu quelques bières ce soir-là quand il commença à parler. Il marmonnait, évoquant des clones et de la technologie cosmique. Je voulais continuer la conversation le lendemain, mais il avait disparu.

Revenons, cependant, au comte de Saint-Germain. Il prétendait, en s'adressant à Godfre Ray King, passer la plupart de son temps dans ce système de tunnels et autres royaumes souterrains, équipés d'ordinateurs très performants, par le biais desquels il pouvait communiquer avec ses « alliés sur la planète Vénus ».

Étonnant, n'est-ce pas ? Jésus ne disparut-il pas trois jours sous terre, quand on le déposa de la croix ? Mon cher ami Al Bielek, qui comme son père et son frère, travailla longtemps pour les services spéciaux américains, s'est intéressé au comte de Saint-Germain. Il est persuadé qu'il est encore vivant et vit aux États-Unis. Il prétend savoir, par une source qui m'est inconnue, qu'il doit subir une cure de rajeunissement tous les soixante-cinq ans, qui dure quinze jours. Ensuite, il est tranquille pour la même durée de soixante-cinq ans.

Al Bielek prétend qu'il fut propulsé dans le temps au cours du *Projet Philadelphie*, en 1943, quand le contre-torpilleur escorteur *USS Eldridge* fut rendu invisible et disparut des radars. Al Bielek affirme non seulement avoir voyagé dans le temps, mais surtout que les recherches débutèrent réellement après l'accident, et qu'on expérimenterait encore de nos jours les voyages dans le temps.

Cette affirmation peut sembler très osée, mais rappelez-vous que le comte de Saint-Germain prétendait également pouvoir voyager dans le temps. Peter Krassa relate dans son livre sur le comte (*Der Wiedergänger – Das zeitlose Leben des Grafen Saint-Germain*) un épisode très intéressant. Sandra Grabow trouva ce texte dans le journal intime d'un lansquenet (mercenaire allemand) en 1618, dans lequel il parle d'un certain Montsalveri, dont on pense qu'il s'agit d'un des nombreux pseudonymes du comte.

Je cite Peter Krassa : « D'après les écrits du mercenaire, Montsalveri fit un jour sensation auprès des clients, dans une auberge, par son comportement inhabituel et ses déclarations singulières. La patronne, ne pouvant retenir sa curiosité, lui demanda : "Êtes-vous un prestidigitateur ?" Montsalveri sourit en entendant cette question naïve, et lui répondit : "Appelez-moi ainsi, Madame, mais vous ne me trouverez pas dans les foires, ni sur les marchés. J'exerce mon art librement. Appelez-moi *show man, télévisionnaire*, ou comme bon vous semble. Le nom n'est que du vent […]". »

Quelqu'un s'exprimant de cette façon de nos jours pourrait se faire comprendre, mais le journal du mercenaire fut rédigé il y a 380 ans. Cet homme simple, dont on ne connaît pas l'identité, croisa le chemin de cet étranger énigmatique, il y a presque quatre siècles ! Pour quelle raison l'étranger utilisa-t-il le mot *télévisionnaire ?*

Ce n'est la seule chose qui déconcerta les clients en ce jour de 1618. Montsalveri leur parla de certains événements des années 2000. Nous ne pouvons pas savoir si les clients le crurent. Quelques mercenaires voulaient en savoir plus sur ce voyageur étonnant : « Parlez-nous un peu de votre vie ! » L'intéressé, ne faisant pas de manières, leur répondit : « Je vous répondrai avec plaisir, car en quelques milliers d'années, on accumule beaucoup de choses. »

« Montsalveri leur parla de véhicules qui se déplaçaient par eux-mêmes, à grande vitesse – sans être tractés par des chevaux, – d'autres véhicules qui pouvaient s'élever dans les airs, par leurs propres moyens, et qui volaient dans une direction précise. Il leur raconta également des machines capables d'exécuter des actions de façon autonome.

« Ce n'était pas tout. À peine avait-il terminé ses récits fantastiques qu'il demandait aux paysans abasourdis de bien vouloir parapher un parchemin, mais pas avec une plume habituelle. L'inconnu sortit une petite chose en forme de pointe de sa veste et pria les spectateurs perplexes de s'en servir : "Écrivez, cela vient de l'an 2000 !"

« L'un après l'autre, ils s'exécutèrent. Montsalveri les remercia poliment, remit le parchemin et la pointe dans sa veste – et disparut en un tour de main, sans laisser de trace, comme s'il avait été aspiré par un trou dans le sol. Les mercenaires qui l'entouraient le cherchèrent désespérément dans tous les recoins de l'auberge, mais leurs efforts restèrent vains, l'étranger semblant s'être désintégré dans l'air. »

Voilà pour le récit de Peter Krassa.

Al Bielek, dont nous venons de parler, et qui affirme que les États-Unis financent actuellement le *Projet Montauk* – qui ferait voyager des êtres humains dans le temps – est l'objet de railleries pour ses écrits. À la lecture du récit du mercenaire, on peut se dire qu'il y a peut-être un rapport entre les deux événements.

Le brave homme qui se faisait appeler Montsalveri apparaît en 1618, utilise des mots comme *show man* ou *télévisionnaire*, parle d'ordinateurs, se sert d'un outil des années 2000 pour écrire : un stylo à bille ou un crayon-feutre, le journal du mercenaire en atteste. Cet homme, dont on peut parier qu'il s'agit du comte de Saint-Germain, était-il un voyageur temporel ?

Saint-Germain nous montre la voie quand il déclare : « J'ai voyagé dans le temps et me suis retrouvé sans le savoir dans des contrées lointaines. »

Ce qui est encore plus passionnant, c'est le récit d'un Français célèbre, le philosophe Voltaire. Dans la dernière lettre de sa correspondance avec le comte, du 6 juin 1761, nous trouvons les phrases suivantes :

[...] Je réponds, Monsieur, à votre lettre que vous m'avez fait parvenir au mois d'avril, dans laquelle vous révélez des secrets effrayants, parmi lesquels le plus terrible pour un vieil homme comme moi, l'heure de ma mort. Je vous remercie, Germain ; votre long voyage dans le temps sera éclairé par l'amitié que je vous porte, jusqu'au jour où vos révélations se réaliseront, au milieu du XXᵉ siècle. Les images qui parlent sont un cadeau pour le temps qui me reste à vivre, votre machine volante mécanisée pourrait un jour vous ramener à moi.

Adieu, mon ami.

Voltaire, gentilhomme du Roi

De quels secrets terrifiants parlait le comte ? Des deux guerres mondiales, des bombes atomiques d'Hiroshima et de Nagasaki, de la préparation au Nouvel Ordre Mondial ?

« Votre long voyage dans le temps » est encore plus étonnant. Saint-Germain voyageait-il réellement dans le temps ? Que confia-t-il à Voltaire ? Que sont ces « images qui parlent » ? Saint-Germain laissa-t-il à Voltaire un jeu vidéo, un ordinateur portable ou un lecteur DVD ? Peter Krassa pense qu'il s'agit plutôt d'un simple disque – peut-être un gramophone manuel, car l'électricité qu'il faut pour un téléviseur n'existait pas encore, mais un disque n'est pas une *image qui parle* !

Et qu'est-ce qu'une machine mécanisée en l'an 1761 ? Le premier vol officiel date de 1904, par les frères Wright. S'agit-il d'un appareil conventionnel ou d'autre chose ? Beaucoup de questions auxquelles nous trouverons peut-être une réponse plus loin dans le présent livre.

Voici un autre cas, spectaculaire, plus intéressant encore, dans lequel nous retrouvons peut-être la trace du comte. Nous sommes en 1914, avec Andreas Rill, un maître ébéniste de Haute-Bavière. Il est appelé sous les drapeaux à trente-trois ans, au début de la guerre, et envoyé sur le front des Vosges. Lui et ses compagnons d'armes sont fortement convaincus que les hostilités prendront fin au plus tard pour les fêtes de Noël – mais il en fut autrement.

Andreas Rill écrit deux lettres à sa famille, les 24 et 30 août 1914, dans lesquelles il parle d'un homme qui lui a raconté des choses étranges. Il s'agit d'un civil, arrêté par le lieutenant de Rill à Metz, sur le front des Vosges. Il est empêché de fuir, car on pense qu'il est un espion. Parlant plusieurs langues, il converse avec les soldats en français et en allemand. Surtout, il les épate par ses prophéties sur l'avenir, qui leur paraissent invraisemblables et peu dignes de foi. Ils se moquent de ses propos et le traitent de fou.

Dans la première lettre, on peut lire ce que l'étranger a prédit : « Si vous saviez ce qui nous attend, vous jetteriez vos fusils aujourd'hui même, et nous serions en droit de penser que nous ne savons rien du monde. La guerre est perdue pour l'Allemagne, il y aura une révolution, qui n'éclatera pas vraiment, l'une vient et l'autre va. Nous serons riches, tout le monde sera milliardaire [l'inflation des années 1920 !], il y aura tellement d'argent qu'on le jettera par les fenêtres et que personne ne le ramassera. La guerre recommencera, la vie sera supportable, mais les gens ne seront pas contents. »

Andreas Rill ne veut pas croire que les Allemands perdront la Première Guerre mondiale, le reste lui paraissant également suspect. Les prédictions continuent ainsi :

Un homme de basse condition s'élèvera [Adolf Hitler], il mettra tout au même niveau en Allemagne, avec une telle sévérité, que tout craquera de partout, les gens n'auront plus rien à dire. Il prendra aux gens plus qu'il ne leur donnera, il les punira horriblement, car, en ce temps, le droit ne sera plus le droit, il y aura beaucoup de grandes gueules et de traîtres. La population deviendra pauvre sans s'en apercevoir. Il y aura de nouvelles lois tous les jours, beaucoup de gens souffriront et mourront. Ce temps commencera en 1932, tout sera soumis aux diktats d'un homme. Puis viendra l'an 1938, des peuples seront attaqués, nous nous préparerons à la guerre. Cette guerre [la Seconde Guerre mondiale] finira mal pour cet homme et ses partisans. Le peuple et les soldats se soulèveront, la vilenie sera mise au jour. Il ne faudra accepter aucune fonction publique, car tous finiront au gibet ou cloués aux croisées des fenêtres. On apprendra des choses inhumaines. Les gens n'auront plus d'argent, la mode disparaîtra, ils seront heureux s'ils trouvent encore des sacs de sable pour s'habiller [après-guerre]. Les vainqueurs n'auront rien. L'Allemagne sera déchirée, un nouvel homme [Konrad Adenauer] apparaîtra pour guider et reconstruire l'Allemagne nouvelle. Celui qui aura le peuple le plus travailleur dominera le monde. L'Angleterre sera le peuple le plus indigent d'Europe, et l'Allemagne le peuple le plus travailleur au monde.

Dans la deuxième lettre du 30 août 1914, il continue ainsi :

Les chiffres 4 et 5 [1945], l'Allemagne sera opprimée de tous côtés, le deuxième événement mondial sera terminé, l'homme va disparaître, personne ne saura où [Hitler est-il vraiment mort à Berlin ?], le peuple sera là, pillé et détruit à l'infini, mais l'ennemi sera divisé. Les forces obscures auront à rassurer les peuples, les vainqueurs auront le même objectif que les vaincus.

En Allemagne, des gouvernements n'atteindront pas leur objectif [réunification dans les années cinquante]. L'homme et son emblème [Hitler et la croix gammée] auront disparu, personne ne sait où [certains militaires disent avoir rencontré Hitler en Amérique du Sud], mais la malédiction subsistera en Allemagne. Les mœurs baisseront, les gens seront mauvais. La misère augmentera et causera de nombreuses victimes. Les gens trouveront des faux-fuyants et des religions, pour se décharger des crimes diaboliques. Les hommes bons pourront à peine se maintenir, ils seront évincés et détruits.

Les hommes se soulèveront les uns contre les autres, car la haine et la jalousie pousseront comme la mauvaise herbe, et ils s'enfonceront dans l'abîme. Les troupes d'occupation s'en iront avec leur butin, ce qui leur portera malheur. Il y aura ensuite le désastre du troisième événement mondial [la troisième guerre mondiale]. La Russie envahira le sud de l'Allemagne, pour une période courte, et l'homme maudit verra qu'il y a un dieu qui mettra fin à ces événements. Les temps seront affreux, rien ne pourra aider les hommes, ils auront été trop loin, ils ne reviendront pas, car ils n'auront pas entendu les avertissements. Et les gens qui auront survécu se calmeront.

Et encore :

La peur et la terreur continueront, car les gens auront le temps de réfléchir et d'en tirer les enseignements, ce qu'ils ne voulaient pas faire avant. À la fin de ces temps diaboliques, les présumés vainqueurs iront voir les vaincus, car leur sort sera lourd à porter. Tout est par terre, comme un malheur [...] Qui sait si nous serons encore en vie, car c'est difficile à croire.

J'écris cela pour que vous voyiez tout ce qu'il a dit, et parce qu'aucun de nos enfants de toute façon ne vivra ces choses.

Au cours du troisième événement mondial, la Russie envahira l'Allemagne, les montagnes cracheront le feu, les Russes abandonneront leur armement. Tout sera détruit et rasé jusqu'au Danube et à l'Inn. Les eaux des rivières seront si basses qu'on n'aura plus besoin de ponts pour les traverser. Près de l'Isar, il n'arrivera rien aux gens, il n'y aura que misère et détresse. Les gens mauvais périront, comme en hiver quand il neige, la religion sera nettoyée et purifiée. Mais c'est l'Église qui en sortira victorieuse. En Russie, les puissants seront anéantis, les cadavres ne seront plus enterrés et joncheront le sol. La famine et la destruction dans ce pays seront la punition pour leurs crimes [...]

La Russie ripostera, car la nature intervient. Il y a dans le sud de l'Allemagne un endroit où cela se produira. Plus tard, les gens viendront du monde entier pour voir ce qui s'est passé. Le pape assistera aux accords de paix. Mais il devra fuir auparavant, car il sera accusé de trahison. Il viendra à Cologne, où il ne trouvera qu'un tas de ruines, tout étant détruit.

Peu avant sa mort en 1958, Andreas Rill dit à ses fils à propos de la troisième guerre : « Elle sera brève, je ne la verrai pas, mais vous, mes enfants, vous penserez à moi. » Il ajouta que l'Angleterre et les États-Unis seraient occupés par eux-mêmes pendant cette guerre (terrorisme et catastrophes naturelles ?). Il conclut sur ces mots : « Quand nous avons poussé notre prisonnier à en dire plus de ses prévisions, celui-ci répondait seulement : Si vous saviez ce qui vous attend, vous seriez très surpris ! »

Ce prisonnier prophétique était-il le comte de Saint-Germain ? Qui sait ? L'objectif ultime du comte était d'aider au développement humain, aussi bien dans le domaine des technologies que de l'esprit. Comme il n'était pas facile d'imposer ses idées aux différentes cours royales et impériales, à cause des nombreuses intrigues et de l'égoïsme des monarques, il décida de confier son savoir à différentes loges secrètes, surtout aux rosicruciens, mais il n'était pas l'un des leurs. Il leur confia des informations, pensant qu'ils s'en serviraient de façon constructive, ce qui ne fut pas toujours le cas. Nous en reparlerons longuement dans le livre.

Les paroles venant directement du comte étaient pleines de sagesse, ses apparitions étaient accompagnées de miracles. D'où tenait-il ce savoir ?

Examinons un autre document à propos de lui, peut-être le plus intéressant. Quand, en 1788, il fréquente les loges à Vienne, il rencontre le libraire Rudolph Gräffer, un homme fortuné et très populaire dans les cercles ésotériques, ainsi que son ami, le baron Linden de Hemmen, aussi riche que lui. Après leur avoir présenté des expériences étonnantes de la science des Orientaux, lorsqu'il est l'heure de prendre congé, il surprend ses hôtes en leur proposant un ultime échantillon de son savoir. Franz Schäffer en parlé dans ses *Petites mémoires viennoises* :

L'humeur de Saint-Germain est devenue peu à peu solennelle. Pendant quelques secondes, il est resté là, fixe comme une colonne ; son regard d'habitude si énergique était devenu las et terne. Soudain, son être s'est animé à nouveau. Il a fait un mouvement de la main, comme pour prendre congé. Et il a pris la parole :

« Je m'en vais. Ne venez pas me rendre visite. Vous me reverrez une fois. Demain soir, je pars en voyage, on m'attend à Constantinople, puis en Angleterre, où je mets au point deux inventions que vous pourrez voir au siècle prochain, le chemin de fer et le bateau à vapeur. En Allemagne, on en aura besoin, car il y aura de moins en moins de saisons, d'abord le printemps, puis l'été. C'est la fin progressive du monde ! Je vois tout cela. Les astronomes et les météorologues ne savent rien, croyez-moi. Il faut avoir étudié dans les pyramides, comme je l'ai fait. Vers la fin du siècle, je quitterai l'Europe, pour me rendre dans la région de l'Himalaya. Je dois faire une pause, me reposer. Dans quelques décennies on reparlera de moi ; dans quatre-vingt-cinq ans exactement, les hommes poseront à nouveau leur regard sur moi. Adieu, mes amis, je vous aime ! »

Ce que le comte entendait par voyager dans l'Himalaya pour se « reposer », vous le saurez dans le prochain chapitre.

Soyez curieux de découvrir maintenant une des histoires les plus insolites que vous ayez jamais entendue. Suivez-moi, en douceur, mais attentivement, par une porte qui s'ouvre sur un monde secret. Allons d'abord prendre l'air...

3. LE SECRET DE L'HIMALAYA

Nous allons faire la connaissance du professeur Ernest Rifgatovich Muldashev, qui publia en 2001 un livre pour expliquer le fruit de ses recherches, intitulé *Das Dritte Auge – und der Ursprung der Menschheit* [*Le troisième œil et l'origine de l'humanité*]. Le docteur Muldashev, un ophtalmologue réputé et l'un des grands génies de la Russie, donne des conférences de par le monde et opère de nombreux patients – il semble donc avoir les pieds sur terre.

Il y a quelques années, il fit une découverte surprenante : la cornée, qui est la membrane transparente en forme de lentille à la surface de l'œil, a la particularité d'être de la même taille pour tous les êtres humains, qu'ils mesurent 1,8 mètre ou soient encore des enfants. C'est la seule partie du corps humain qui est la même pour tout le monde. Muldashev put établir que la cornée ne pousse que jusqu'à l'âge de quatre ans, et qu'elle garde ensuite la même taille tout au long de la vie.

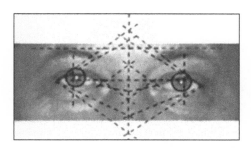

11. Les paramètres géométriques d'Ernest Muldashev,
basés sur la cornée.

Il réalisa une étude sur 1 500 personnes pour démontrer la possibilité de diagnostiquer des maladies physiques et psychiques à partir des données qu'on trouve sur la cornée. Il fit des clichés photographiques avec son équipe. Avec des ordinateurs performants, capables d'analyser les paramètres les plus subtils, il réussit une percée décisive : il mit au point une méthode fiable de diagnostic de l'état physique et psychique d'une personne, par laquelle il peut également reconstituer la tête entière, la taille et la forme du crâne, ainsi qu'il l'explique :

> Sur la base des résultats d'une étude effectuée sur 1 500 personnes, nous avons pu affiner le principe. Nous sommes parvenus à une grande précision, car nous avons pu définir vingt-deux caractéristiques de la géométrie de l'œil, alors que les deux rectangles ne représentent que deux d'entre elles [...] (figure 11) Comme la géométrie de l'œil est en rapport avec la géométrie des traits du visage, il est possible de reconstituer l'apparence d'une personne à partir des paramètres de sa cornée [...].

La géométrie de l'œil permet plusieurs applications pratiques : l'identification d'une personne ; la reconstitution de son apparence ; la définition de ses caractéristiques mentales ; l'analyse objective des sensations et des émotions ; le diagnostic de pathologies physiques ou psychiques ; la détection de l'origine ethnique de l'individu ; même l'étude de l'origine de l'humanité !

Sur la base de ces découvertes, l'équipe continua ses recherches. À partir de la coupe de l'œil, il est devenu possible de déterminer l'origine ethnique d'un individu. Dans son livre, Muldashev explique comment, en analysant les paramètres des différents types humains, il put réussir à déterminer l'origine de l'humanité.

Muldashev et ses collaborateurs analysèrent les trente-cinq types humains existants, selon la classification d'A. Jarcho. Ils parvinrent à la conclusion suivante : « Nos recherches sur la géométrie de l'œil nous permettent d'affirmer que l'humanité a une origine commune, qu'elle s'est développée à partir d'ancêtres communs, originaires du Tibet, dont les descendants essaimèrent dans le monde entier. »

Les scientifiques concentrèrent alors leurs recherches sur cette région de l'Himalaya, dans le but de prouver leur affirmation. Ils firent une découverte fondamentale, en analysant les clichés d'un ami de Muldashev représentant un regard que l'on trouve dans tous les temples tibétains.

12. Le regard mystérieux des temples bouddhistes
au Népal, en Inde et au Tibet.

Muldashev entra les paramètres dans son ordinateur et put reconstituer la tête entière. Il décrit ainsi ce qu'il voit :

Tout d'abord, on remarque qu'il manque la racine du nez. Qu'est-ce que cela signifie ? Chez l'homme moderne, la racine du nez recouvre la partie intérieure du champ de vision. L'angle vers l'extérieur est de 80 à 90 degrés, l'angle vers l'intérieur est de 35 à 45 degrés. L'homme a une vision binoculaire, il voit avec les deux yeux, ce qui lui permet de voir le volume et d'apprécier la distance d'un objet, de 35 à 45 degrés, mais pas de 80 à 90 degrés. Cet inconvénient, dû à la racine du nez, est relativement peu important à la lumière du jour ; il l'est un peu plus sous une lumière artificielle ; sous une lumière rouge, c'est beaucoup plus gênant, car l'orientation dans l'espace devient plus difficile. Sans racine de nez, les hommes auraient une vision binoculaire de 80 à 90 degrés, ce qui faciliterait l'orientation sous une lumière rouge.

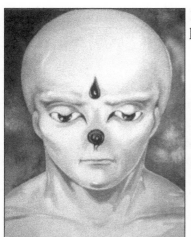

13. La tête, telle que reconstituée par l'équipe de Muldashev.

14. Le Dr Ernest Muldashev.

Muldashev se demande si l'homme vivait dans un environnement avec une lumière rouge. Il consulta les écrits anciens, il lut dans les écrits de Nostradamus que les Atlantes vivaient dans un environnement rougeâtre : le ciel était rouge, les arbres avaient une couleur rouge saturée. Nostradamus explique que le ciel avait changé de couleur, par suite d'une inversion des pôles magnétiques et d'un déplacement de l'axe de rotation de la Terre. On peut donc en déduire que les représentations qui ornent les temples tibétains montrent les yeux d'hommes d'une ancienne civilisation – les Atlantes !

Il continue ainsi :

> Deuxièmement, on remarque l'arcade de la paupière, qui est inhabituelle. Alors que les paupières de l'homme moderne ont une forme circulaire régulière, celles que l'on peut voir sur les clichés montrent une protubérance centrale sur la paupière supérieure, qui pend légèrement au-dessus de l'œil. Qu'est-ce que cela signifie ? Que la fente des paupières ne se refermait pas complètement, la protubérance de la paupière supérieure l'en empêchant. Les yeux gardent donc la vision périphérique. Et comme il n'y a pas de racine de nez, que la vision est binoculaire, nous avons établi que le possesseur de ces yeux inhabituels avait la capacité de voir les yeux fermés.

Une autre particularité intrigue Muldashev :

> Le coin de l'œil est orienté vers le bas et vers l'intérieur. Cela indique une plus grande sécrétion de liquide lacrymal, qui est nécessaire pour maintenir le taux d'humidité quand les yeux ne sont pas complètement fermés.

Des yeux qu'on ne ferme pas complètement, en maintenant une vision globale ? Muldashev ne voit qu'une explication : le besoin de protéger la cornée quand on nage à grande vitesse sous l'eau !

Nostradamus mentionne que les Atlantes pouvaient rester longtemps sous l'eau, et qu'ils avaient des plantations sous-marines. Muldashev explique :

> Les représentations sur les temples montrent qu'il y avait une ouverture en forme de spirale à la place du nez. Si les Atlantes vivaient en partie sous l'eau, peut-on imaginer que cette ouverture en forme de spirale était comme une valve permettant la respiration ? Les animaux marins, les dauphins et les baleines disposent d'une valve de ce genre. À la différence d'un nez conventionnel, elle empêche l'eau de pénétrer dans les voies respiratoires pendant la plongée. On peut voir sur les représentations des temples une tache en forme de goutte au-dessus des yeux, là où les femmes hindoues peignent leur tache de beauté. On pense que cette tache représente le "troisième œil". Nous savons que les hommes de la haute Antiquité avaient un troisième œil, selon les indications de l'embryologie. Chez l'homme moderne, il en subsiste des rudiments, la glande pinéale (l'épiphyse), cachée à l'intérieur du cerveau. On pense généralement que le troisième œil était l'organe de la bioénergie (télépathie, etc.), capable, selon les légendes, de produire des miracles – la transmission de pensées, l'influence sur la gravitation et la guérison de maladies, entre autres.

On peut se demander pourquoi on trouverait au Tibet des yeux d'Atlantes représentés sur les temples. Muldashev et son équipe pensent avoir trouvé la réponse. Je vous résume ce qu'ils expliquèrent dans un livre épais, très bien documenté. Munie du cliché réalisé par Muldashev (figure 13), l'équipe entreprit une expédition transhimalayenne, en Inde et au Népal jusqu'au Tibet, où elle rencontra les représentants de divers monastères, allant d'une surprise à l'autre. Ceux qui voyaient la photo semblaient comprendre tout de suite ce dont il s'agissait, comme le *Swâmi* Daram, un Indien, qui leur demanda aussitôt : « Avez-vous trouvé le corps dans les montagnes ? – Dans la mer ? » Muldashev expliqua qu'ils réalisèrent ce cliché en partant d'observations de la géométrie de la cornée.

Tous les sages qu'ils rencontrèrent savaient qui était représenté sur la photo, mais personne ne voulait le dire. Muldashev put établir, après d'autres expéditions et d'innombrables conversations, que la créature représentée ne l'était pas de façon correcte, qu'il s'agissait d'un être n'appartenant pas à notre civilisation, mais à une civilisation antérieure. Avant le Déluge, il existait des civilisations évoluées : les Atlantes et, avant eux, les Lémuriens, précédés d'autres civilisations.

Les Lémuriens, les Atlantes et certaines personnes appartenant à notre monde moderne sont capables d'entrer dans un état de conscience qu'on appelle le *samâdhi*, dans lequel l'individu est en mesure, suivant le principe que *l'esprit domine la matière*, de réduire à zéro les processus de son métabolisme, et de maintenir l'organisme dans cet état – à l'instar des animaux en hibernation. Selon le *Swâmi* (guide spirituel) indien, il est possible, si la personne sait méditer, d'agir sur l'être entier en influant sur l'eau qui le baigne, son champ biologique étant lié à l'eau de son organisme. En résumé, le *samâdhi* est la plus haute forme de méditation.

Une fois que l'organisme a atteint l'état de *samâdhi*, il peut se maintenir en état de conservation pendant plusieurs années, plusieurs millénaires même, selon les sages de l'Himalaya, sans que la personne meure. Lors du *samâdhi*, l'âme se trouve en fait à l'extérieur du corps, elle est reliée à l'organisme par un fil d'argent. Ce lien d'énergie est, pour ainsi dire, le cordon ombilical entre les deux organismes, comparable à un fil électrique entre la vie ici-bas et l'au-delà. Quand la personne meurt, le fil d'argent se désolidarise du corps physique, l'énergie vitale se retire. Comme la séparation du cordon ombilical de la mère représente le début de la vie physique, la coupure du fil d'argent représente, en quelque sorte, la naissance dans l'au-delà.

En état de *samâdhi*, le fil d'argent se maintient aussi longtemps que l'on veut. Dans un état de *samâdhi* prolongé, la température descend à quatre degrés, on peut la garder constante dans une grotte ou sous l'eau. L'état de *samâdhi* permet pleinement d'expérimenter l'âme. Quand l'âme retourne dans le corps, la personne se réveille peu à peu et elle reprend ensuite une existence normale.

Un médecin qui ausculte une personne en état de *samâdhi* constate la mort clinique. Il n'y a pas de pouls, l'électrocardiogramme et l'électro-encéphalogramme sont plats. La température du corps chute, le corps se pétrifie, il devient immobile, froid et solide, comme une pierre. La *pétrification immobile* est une expression bien connue des spécialistes des religions orientales.

Muldashev est convaincu d'avoir découvert le grand secret de l'Himalaya, que des êtres en état de *samâdhi* séjournent dans des grottes de l'Himalaya depuis de très nombreuses années, parfois plusieurs centaines de milliers, et forment le **fonds génétique de l'humanité**. En cas de nouveaux cataclysmes, comme au temps de l'Atlantide, ou de destruction massive de la surface de la Terre et de l'humanité, des êtres peuvent revenir à la vie quand ils le décident, et possèdent non seulement le savoir du passé, mais aussi les facultés improbables qu'on attribue à ces êtres, dont la téléportation et la télépathie.

Les habitants des grottes sont les gardiens d'un savoir millénaire. Très peu de gens, quelques familles, ont accès à ces grottes. Elles prennent soin de ces êtres, elles peuvent communiquer avec eux. N'ont accès à ces grottes que les individus que les êtres tolèrent. Les grottes sont très difficiles à localiser, elles sont bien dissimulées, à l'abri du regard des hommes. On y trouve des forces mystérieuses, inconnues, mortelles pour certains ; elles protègent l'accès d'éventuels intrus. Si un individu en trouve l'entrée et qu'il arrive à s'y introduire, il va peu à peu commencer à se sentir mal, le malaise ira grandissant, puis il va s'effondrer, et, s'il ne fait pas demi-tour, il est sûr de mourir.

On trouve quelques récits de personnes qui purent y pénétrer, pour des raisons exceptionnelles. Une légende relate les événements suivants :

Quand il y eut une grande sécheresse en Inde au XIe siècle, un prince entreprit un voyage vers l'une de ces grottes sacrées, pour consulter un homme célèbre dans la Haute Antiquité, et lui demander conseil. Beaucoup de dangers le guettaient dans la grotte : des serpents, des vrais et des mystiques, la difficulté de respirer ; des forces inconnues agissaient sur son corps et son esprit. En état de méditation, il parvint à entrer en contact avec l'esprit de ce grand homme. Quand celui-ci se rendit compte que le prince était bien intentionné et qu'il demandait de l'aide pour ses congénères, les forces hostiles se turent, il put rester. La grotte était immense, elle contenait douze salles séparées.

Dans l'une de ces salles, le prince trouva le grand homme en état de *samâdhi*, son esprit planait dans l'espace. Son corps était desséché, mais il était vivant. Il séjournait là depuis un million six cent mille ans. Il entrouvrit les yeux. Le prince indien commença à s'adresser à lui en sanscrit, afin de lui demander assistance. L'homme desséché lui faisait signe du regard qu'il comprenait sa requête. Il lui montra un objet qui pendait au mur. C'était un anneau mystique. Le prince le prit, puis se dirigea vers la sortie. Dans une salle voisine, il vit un autre homme en état de *samâdhi*, un prince sikh, qui était entré en cet état au Ve siècle, et dont on sait qu'il revint à une existence normale au XVIIe siècle. À la sortie de la grotte, le prince tomba nez à nez avec huit serpents. L'un d'eux fit couler une goutte de sang sur l'anneau mystique. Elle s'éleva dans le ciel, il se mit à pleuvoir.

Un homme appelé Devendra Lowndel pénétra dans la grotte en 1637, il y séjourne depuis en état de *samâdhi*. Après lui, plus personne n'est entré dans cette grotte.

Un lama de la lignée Bön (un Bönpo), que Muldashev rencontra, déclare à ce sujet :

Il existe, au nord du Tibet, une grotte où séjourne un homme, Moze Sal Dzyang, depuis plusieurs siècles, en état de *samâdhi*. Les ecclésiastiques de la région le voient régulièrement. Ils ne sont pas des hommes singuliers, mais des religieux ordinaires. On n'a pas besoin de l'autorisation spéciale de cet être, l'accès est sans danger. Il suffit d'être bien intentionné, mais il est interdit de prendre des photos et de parler – ce serait un sacrilège !

Le lama conclut le récit en disant que les Chinois étaient désormais au Tibet et qu'il était donc très dangereux de s'y rendre. On peut se demander pour quelle raison ils s'intéressent tellement au Tibet : peut-être à cause de ses nombreux mystères ? Quand ils envahirent le Tibet, beaucoup de religieux tibétains avouèrent sous la torture et confirmèrent l'existence des grottes. Les Chinois en fouillèrent plusieurs, pour trouver des lamas. Le lama Bönpo raconte :

> Un lama entra en 1960 en état de *samâdhi* dans une grotte. Il y resta jusqu'en 1964. Le neveu de cet homme et ses amis lui rendirent souvent visite, et racontèrent qu'ils l'avaient trouvé dans la pose du Bouddha, dans un état de pétrification immobile. Les communistes chinois le trouvèrent et le mirent en prison. Le corps du lama se « ramollit » peu à peu, il revint à la vie. Il resta dans une prison sécuritaire de 1964 à 1987 ; malheureusement, on ne sait pas ce qu'il devint.

On peut évidemment se demander comment les Chinois purent pénétrer dans des grottes défendues par des barrières spirituelles. Le Bönpo expliqua que la force spirituelle des lamas de notre civilisation est moins puissante que celle des Atlantes, que dans certains cas la protection est moindre, voire inexistante. Selon lui, tout dépendait du troisième œil, qui n'était prononcé que chez les Atlantes, et malheureusement sous-développé dans notre civilisation. Le lama évoquait les corps de grande taille qu'on avait trouvés au sud du Tibet, accrochés à des piquets par des Chinois. Le bouclier de protection n'avait pas été efficace, à cause de trop nombreuses intrusions sans doute.

On sait que beaucoup de Chinois périrent en tentant de pénétrer dans les grottes ; un jour, ils renoncèrent même à toute tentative d'y entrer de nouveau, par peur. Eux aussi veulent vivre, après tout. Le lama Bönpo mentionna également une autre grotte au sud du Tibet, où l'on trouva un grand nombre de soldats chinois morts dans l'entrée. Leurs visages figés, grimaçants de douleur, ne portaient aucune trace de blessure. Leurs cadavres étaient indemnes. Ils avaient succombé à la force psychique du bouclier. Des habitants des villages voisins virent sortir d'une autre grotte quelques douzaines de soldats chinois courant, hurlant comme pris de folie, en se tenant la tête et le ventre. Ces soldats moururent les uns après les autres.

Le Dr Muldashev récolta au cours de ses voyages un grand nombre de renseignements sur les civilisations antérieures (au nombre de 22) : elles avaient atteint un très haut niveau technologique, elles disparurent à la suite de catastrophes cosmiques, ou se détruisirent elles-mêmes. Les catastrophes cosmiques (chute de météorites, périodes glacières) modifièrent le climat de la Terre, ce qui induisit des modifications physiques chez les êtres humains pour s'adapter aux nouvelles réalités.

On en sait peu sur les civilisations antérieures à l'Atlantide. Les écrits de Rudolf Steiner et d'Helena Blavatsky nous apportent certains éclaircissements. On cite l'Hyperborée, qui se trouvait au pôle Sud. Le Groenland fut habité, l'Empire de Mu se trouvait au Japon, la Lémurie dans l'océan Pacifique. En s'imaginant que l'orbite de la Terre n'était pas la même, et que la force de gravitation était elle aussi différente, il est possible d'en déduire que les êtres humains avaient une apparence différente – ils étaient plus grands et plus aériens. Ils vivaient à l'époque des dinosaures, comme l'indiquent des éléments archéologiques.

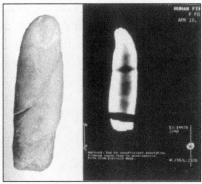

15. (À gauche) Ce doigt fossilisé, trouvé au Texas, est de 20 % plus grand qu'un doigt humain. Il appartenait sans doute à un géant. À côté, le même doigt photographié aux rayons X ne montre pas de différence avec un homme actuel, à part la taille.

16. (À droite) Fossile de Glen Rose, Texas : un pas de saurien et un pas d'humain ! Qui a laissé ces traces ?

17. Le marteau de Londres (Texas, É.-U.), une des découvertes les plus étranges, est fait à 96 % de fer, ce qui explique qu'il ne rouille pas. Le fer est travaillé depuis 2000 av. J.-C., mais ce marteau a plus de 140 millions d'années.

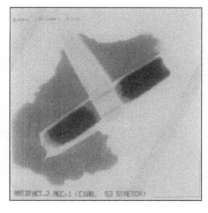

18. Cliché pris aux rayons X qui confirme que le métal n'a pas d'impuretés chimiques, ni d'irrégularités.

Selon Muldashev, les premiers Lémuriens avaient quatre bras, c'étaient des géants (jusqu'à vingt mètres), ils avaient deux visages et celui de derrière avait un troisième œil. Les Lémuriens, plus tard, commencèrent à ressembler aux Atlantes : deux bras et un visage, le troisième s'étant retiré dans la boîte crânienne. Les descendants des Lémuriens, que Muldashev appelle les « Lémuro-Atlantes », étaient très avancés en technologie : ils volaient dans l'espace et côtoyaient les Lémuriens.

Je doute fortement pour ma part des propos de Muldashev sur les Lémuriens, surtout les quatre bras et les deux visages. Il se réfère aux récits de la médium Helena Blavatsky. C'est plus concret en ce qui concerne l'Atlantide, l'île-continent. Ce continent devait être très étendu, il s'est enfoncé par étapes dans l'océan. Comme le climat de l'Atlantide devait être chaud et humide, étant donné sa situation géographique, la faune était différente. Beaucoup de plantes étaient aquatiques, les Atlantes eux-mêmes ayant des traits d'amphibiens, les mains palmées et les traits du visage mentionnés plus haut. En ce temps-là, le ciel était d'une couleur rougeâtre, les Atlantes avaient construit des machines volantes, comme des soucoupes volantes, propulsées par antigravité. Ils connaissaient la télékinésie (l'énergie mentale dirigée), ce qui leur permettait de manipuler des objets, comme Uri Geller qui pliait des fourchettes, ou les enfants médiums d'Hawaï, qui peuvent déformer des objets ou les faire flotter dans l'air. Les Atlantes utilisaient leur force mentale pour construire des édifices ; les pyramides de Gizeh sont les dernières grandes constructions atlantes.

La force énorme des Atlantes et leurs connaissances des lois de la nature servirent également à des fins destructives. Des êtres hybrides furent créés génétiquement, des populations opprimées. Un jour, il y eut une catastrophe naturelle, une vague gigantesque, qui toucha une grande partie de la Terre. Les cités furent englouties, la majeure partie de l'Atlantide disparut dans l'océan. Les opinions divergent sur l'origine de cette vague : une météorite, une explosion nucléaire, une opération d'extraterrestres ou l'inversion des pôles magnétiques, qui se produit tous les treize mille ans. Nous savons qu'une partie des

Atlantes survécut, qu'elle migra vers d'autres coins de la Terre, qu'elle dut s'adapter aux nouvelles conditions de vie, et que l'apparence des êtres humains changea peu à peu. Certains Atlantes se seraient figés en état de *samâdhi* et « vivent » encore à l'heure actuelle. Muldashev pense que des Atlantes se réfugièrent dans les hautes montagnes du globe, que certains sont en état de *samâdhi* dans les grottes de l'Himalaya, et d'autres sous le plateau de Gizeh en Égypte.

J'ai entendu des histoires similaires dans les Carpates, mais les histoires les plus connues viennent des Andes. Elles sont traversées par un système de tunnels et, comme je l'ai déjà précisé, j'ai rencontré des personnes au Yucatan, au Mexique et au Belize qui me confirmèrent que certaines cités souterraines étaient encore habitées. En 1999, je me rendit au Pérou et en Bolivie, en 2001, au Brésil avec Stefan Erdmann et en 2002, au Chili, à la recherche de ces tunnels. Au Pérou et au Brésil, nous eûmes des confirmations ; vous en saurez plus dans un autre livre, cela nous éloignerait du sujet. D'autres Atlantes vivent actuellement au fond des océans, ils se sont adaptés à la vie aquatique. Y a-t-il aussi des Atlantes à l'intérieur de la Terre ?

19. Helsing au cours d'une expédition dans l'Himalaya, au Népal, en 2002.

De vieux sages révélèrent au Dr Muldashev que les prophètes vivent depuis des milliers d'années en état de *samâdhi*, dont ils s'éveillent de temps en temps, afin de communiquer avec le monde et de replonger ensuite dans leur « sommeil ».

Cela fait tilt dans votre tête ? Nous venons de parler du comte de Saint-Germain : « Vers la fin du siècle, [je me rendrai] dans [l'Himalaya, pour] me reposer ; dans quelques décennies, vous entendrez parler de moi ; – dans exactement quatre-vingt-cinq ans, les hommes poseront à nouveau leur regard sur moi. »

N'avait-il pas aussi dit qu'il s'était rendu dans l'Himalaya, où il avait rencontré des hommes omniscients ? Revenons aux déclarations de Muldashev. Il existe donc des êtres humains qui s'éveillent de l'état de *samâdhi*, pour se mélanger aux autres êtres. C'est également ce que décrivent les histoires des différents Bouddhas : le premier, qui fonda la *religion* Bön, s'appelait Tonpa Shenrab ; il apparut il y a 18 013 ans, au Tibet dans le pays de Shamballa ; il enseignait aux gens les lois de l'esprit. Les bouddhas qui lui succédèrent suivirent ses enseignements. Il avait une apparence inhabituelle. On apprend dans ses enseignements que 1 002 prophètes apparaîtront dans le monde. On ne sait pas combien se sont incarnés, le dernier bouddha étant apparu il y a 2 044 ans. Il possédait trente-deux caractéristiques le différenciant des gens « normaux », dont voici les plus importantes :

– des mains et des pieds palmés ;
– pas de cou-de-pied ;
– ses bras descendaient jusqu'aux genoux ;
– son organe sexuel n'était pas apparent ;
– sa peau était dorée ;
– il avait des cheveux blancs bouclés, avec des reflets argentés ;
– il avait une petite élévation sur le haut du crâne, qui s'enroulait dans le sens des aiguilles d'une montre ;
– il avait une langue longue, avec laquelle il pouvait toucher le lobe de ses oreilles ;
– il avait quarante dents, sans interstices.

Cette énumération, si elle correspond à la réalité, laisse supposer que le Bouddha était originaire d'une civilisation plus ancienne (Atlantes ou Lémuriens), ou un extraterrestre.

Comment puis-je l'expliquer ? Regardons le corps qui est représenté. Ne ressemble-t-il pas à notre Atlante ? Cet être est apparemment un extraterrestre qui succomba en 1948 à Roswell, au Nouveau-Mexique, quand son vaisseau spatial s'écrasa sur le sol. J'avais remarqué de prime abord la fente qui dissimule les organes génitaux : au premier coup d'œil, il ressemble à une femme. On trouve la même description pour le Bouddha. La tête, avec ses petites oreilles et ses grands yeux, ressemble à celle de l'Atlante de la figure 13, ne trouvez-vous pas ?

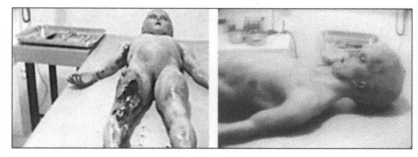

20 + 21. On a longtemps hésité sur l'authenticité de l'autopsie de l'aliénigène vue dans la vidéo de Ray Santilli, *Alien Autopsy (Fact or Fiction)*. Indépendamment de cela, la ressemblance avec l'Atlante est frappante. Ses organes sexuels sont également cachés. Certains extranéens (extraterrestres) sont peut-être des Atlantes qui viennent du centre de la Terre.

Quelques propos d'ordre général : à quoi servirait un fonds génétique de l'humanité ? À préserver les enveloppes corporelles de personnes ayant vécu jadis sur terre ? À quoi bon, si l'esprit domine la matière ? Muldashev apporte une réponse concluante : le corps fut créé au cours de l'évolution sur une longue période, il a dû s'adapter. L'âme a besoin d'un corps pour « jouer » le jeu de la vie dans le monde physique, pour s'expérimenter dans la densité. C'est la raison pour laquelle il vaut mieux conserver le corps que de le recréer. Et chaque cellule garde la mémoire de son passé...

Le *samâdhi* est l'ancre de sauvetage de l'humanité, il permet de sauvegarder les corps et de les faire renaître pour une nouvelle civilisation, au besoin. Plusieurs civilisations ont déjà disparu, à chaque fois ce sont des êtres revenus de l'état de *samâdhi* qui furent les germes de la nouvelle humanité.

Notre civilisation arrive à son apogée, elle coïncide avec le nettoyage de l'ancien, comme le rapportent de façon concordante les voyants de toutes les époques. Tous affirment que les choses recommenceront, qu'il y aura de nouvelles technologies et des contacts avec les êtres du centre de la Terre (voir mon *Livre 3 – Der Dritte Weltkrieg* [*La troisième guerre mondiale*]).

Voici ce que Charles Berlitz écrit à ce sujet dans *1999 : L'Apocalypse ?* :

Au cœur de l'Asie, dans les déserts de Mongolie et les montagnes du Tibet, on raconte depuis des siècles la légende mystérieuse et mystique d'Agartha et de son seigneur, le roi du monde. Agartha est, selon la croyance, un monde de l'intérieur de la Terre, situé sous les montagnes d'Asie centrale, et constitué de grottes géantes, dans lesquelles d'anciennes peuplades ont pénétré par des entrées secrètes, où elles vivent encore aujourd'hui. Quand le souverain de ce Shangri-La souterrain fait des prophéties, les oiseaux et les autres animaux font le silence. Il y a des siècles, ce souverain fit une prophétie qui, comme beaucoup d'autres, concernait la deuxième partie du XXe siècle. Les hommes auront de plus en plus négligé leur âme, la dépravation régnera sur terre. Ils seront comme des fauves sanguinaires, ayant soif du sang de leurs congénères. La Terre s'obscurcira, ses disciples sombreront dans les mensonges et les guerres sans fin [...] Les couronnes des rois tomberont [...] Il y aura une guerre terrible entre les peuples [...] Des nations entières disparaîtront [...] la famine [...] les crimes qui ne connaissent pas la loi [...] impensable pour les époques passées [...] les persécutés en appelleront au monde entier [...] les voies de communication seront pleines de gens qui erreront d'un endroit à l'autre. Les plus belles villes seront la proie des flammes [...] Les familles seront déchirées [...] L'amour et la foi auront disparu [...] Le monde sera vidé [...] Après cinquante ans, ne subsisteront que trois nations [...] Et cinquante ans plus tard, il y aura dix-huit ans de guerres et de catastrophes, puis les peuples d'Agartha quitteront leurs grottes souterraines et viendront à la lumière du jour [...].

Selon Muldashev, il y a trois sortes de grottes de lamas en état de *samâdhi* : celles habitées par des êtres de notre monde ; des Atlantes, des Lémuriens, des Hyperboréens ; un mélange des deux.

Muldashev réussit à entrer en contact et se lier d'amitié avec deux soigneurs d'une des grottes qui hébergèrent au moins un Atlante. Le plus vieux des soigneurs a quatre-vingt-quinze ans et n'y va plus, le plus jeune s'y rend une fois par mois, à la pleine lune, ou le onzième ou douzième jour après. Le plus jeune explique qu'il commence à méditer une semaine avant, qu'il prie et médite plus intensément en entrant dans la grotte. Muldashev et son compagnon, Valeri Lobankov, ne purent en apprendre davantage, ni d'ailleurs du plus âgé, « cet homme très particulier », comme l'appelle Muldashev, qui enregistra l'entretien et le publia dans son livre. Je vous en donne quelques extraits. Après s'être entendu avec leur traducteur Kiram, Muldashev montre la photo de l'Atlante au vieil homme. Celui-ci ne réagit pas, reste muet, et finit par dire que ces grottes sont secrètes, et qu'il ne peut en dire plus :

– M. : *Je suis convaincu qu'il y a dans les grottes des êtres en état de* samâdhi *qui ressemblent à cette personne.*

– L'homme : *Dans les salles auxquelles j'ai eu accès, il n'y a pas d'êtres comme cela. Il y en a qui lui ressemblent...*

– Valeri et Muldashev se regardent. Valeri murmure : *Il y en a beaucoup, là !*

– M. : *S'il y a des êtres en état de* samâdhi *qui sont ressemblants...* (il fait une pause volontaire.)

– L'homme, un peu piqué : *Tous ne sont pas comme ça !*

– M. : *Mais dans d'autres salles, il doit y avoir des êtres ressemblants.*

– L'homme : *Ils ne sont pas exactement comme cela, mais c'est un secret.*

Il finit par prendre la photo dans sa main et dit : *Je suis bouleversé quand je vois cela ! D'où vient cette photo ?* Muldashev ne répond pas, et aborde un autre sujet, le troisième œil. L'homme réfute l'existence d'un troisième œil, mais, à propos des yeux, de leurs nez et de leurs oreilles, il dit : *Certains ont des yeux particulièrement grands, d'autres non.*

A-t-il vu des êtres avec des nez en forme de spirale, comme des valves ?

– L'homme : *Non, la forme du nez est différente, le nez est grand chez certains, petit chez d'autres, comme chez les hommes.*

– M. : *Mais dans les autres grottes, auxquelles vous n'avez pas accès, y en a-t-il ?*

– L'homme : *C'est un secret !*

Lobankov se penche vers Muldashev et lui souffle : *On dirait qu'il dit oui !*

– M. : *Dites-moi, ont-ils de grandes oreilles ou des petites oreilles, comme sur la photo ?*

– L'homme : *Ils en ont de grandes, certains en ont de très grandes, d'autres en ont des normales. Je n'en ai pas vu qui avaient des petites oreilles comme sur la photo…*

– M. : *Ont-ils une bouche comme sur la photo ?*

– L'homme regarde attentivement le cliché : *Non, ils n'ont pas une bouche comme cela. Leur bouche est comme la nôtre. Mais… peut-être sont-elles différentes ?*

– M. : *Comment ?*

– L'homme : *C'est un secret…*

Muldashev pose ensuite des questions sur le thorax, l'homme lui répond que certains ont un thorax plus développé, que les êtres sont de tailles différentes.

– M. : *Ont-ils un crâne plus grand ?*

– L'homme : *Cela dépend. Certains ont un crâne très grand, d'autres des crânes allongés en forme de tour, d'autres des crânes normaux, mais tous ont les cheveux longs.*

Lobankov et Muldashev se regardent à nouveau : il y a dans ces grottes des êtres de différentes civilisations. Soudain, l'homme prend la photo et dit : *Les êtres qui ont des visages comme sur la photo sont grands et forts. Si leur visage est normal, ils sont plus sveltes.*

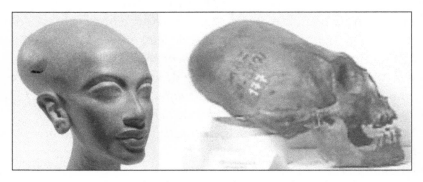

22 + 23. Le soigneur le plus âgé explique qu'il y a dans les grottes des êtres avec des crânes en forme de tour. Il n'y a pas qu'au Tibet qu'on trouve des crânes de cette forme. Celui de gauche appartient à Néfertiti, en Égypte ; celui de droite a été trouvé en Bolivie, en Amérique du Sud ! Est-ce un hasard ?

Silence. Le vieil homme vient d'avouer indirectement qu'il y a dans la grotte des êtres qui ressemblent à notre hypothétique Atlante, avec quelques variations.
– M. : *Avez-vous vu des palmures entre les doigts de la main et des pieds ?*
– L'homme : *Non, non, ils ont des doigts normaux, mais les ongles longs !*
– M. : *Les doigts sont-ils écartés ?*
– L'homme : *Non !*
Muldashev lui pose d'autres questions, sur les yeux, sur la taille des arcs des paupières, auxquelles l'homme ne peut pas répondre, les êtres ayant les yeux presque complètement fermés. L'homme prend à nouveau la photo de l'Atlante dans sa main, et ne peut retenir une grande émotion. À la question du sens de ces grottes, le vieil homme ne veut rien ajouter. Il dit qu'il y a un bouclier de protection qui interdit l'accès aux intrus, que ceux qui passent l'épreuve de méditation peuvent par contre y entrer, mais que cela ne s'est pas produit.
– M. : *Qui ne les a pas laissés entrer ?*

– L'homme : *Lui !*

– M. : *Qui est-il ?*

– L'homme : *C'est un secret...*

Le vieux soigneur explique que les êtres ne bougent jamais, qu'ils restent dans la pose du Bouddha. À la question s'il leur a déjà parlé, il répond que c'est un secret.

– M. : *Pensez-vous que ces êtres inhabituels reprennent une vie normale quand ils reviennent de l'état de* samâdhi *?*

– L'homme : *Ils pourraient, mais autrement.*

– M. : *Comment ?*

– L'homme : *Il faudrait demander aux lamas.*

– M. : *Nous savons que Bouddha avait une apparence inhabituelle. Pourrait-il être un être revenu de* samâdhi *?*

– L'homme : *Je ne sais pas.*

– M. : *Les êtres dans les grottes ressemblent-ils au Bouddha ?*

– L'homme : *Certains, oui, d'autres, non.*

Cette information nous fait du bien, à Valeri et à moi, car elle confirme notre hypothèse osée sur le mélange des êtres de plusieurs civilisations dans ces grottes. *Qu'est-ce qui amène les hommes à rester dans cet état de samâdhi ?* lui demandai-je.

– L'homme : *Les lamas doivent le savoir.*

Lobankov dit à voix basse que l'homme ne dit que ce qu'il sait.

– M. : *Quel est le but de ces êtres qui méditent des milliers, voire des millions d'années ?*

– L'homme : *Je pense qu'ils veulent se préserver pour l'avenir.*

Et pourquoi n'y a-t-il pas que des êtres comme nous dans les grottes, mais aussi des différents ? L'homme répond : *Ceux qui sont différents sont là depuis très longtemps.*

– M. : *Qui protège les grottes ?*

– L'homme : *L'esprit.*

– M. : *De qui ?*

– L'homme : *Le sien.*

– M. : *Qui est-il ?*

– L'homme : *C'est un grand secret...*

Le vieil homme nous raconte que son travail consiste à surveiller ces grottes, que les êtres en état de *samâdhi* sont assis sur des peaux de tigre en pose de Bouddha, les yeux presque fermés, tournés vers le haut, de sorte qu'on peut voir un peu de blanc. Il a déjà touché des corps, ceux-ci étaient froids et durs. À la fin de la conversation, Muldashev demande s'il peut entrer dans une de ces grottes.

Le lendemain Muldashev y est autorisé. Passée la première salle, tout se déroule comme le vieil homme l'a prédit, même si Muldashev s'est défendu de toutes ses forces : malaises, maux de tête, qui devient si violents qu'il doit rebrousser chemin. Quand les effets ont disparu, il refait plusieurs tentatives, mais obtient les mêmes résultats, jusqu'à ce qu'il abandonne.

Conclusion

Que pouvons-nous apprendre des recherches et des aventures d'Ernest Muldashev ? Une chose est sûre, l'homme ne descend pas du singe, il est le produit d'une très longue évolution de plusieurs millions d'années. Des civilisations hautement cultivées peuplèrent la Terre, elles avaient un niveau technologique plus avancé que le nôtre, mais disparurent. Des êtres de ces civilisations se retirèrent dans des endroits cachés, pour rester en état de *samâdhi*, leur conscience accrue leur permettant de contrôler leur métabolisme, de telle façon qu'ils soient « éternels », du moins tant que la grotte ne s'effondre pas. Ces grottes forment une sorte de fonds génétique, un réservoir d'êtres humains ayant peuplé la Terre, pour que, en cas de catastrophe globale, la planète puisse être à nouveau fécondée.

Fonds génétique de l'humanité.

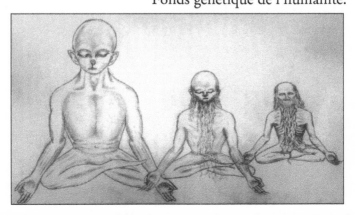

Une autre explication me paraît aussi plausible. Elle recoupe les résultats de mes recherches : il s'agit plutôt d'âmes que de corps physiques. Ces âmes, très vieilles et au potentiel puissant, sont des porteuses d'énergie géantes qui, par leur présence, maintiennent un niveau de fréquence et un niveau d'énergie de la Terre plus élevé, contribuant à influencer le destin de populations entières. Si elles mouraient et se dissolvaient en corps subtils, la fréquence globale de vibration de la Terre diminuerait, et les forces obscures auraient la partie plus facile.

Prenons une image : nous sommes dans une pièce, la nuit, éclairée par de nombreuses bougies. Dans la pièce, également, de grands cierges brûlent depuis longtemps, et ils brûleront encore quand les petites bougies seront éteintes. C'est ainsi qu'on peut imaginer les âmes des lamas en *samâdhi*, ces vieilles âmes puissantes, qui maintiennent une fréquence de base élevée sur terre.

L'un ou l'autre d'entre vous peut objecter qu'il n'a jamais entendu parler d'Atlantes, de géants, qu'ils n'existent pas... Évidemment, que vous savez. Ainsi, des soldats trouvent en 1833 à Lompock Rancho, en Californie, le squelette d'un homme de quatre mètres [douze pieds], dans un terrain où ils veulent enfouir de la dynamite. Le squelette est orné de coquilles de moules et de symboles mystérieux, inconnus. À côté du géant, il y a une hache de guerre, qui rappelle celles des dieux nordiques. Cet être avait une double rangée de dents sur les deux mâchoires, ce qui indique sans doute une origine extraterrestre.

En 1891, des ouvriers de chantier déterrent à Crittenden, en Arizona, un sarcophage gigantesque, enfoui trois mètres sous terre. Le sarcophage contient le cercueil d'une momie, un être de quatre mètres, ressemblant à un humain, qui présente une particularité : il a six doigts de pied – comme l'homme de Roswell !

Avant de poursuivre, je vais vous parler de mes recherches personnelles. En septembre 1989, je rencontre un jeune homme à Phoenix, en Arizona, qui s'appelle Sean. Il a séjourné un an et demi auprès du dalaï-lama, à Dharamsala, dans les montagnes de l'Himalaya indien. Sean ayant des dons de médium, les moines l'initient à la méditation et à la maîtrise de ses dons de clairvoyance.

Il me raconte qu'un jour, les moines lui conseillent de jeûner, car il doit passer une initiation et être le plus pur possible. Il jeûne plusieurs jours, et des moines viennent le chercher un matin. Ils escaladent une montagne presque jusqu'au sommet et se retrouvent devant l'entrée d'une grotte, que Sean n'a pas remarquée.

À l'intérieur, ils marchent dans un tunnel pendant de longues heures. Sean osera à peine décrire ce qu'il a vu en chemin. Il y a des bêtes, selon lui des loups-garous, des animaux avec des yeux rouges étincelants, qui attendent seulement que quelqu'un se sépare du groupe – on lui a expliqué que les forces mentales des deux moines supérieurs tiennent les animaux à distance, l'un étant en tête, l'autre à la queue du groupe. Si Sean avait fermé la marche, sa dernière heure aurait sonné. Ces êtres sont là comme protection, pour empêcher tout intrus de pénétrer où ils se rendent.

Au bout de plusieurs heures de marche, ils parviennent à une porte recouverte d'or, de plusieurs mètres de haut, s'assoient en tailleur sur le sol et la méditation débute. Après un moment, la porte devient transparente. Sean n'en croit pas ses yeux : apparaissent alors des êtres humains géants, assis comme des bouddhas. Ces êtres aux cheveux et à la peau dorés commencent à communiquer par télépathie avec eux. Sean m'a raconté qu'il a l'impression que son cerveau et tout son être sont « scannés »par ces êtres. Il ne peut l'empêcher, mais ce n'est pas angoissant, ni menaçant. Ils prennent le pouvoir sur lui et contrôlent ses pensées. De toute évidence, ils le mettent à l'épreuve. Ils lui confient des choses qu'il ne veut pas me dire. Au bout de plusieurs heures, le groupe prend congé de ces êtres dorés, et se dirige vers la sortie, passant devant les animaux féroces. Au dehors, Sean se retourne plusieurs fois pour revoir l'entrée de la grotte : elle a disparu.

En 2000, je revois Sean à Munich, où il me confirme son aventure.

Je voudrais vous raconter cette autre histoire : il y a quelques années, je rencontre une Suissesse charmante, nommée Vera, qui soutient financièrement l'inventeur d'une machine à énergie libre. Malheureusement, l'homme est un escroc et l'argent s'est volatilisé. Elle me confie une chose intéressante : elle s'est rendue à Dharamsala à plusieurs reprises et a eu l'honneur de rencontrer le dalaï-lama, car elle lui verse des dons importants, ainsi qu'à sa communauté. Je la prie de le questionner, la prochaine fois qu'elle le verrait, sur la Terre creuse et les royaumes souterrains d'Agartha et de Shamballa. Quelque temps plus tard, elle m'apporte la réponse au sujet des royaumes souterrains : « Oui, j'en ai entendu parler. » Épatant…

Après notre conversation, elle devient curieuse et se renseigne auprès des moines. L'un d'eux lui dit être allé dans ce royaume souterrain, sauf que lorsqu'il voulut y retourner avec d'autres moines, il fut incapable de retrouver l'entrée. Tout cela coïncide avec les recherches de Muldashev et pointe dans la même direction. Pourquoi n'entendez-vous jamais parler de ces découvertes à la télévision ou par des scientifiques ?

Pour la même raison qu'on ne vous a jamais dit qu'une sirène est conservée dans un monastère japonais.

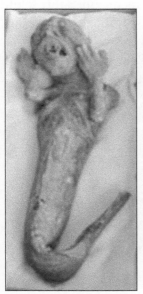

25. Dans le temple de Karukayado, au Japon, est conservée cette sirène momifiée de 65 centimètres, qui date de 1 400 ans. Des examens médicaux révélèrent qu'il ne s'agit pas d'une « construction », une sorte d'animal fictif japonais, comme la décrivent les critiques. La partie supérieure de l'organisme est de l'espèce humaine, la partie inférieure de celle des poissons.
Ces êtres sont-ils un « accident » de la nature, comme les enfants à deux têtes, ou une trace d'expériences génétiques menées par nos ancêtres ?

Parce que cela ne vous concerne pas, pensent les puissants, cela pourrait modifier votre vision du monde ! Et vous m'accorderez que ces êtres sont beaucoup plus passionnants que nos hommes politiques, que les résultats sportifs et qu'une soirée en discothèque... Pourquoi je vous en parle ? Je ne vous le dirai pas tout de suite, car la tension doit encore monter d'un cran. Je peux néanmoins déjà vous confier qu'il se passe des choses extraordinaires sur cette planète...

Nous avons entendu parler d'êtres « éternels », qui ne sont pas aussi célèbres que notre comte, mais qui n'en sont pas moins passionnants. Notre monde a encore des faits époustouflants à vous révéler. La différence avec ce que vous avez entendu est que ce qui va suivre est documenté et vous pourrez le vérifier par vous-mêmes. L'un de mes amis me dit un jour : « Cela me fait bouillir les neurones », quand on pense que l'original de ces documents existe encore, que les archéologues et les scientifiques ne peuvent plus les faire disparaître – au contraire des originaux de l'Ancien et du Nouveau Testament, qui sont, selon moi, non seulement un mélange astucieux, mais surtout falsifié, pour des raisons que mes lecteurs les plus anciens peuvent imaginer... C'est ce qui rend ce qui va suivre passionnant. Pour pouvoir faire une comparaison, il nous faut une petite présentation.

Observons tout d'abord...

4. LA GENÈSE – LE TERRAIN DE JEU DES DIEUX

Commençons par une excursion historique à l'époque de l'Ancien Testament, pour comprendre qu'il se produisit des choses étonnantes sur cette planète voilà quelques milliers d'années. Les athées répondent que ce qui se passa là-bas est une légende, les autres, que c'est la base de leur religion – les deux se trompent. Les événements de Palestine, d'Égypte et de Mésopotamie, l'Irak actuel, sont les fondements des religions d'Abraham (Abraham était un Sumérien originaire d'Ur). L'Ancien Testament, le Coran et le *Livre de Mormon* donnent l'impression que « Dieu en personne », le créateur du monde et de toute chose – des galaxies, des univers, des trous noirs – apparut et qu'il conféra avec le « peuple élu ».

Moïse parla-t-il réellement à Dieu ? Moïse vit-il son visage ? Un dieu tout-puissant doit-il se dévoiler, se révéler de cette façon ? Cela ne résiste pas à notre raisonnement logique. Alors à qui Moïse parla-t-il ? On ne peut se contenter de dire que ce sont des *visions*, en se référant aux nombreuses descriptions des rencontres avec ce dieu *viril*, pour le rendre acceptable à l'homme éclairé d'aujourd'hui. Voyons à qui Moïse eut à faire.

Il y a des contradictions dans la Genèse (l'histoire de la création). Nous pouvons voir que le Dieu de l'Ancien Testament n'était pas un être unique, qu'il s'agissait en fait de plusieurs dieux ; quand l'homme fut créé, on trouve la fameuse phrase : « Faisons l'homme à notre image, selon notre ressemblance [...] » (Gn 1, 26)

Non seulement le sujet est pluriel – ce qui devrait ébranler les croyants –, mais surtout, ces « Dieux » ressemblent manifestement à l'homme. C'est pareil tout au long de la Genèse, qui parle le plus souvent des Elohim : « Les fils de Dieu trouvèrent que les filles des hommes leur convenaient, et ils prirent pour femmes toutes celles qu'il leur plut » (Gn 6, 2).

Les dieux aimaient les plaisirs de la chair, ils séduisaient les femmes de la Terre. Nous trouvons dans la Genèse un verset qui nous rappelle les recherches du Dr Muldashev : « Les géants étaient sur la terre en ces temps-là, après que les fils de Dieu furent venus vers les filles des hommes, et qu'elles leur eurent donné des enfants : ce sont ces héros qui furent fameux dans l'Antiquité. » (Gn 6, 4) Revoilà les géants ! Ces dieux ou fils de dieu protègent les hommes. *L'œil qui voit tout* veille sur eux. Les hommes avaient donc vu quelque chose qui avait la forme d'un œil, d'une nuée, de roues, qui les éclairait, qui intervenait pour secourir ses protégés, en montrant sa puissance : « L'Éternel allait devant eux, le jour dans une colonne de nuée pour les guider dans leur chemin, et la nuit dans une colonne de feu pour les éclairer, afin qu'ils marchassent jour et nuit. La colonne de nuée ne se retirait point de devant le peuple pendant le jour, ni la colonne de feu pendant la nuit. » (Ex 13, 21-22)

De nos jours, pour colonne de feu on dirait plutôt projecteur. Il semble qu'il y ait eu beaucoup de nuées en ce temps-là : « L'ange de Dieu, qui allait devant le camp d'Israël, partit et alla derrière eux ; et la colonne de nuée qui les précédait, partit et se tint derrière eux. » (Ex 14, 19)

Ou : « À la veille du matin, l'Éternel, de la colonne de feu et de nuée, regarda le camp des Égyptiens, et mit en désordre le camp des Égyptiens. Il ôta les roues de leurs chars et en rendit la marche difficile. » (Ex 14, 24-25)

Quand Moïse rencontra le dieu des Hébreux : « Et l'Éternel dit à Moïse : Voici, je viendrai vers toi dans une épaisse nuée [...] » (Ex 19, 9)

« Le troisième jour au matin, il y eut des tonnerres, des éclairs, et une épaisse nuée sur la montagne ; le son de la trompette retentit fortement ; et tout le peuple qui était dans le camp fut saisi d'épouvante. Moïse fit sortir le peuple du camp, à la rencontre de Dieu ; et ils se placèrent au bas de la montagne. La montagne de Sinaï était tout en fumée, parce que l'Éternel y était descendu au milieu du feu ; cette fumée s'élevait comme la fumée d'une fournaise, et toute la montagne tremblait avec violence. Le son de la trompette retentissait de plus en plus fortement. Moïse parlait, et Dieu lui répondait à haute voix. » (Ex 19, 16-19)

« Tout le peuple entendait les tonnerres et le son de la trompette ; il voyait les flammes de la montagne fumante. » (Ex 20, 18)

« Moïse monta sur la montagne, et la nuée couvrit la montagne. La gloire de l'Éternel reposa sur la montagne de Sinaï, et la nuée la couvrit pendant six jours. Le septième jour, l'Éternel appela Moïse du milieu de la nuée. L'aspect de la gloire de l'Éternel était comme un feu dévorant sur le sommet de la montagne, aux yeux des enfants d'Israël. Moïse entra au milieu de la nuée, et il monta sur la montagne. Moïse demeura sur la montagne quarante jours et quarante nuits. » (Ex 24, 15-18)

« L'Éternel descendit dans une nuée, se tint là auprès de lui, et proclama le nom de l'Éternel. » (Ex 34, 5)

« Aussi longtemps que durèrent leurs marches, les enfants d'Israël partaient, quand la nuée s'élevait de dessus le tabernacle. Et quand la nuée ne s'élevait pas, ils ne partaient pas, jusqu'à ce qu'elle s'élevât. La nuée de l'Éternel était de jour sur le tabernacle ; et de nuit, il y avait un feu, aux yeux de toute la maison d'Israël, pendant toutes leurs marches. » (Ex 40, 36) Je vous renvoie également à Dt 4, 32-36 et Dt 5, 4-5.

Dans le *Livre de la Genèse*, les dieux interviennent : « Alors, l'Éternel fit pleuvoir du ciel sur Sodome et sur Gomorrhe du soufre et du feu, de par l'Éternel. Il détruisit ces villes, toute la plaine et tous les habitants des villes, et les plantes de la terre. La femme de Lot regarda en arrière, et elle devint une statue de sel. » (Gn 19, 24-26)

Le dernier verset fait penser à une bombe atomique – d'où la colonne de sel (lors d'une explosion atomique, les liquides corporels des victimes s'évaporent, il ne reste que les cristaux de sel. Quand on touche les cadavres, ils s'émiettent.)

Les premiers témoins hébreux qui évoquent les nuées, les colonnes de feu, les tonnerres et le son de la trompette, ne pouvaient pas approcher de leur Dieu. Personne n'avait pu voir l'arrivée de Dieu, au sommet de la montagne, à part Moïse et quelques chefs. « Dieu » avait menacé de tuer quiconque oserait. Les témoins de la Genèse virent Dieu de loin. Beaucoup plus tard, Ézéchiel est le premier prophète à le décrire de près, tel qu'il l'a vécu.

Voici un court extrait du *Livre d'Ézéchiel* :

La trentième année, le cinquième jour du quatrième mois, comme j'étais parmi les captifs du fleuve du Kebar, les cieux s'ouvrirent, et j'eus des visions divines. Le cinquième jour du mois, c'était la cinquième année de la captivité du roi Jojakin, la parole de l'Éternel fut adressée à Ézéchiel, fils de Buzi, le sacrificateur, dans le pays des Chaldéens, près du fleuve du Kebar ; et c'est là que la main de l'Éternel fut sur lui.

Je regardai, et voici, il vint du septentrion un vent impétueux, une grosse nuée, et une gerbe de feu qui répandait de tous côtés une lumière éclatante, au centre de laquelle brillait comme de l'airain poli, sortant du milieu du feu. Au centre encore, apparaissaient quatre animaux, dont l'aspect avait une ressemblance humaine.

Chacun d'eux avait quatre faces, et chacun avait quatre ailes. Leurs pieds étaient droits, et la plante de leurs pieds était comme celle du pied d'un veau, ils étincelaient comme de l'airain poli. Ils avaient des mains d'homme sous les ailes à leurs quatre côtés ; et tous les quatre avaient leurs faces et leurs ailes. Leurs ailes étaient jointes l'une à l'autre ; ils ne se tournaient point en marchant, mais chacun marchait droit devant soi.

Quant à la figure de leurs faces, ils avaient tous une face d'homme, tous quatre une face de lion à droite, tous quatre une face de bœuf à gauche, et tous quatre une face d'aigle. Leurs faces et leurs ailes étaient séparées par le haut ; deux de leurs ailes étaient jointes l'une à l'autre, et deux couvraient leurs corps.

Chacun marchait droit devant soi ; ils allaient où l'esprit les poussait à aller, et ils ne se tournaient point dans leur marche. L'aspect de ces animaux ressemblait à des charbons de feu ardents, c'était comme l'aspect des flambeaux, et ce feu circulait entre les animaux ; il jetait une lumière éclatante, et il en sortait des éclairs. Et les animaux couraient et revenaient comme la foudre. Je regardais ces animaux ; et voici, il y avait une roue sur la terre, près des animaux, devant leurs quatre faces. À leur aspect et à leur structure, ces roues semblaient en chrysolithe, et toutes les quatre avaient la même forme ; leur aspect et leur structure étaient tels que chaque roue paraissait au milieu d'une autre roue.

En cheminant, elles allaient de leurs quatre côtés, et elles ne se tournaient point dans leur marche. Elles avaient une circonférence et une hauteur effrayantes, et à leur circonférence les quatre roues étaient remplies d'yeux tout autour. Quand les animaux marchaient, les roues cheminaient à côté d'eux; et quand les animaux s'élevaient de terre, les roues s'élevaient aussi. Ils allaient où l'esprit les poussait à aller ; et les roues s'élevaient avec eux, car l'esprit des animaux était dans les roues. Quand ils marchaient, elles marchaient ; quand ils s'arrêtaient, elles s'arrêtaient ; quand ils s'élevaient de terre, les roues s'élevaient avec eux, car l'esprit des animaux était dans les roues.

Au-dessus des têtes des animaux, il y avait comme un ciel de cristal resplendissant, qui s'étendait sur leurs têtes dans le haut. Sous ce ciel, leurs ailes étaient droites l'une contre l'autre, et ils en avaient chacun deux qui les couvraient, chacun deux qui couvraient leurs corps. J'entendis le bruit de leurs ailes, quand ils marchaient, pareil au bruit de grosses eaux, ou à la voix du Tout-Puissant ; c'était un bruit tumultueux, comme celui d'une armée ; quand ils s'arrêtaient, ils laissaient tomber leurs ailes. (Ez 1, 1-24)

La première partie de la vision d'Ézéchiel ressemble aux premières descriptions du dieu des Hébreux : un objet de feu en mouvement qui répand de la fumée et le tonnerre. Quand il s'approche, Ézéchiel peut distinguer qu'il est en métal. Des êtres en sortent, ils ressemblent à des hommes, ils portent des bottes métalliques, des casques décorés. Leurs ailes semblent rétractables, elles font un bruit d'enfer. Leurs têtes sont recouvertes de verre ou d'un matériau transparent, dans lequel se reflète le ciel, comme sur les casques des astronautes. Leur véhicule est de forme ronde et a des roues, comme le module lunaire (fig. 34-37).

En lisant l'Ancien Testament, le *Livre d'Ézéchiel* et particulièrement le *Livre* (apocryphe) *d'Enoch*, d'un point de vue scientifique et objectif, force est de constater qu'on se trouve en présence d'un groupe d'astronautes en voyage, qui entre en contact avec des Terriens, qui les guide vers leurs objectifs, en profitant de leur crédulité pour conquérir de nouveaux territoires. En y regardant de plus près, on se rend compte que les dieux se combattaient aussi entre eux. C'est décrit dans *L'Épopée de Gilgamesh* des Sumériens, dans la mythologie grecque, dans les Veda et d'autres tablettes sumériennes. Dans l'Ancien Testament, c'est le combat entre les Elohim et les *Nephilim* qui domine. Il semble donc que des voyageurs de l'espace communiquaient avec différentes tribus et que ces tribus se faisaient la guerre, dans l'espoir de conquérir des territoires, grâce à l'aide d'extraterrestres.

Yahvé, le dieu extraterrestre de l'Ancien Testament, semble l'un des plus destructeurs et esclavagistes, car quel dieu peut exiger de son *peuple élu*, pendant l'épisode de l'Exode, d'exterminer d'autres peuples et tribus ? Quel est ce dieu qui exhorte et contraint au génocide son peuple élu ? Ce qui revient à plusieurs reprises dans l'Ancien Testament : il y a soixante-dix descriptions de génocide et de massacre, sans compter les assassinats, les expéditions criminelles, les viols collectifs et autres crimes tels que l'inceste. N'est-ce pas terrifiant ?

Au début du XXIᵉ siècle, les sermons de nos églises s'inspirent à nouveau des paroles du Nouveau Testament. Pourquoi pas ? Les paroles de Jésus qui nous ont été transmises, le sermon sur la Montagne, l'histoire des apôtres, l'évangile de Jean, sont sans égal dans la littérature mondiale, et empreintes d'amour, de paix et de sagesse. C'est le contraire du dieu de l'Ancien Testament, qui est souvent en colère, prône la guerre et les destructions en son nom, parle de faute et de sacrifices. Dans le jardin d'Éden, Dieu maudit Adam et Ève. Dieu peut-il maudire ?

Le dieu de l'Ancien Testament n'est pas le dieu du Nouveau Testament. Récapitulons : les fils de Dieu descendirent du ciel, se mêlèrent avec les filles de la Terre. Enoch, Abraham et Ézéchiel furent enlevés – dans des vaisseaux spatiaux ! Que se passa-t-il ? Dès les premières phrases du *Livre de la Genèse*, on voit que le texte original fut altéré, transformé, volontairement ou involontairement, par suite des nombreuses transcriptions orales et écrites. Dans les textes hébreux les plus anciens, Elohim est toujours au pluriel. Or, les érudits auraient utilisé le terme *El*, au singulier, pour définir un seul dieu. Comme ce n'est pas ce qu'ils firent, nous devons en tenir compte : il s'agissait manifestement d'un groupe de dieux ou d'êtres divins. En akkadien, *El* se dit *Ilu*, en arabe *ilah* (Allah).

Le mot Elohim revient à soixante-six reprises dans l'histoire de la création. Dans la Bible hébraïque, la référence de l'Ancien Testament, plus de deux mille fois. Il y a de fortes présomptions que le « Bon Dieu » de la création serait en fait un groupe d'êtres d'une intelligence supérieure. En se contentant de la lecture de l'Ancien Testament, on tâtonne dans l'obscurité. Pour savoir qui sont ces Elohim, nous devons consulter les écrits plus anciens, ceux qui inspirèrent les Hébreux érudits, qu'ils manipulèrent pour en faire leur propre histoire de la création.

5. LES TABLETTES SUMÉRIENNES

Sir Austen Henry Layard, un très honorable citoyen britannique est chargé en 1840 par le British Museum de Londres d'une mission d'exploration archéologique dans le pays des deux fleuves, entre le Tigre et l'Euphrate. Sous de gigantesques collines (*tells* en hébreu), il met au jour d'anciennes cités sumériennes. C'est dans ces villes bibliques que sont trouvées les plus anciennes écritures que nous connaissons, plusieurs milliers de tablettes en argile et des sceaux-cylindres. Ces découvertes sont sensationnelles, mais, aujourd'hui encore, les *spécialistes* et les théologiens en sous-estiment l'importance – pour de bonnes raisons.

Les informations sont volumineuses, et leur compréhension permet de se forger une image précise de cette civilisation, car sont déchiffrés d'anciens traités, des textes de loi, des ordres de cour, des actes de mariage, des prescriptions médicales, des écrits philosophiques et religieux, des traditions historiques... L'histoire de la création est particulièrement intéressante, ainsi que sans doute la toute première carte du ciel et des étoiles !

Comme dans la majorité des cultures de ces temps, l'écriture et la lecture chez les premiers Sumériens sont réservées à une corporation, une minorité. La majorité est illettrée.

Ils commencèrent à fabriquer de petites tablettes en argile de quelques centimètres. À l'aide d'un stylet ou d'un roseau taillé en pointe, ils gravaient les caractères dans l'argile avant de les faire cuire dans un four. Ils développèrent cette forme d'écriture au fil des siècles, de simples pictogrammes au début (pour des relevés comptables sans doute) ; ils créèrent peu à peu l'écriture cunéiforme (en forme de coins, de clous).

La civilisation sumérienne débute autour de la cité d'Uruk au IVe millénaire av. J.-C., entre 3800 et 4100. Elle marque la fin de la préhistoire au Moyen-Orient et le début de la civilisation urbaine. Son apparition paraît soudaine à de nombreux chercheurs, car il manque les preuves visibles d'un développement antérieur progressif. En effet, les Sumériens construisirent un système de canalisation et d'irrigation gigantesque pour développer l'agriculture à grande échelle ;

ils créèrent l'architecture moderne, le système éducatif, administratif, ils connaissaient la navigation, le commerce extérieur, la pharmacie et la médecine.

Leurs connaissances en médecine étaient très avancées : les représentations des organes sur des tablettes d'argile ou sous forme de modèles attestent qu'étaient connus les traitements, les thérapies, la chirurgie. La médecine était répartie en trois catégories : Bultitu (thérapie), Shipir bel imti (chirurgie) et Urti mashmashshe (ordres et incantations). Les médecins sumériens pratiquaient des opérations du cerveau, ce qu'attestent les tombes et les squelettes trouvés. Le patient pouvait choisir entre la médecine de l'eau (A.ZU) et la médecine de l'huile (IA.). Les diagnostics, les traitements et les thérapies étaient basés sur des connaissances approfondies de la médecine des plantes.

Les Sumériens avaient également des connaissances avancées en mathématique, en astronomie et en astrologie. Pour les nombres écrits, ils privilégiaient le système sexagésimal, utilisant la base 60 (60 minutes, 60 secondes). Ils inventèrent le zodiaque, divisé en 12 parties de 30 degrés, le cercle de 360 degrés, l'heure ($2 \times 12 = 24$), le jour, la semaine de 7 jours, les mois, les années calendaires. Le mot grec *Gaia* (lat. *Gaeo*), associé à une divinité primordiale, la Terre-Mère, vient du mot sumérien KI ou GI (parole, terre). Le pictogramme représente un ovale horizontal, traversé par huit lignes verticales. Nous utilisons un dérivé de cette racine dans les mots *géographie* et *géologie*.

Les Sumériens avaient des connaissances approfondies sur le système solaire : on trouva un sceau-cylindre représentant une carte des étoiles très ancienne. Les sceaux-cylindres sont une invention des anciens Sumériens, de la période d'Uruk (4100 – 3000 av. J.-C.), que l'on peut comparer à une presse d'imprimerie. Ce sont de petits cylindres faits dans des pierres semi-précieuses le plus souvent, de 2,5 à 7,5 cm de hauteur, et larges de deux doigts. On y gravait des motifs, on déroulait ensuite le cylindre sur une tablette d'argile fraîche, ce qui donnait un motif continu, que l'on pouvait développer à l'infini, par exemple pour réaliser des frises. Les cultures ultérieures du pays des deux fleuves, les Babyloniens, les Assyriens et les Akkadiens, utilisèrent cette technique.

27. Le même sceau-cylindre déroulé,
2300 av. J.-C.

26. Le sceau-cylindre VA/243.

Les sceaux-cylindres représentent des scènes de la vie quotidienne, mais aussi des épisodes de la mythologie et de l'histoire passée. Le cylindre représentant la scène ci-dessus, conservé au musée de Pergame à Berlin, est connu sous la référence VA/243. Il n'est pas la seule représentation nous montrant que les Sumériens avaient des connaissances en astronomie, mais le plus intéressant est que le système solaire tel que nous le connaissons fut gravé sur ce cylindre à l'échelle exacte.

On distingue le Soleil en haut à gauche, entouré de onze points représentant onze corps célestes : dans l'ordre, Mercure, la petite planète, puis Vénus et la Terre, qui ont la même taille. Ensuite viennent la Lune, Mars et les deux planètes beaucoup plus grandes, Jupiter et Saturne, les deux planètes jumelles Uranus et Neptune, et, pour finir, Pluton, la plus éloignée. Cette carte ancienne contient un douzième point, qui n'existe plus dans notre système solaire actuel : il s'agit sans doute d'**une planète inconnue entre Mars et Jupiter.**

Nous pouvons en déduire que les astronomes sumériens connaissaient la disposition exacte des planètes. Cela signifierait que nos lointains ancêtres connaissaient ce que nous dûmes redécouvrir peu à peu, depuis 1881, quand Friedrich Wilhelm Herschel prouva l'existence d'Uranus. Notre civilisation eut toujours une attitude condescendante vis-à-vis des savants de l'Antiquité : les Sumériens et les Égyptiens, nous dit-on, étaient beaucoup moins évolués, leurs croyances et connaissances scientifiques étaient empreintes de naïveté. En réalité, ces peuples disposaient d'un savoir étonnant, qui nous est mystérieux dans certains domaines, et dépasse nos connaissances actuelles dans d'autres.

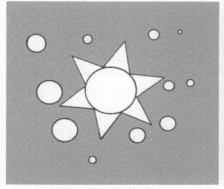
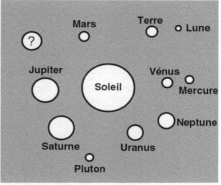

28. Le dessin représente notre système solaire, avec une planète inconnue.

29. En comparaison, notre système solaire, auquel est ajoutée une planète supplémentaire.

Bien que beaucoup de scientifiques actuels le contestent, il est établi que les astronomes de l'Antiquité connaissaient l'organisation de notre système solaire. Ce n'est qu'après la mise au point du télescope à miroirs par Isaac Newton, en 1671, que les scientifiques purent déterminer la présence de Neptune, identifiée en 1846 par Johann Gottfried Galle [avec l'assistance de l'étudiant Heinrich Louis d'Arrest], d'Uranus en 1881, et de Pluton en 1930 par Clyde William Tombough. Depuis ce jour, le système solaire comprend neuf planètes, plus le Soleil et la Lune, donc onze corps célestes. Il est incroyable que l'on puisse voir Uranus, Neptune et Pluton sur la carte des Sumériens, et que nous ayons dû attendre le progrès technique pour les identifier. Sur le cylindre, il y a un douzième point, une douzième planète, entre notre voisin Mars et Jupiter. Il existe un grand vide entre les deux, que comble une ceinture d'astéroïdes.

30. La planète Nibiru/Marduk tourne autour du Soleil en 3 600 ans.

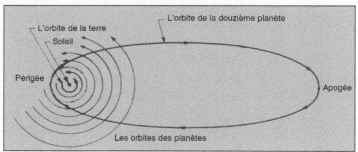

Les tablettes sumériennes racontent l'histoire du système solaire : au début, il comprend trois corps, le Soleil, Mercure et Tiamat [dite sœur jumelle de la Terre]. Après l'apparition d'autres planètes, il y a le Soleil et neuf planètes. Apparaît ensuite la planète Nibiru, appelée Marduk [Mardouk] chez les Babyloniens.

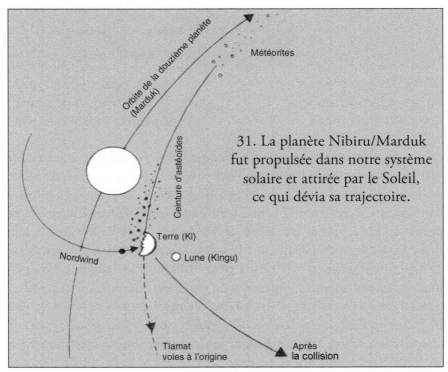

Orbite de la douzième planète (Marduk)

Météorites

Ceinture d'astéroïdes

31. La planète Nibiru/Marduk fut propulsée dans notre système solaire et attirée par le Soleil, ce qui dévia sa trajectoire.

Terre (Ki)

Lune (Kingu)

Nordwind

Tiamat
voies à l'origine

Après
la collision

Nibiru était une planète nomade venant des profondeurs du cosmos, propulsée dans notre système solaire par suite d'un événement cosmique de nature inconnue. Sa trajectoire, via Neptune, Uranus et Saturne, suivit un mouvement effectué dans le sens contraire de la rotation des autres planètes tournant autour du Soleil.

Elle bouleversa les rapports gravitationnels des planètes, ce qui provoqua explosions et catastrophes géantes, qui engendrèrent neuf lunes. Ensuite, une première collision se produisit entre Tiamat et l'une des lunes de Nibiru, puis une deuxième, qui arracha la partie supérieure de Tiamat. Ce nouveau corps, projeté en orbite, provoqua une nouvelle collision, dont est issue Kingu, une lune. Ces deux objets devinrent un couple, la Terre et la Lune.

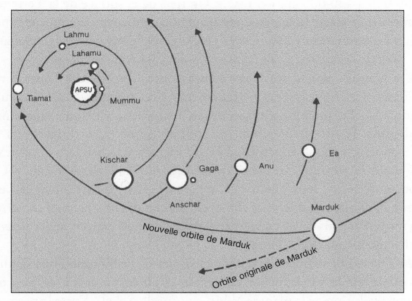

32. Après avoir pénétré dans notre système solaire, Nibiru/Marduk faillit entrer en collision avec Tiamat (la Terre originelle). Mais une des lunes de Nibiru toucha Tiamat et la détruisit en partie. La partie restante de Tiamat dévia de son orbite et entraîna une des deux lunes de Nibiru ; c'est ainsi que seraient nées la Terre et la Lune.

L'Épopée d'Atrahasis, avec *L'Épopée de Gilgamesh*, est l'un des témoignages les plus importants de l'époque des Sumériens qui nous soient parvenus presque intacts. Elle décrit, entre autres, la vie avant le Déluge et le développement de l'humanité sur terre. On y rencontre les Anunnaki (*ceux qui viennent du ciel*), venus de la planète Nibiru il y a environ 450 000 ans. Nibiru tourne autour du Soleil en 3 600 ans. Ils sont venus chercher l'or dont ils avaient besoin pour leur planète. C'était des millions d'années après la destruction de Tiamat. La Terre dut les séduire, avec la présence de l'eau génératrice de vie, la végétation, la biosphère qui y est équilibrée, grâce à une distance optimale du Soleil. Ils ont décidé d'y rester.

Essayons d'imaginer à quoi ressemblait la Terre de ce temps. C'est la seconde période glaciaire, dite « de Mindel » [ou Elster ou Kansien] (480 000 à 430 000 ans av. J.-C.). Un tiers de la surface de la Terre est recouvert de glace. Il ne pleut pas beaucoup, le niveau de la mer se situe, selon les estimations, 250 mètres plus bas que le niveau actuel pendant les périodes glacières, l'eau étant saisie dans les couches de glace.

Les grandes plaines fluviales, comme celles du Nil, du Tigre et de l'Euphrate, conviennent parfaitement aux premiers colonisateurs anunnaki. Le premier groupe devait comporter quelque cinquante individus. Il atterrit non loin du golfe Persique et se dirigea vers la Mésopotamie, où il construisit à Eridu les premiers habitats terrestres : « Quand la royauté des cieux descendit, elle s'installa à Eridu. » Ce nom se retrouve sous une forme apparentée dans d'autres langues, en vieux haut-allemand le mot *Erda*, en allemand *Erde*, en anglais *earth*, en moyen anglais *erthe*, en araméen *arthz, ereds* ou *ertz*, en hébreu *eretz*, qui veulent tous dire « Terre ».

La liste royale sumérienne retrace l'histoire de la Mésopotamie depuis les origines. On y mesure le temps en *sar* (1 *sar* équivaut à 3 600 ans, ou à une révolution de la planète Nibiru autour du Soleil). Entre le premier atterrissage et le grand Déluge, 120 *sars* s'écoulèrent, selon les textes, ce qui correspond à 432 000 années terrestres. Le nom du premier « dieu », le fondateur d'Eridu, est illisible. D'autres textes convergents lui donnent le nom d'Enki (*maître de la terre*), EA en akkadien (*maître des profondeurs*). On lui accola le nom Nudimmud (*celui qui fait les choses*). Il était sage et porteur de culture, maîtrisait les sciences, était également ingénieur et enseignait.

Enki était le fils d'Anu (An), le maître de Nibiru, et de la déesse Nummu. C'est lui qui choisit le premier emplacement, au bord des marais : « C'est ici que nous resterons ! » La Terre était maintenant son royaume et son lieu de culte. Les Anunnaki, qui travaillaient dur dans les *apsû* (gisements miniers) pour extraire de l'or, commencèrent peu à peu à manifester leur mécontentement. Les conditions de travail ne leur convenaient pas ; sans doute avaient-ils beaucoup de mal à s'adapter à la gravitation terrestre, à laquelle ils étaient maintenant soumis, ainsi qu'au processus de vieillissement. Un conseil des dieux se réunit, auquel vint participer le maître de Nibiru, Anu, le père d'Enki. Ce dernier finit par trouver la solution : il fallait créer un *Lulu*, un travailleur primitif. Les Anunnaki étaient d'accord. Les écrits et les descriptions mentionnent que le premier humain fut créé de façon artificielle, dans un seul but : travailler pour les dieux. C'était à lui de porter le fardeau, d'où le nom sumérien *Lulu amelu* (*travailleur primitif*). À quand remonte cette création ?

33. L'autre partie de Tiamat fut détruite, mais conserva la forme de la ceinture d'astéroïdes entre Mars et Jupiter.

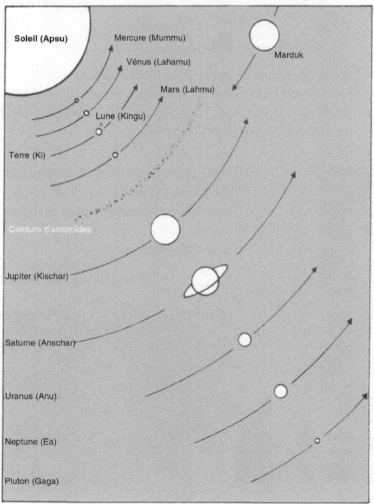

34. Une représentation aztèque du dieu Quetzalcóatl, qui serait venu sur terre, selon la légende, sur un serpent à plumes, et qui apporta la culture aux Aztèques et aux Toltèques.

Les tablettes sumériennes relatent la révolte des Anunnaki, qui eut lieu environ 144 000 ans (40 sars) après leur arrivée. Comme l'arrivée remonte à 450 000 ans av. J.-C., cela signifie que l'*Homo sapiens*, notre ancêtre, fut créé il y a environ 300 000 ans.

35. Une statuette précolombienne de l'Équateur (env. 500 av. J.-C.), qui représente un homme dans ce qu'on appellerait aujourd'hui une combinaison spatiale.

37. Une fresque d'un monastère au Kosovo, au XIV e siècle.

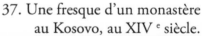

36. Sur un dessin vieux de 7 000 ans, trouvé dans la grotte de Fergana, en Ouzbékistan, on voit deux êtres en combinaison spatiale avec des gants. Au fond, une soucoupe volante.

À quoi ressemblait la Terre ? Nous sommes à la période pré-Atlantide. La Lémurie a-t-elle déjà coulé ? Il est possible qu'elle ait disparu – nous n'en savons rien. Comme c'est une ère glaciaire, les anciennes traditions tibétaines rapportent que les civilisations développées se réfugièrent à l'intérieur de la Terre (systèmes de tunnels) pendant les périodes glaciaires, tandis que les autres, en tous cas ceux qui survécurent à la catastrophe de la Lémurie, apparemment dégénérèrent. Seraient-ils les hommes de Néandertal ? Quand les Anunnaki débarquèrent sur la Terre, ils durent se trouver face à ce genre d'humains. La période qui sépare les primates de l'*Homo sapiens* demeure une énigme pour les scientifiques, car elle est très courte. Ce qui manque entre les deux est appelé le *chaînon manquant*. La question n'est toujours pas résolue.

Pour les darwinistes, tout cela ne correspond à rien. D'après les principes de la sélection naturelle de Darwin, les espèces se développent selon une sélection qui élimine les plus faibles, et où s'imposent et ne survivent que les plus forts. Le chaînon manquant n'est pas leur souci. Ils excluent de leur classification les hommes aux crânes en forme de tour, en expliquant la déformation des crânes par des planches, que l'on appliquait de chaque côté de la tête. Ils ne peuvent toutefois expliquer la masse crânienne trois fois plus importante. Les géants aussi n'entrent pas dans leur classification. Où est leur place dans l'échelle de Darwin ? Apparemment, rien ne concorde. Comme les écrits sumériens ne concernent que la Mésopotamie, on n'apprend rien sur l'Amérique du Sud, l'Himalaya ou encore la Chine. Les traditions en Asie remontent beaucoup plus loin : elles relatent la disparition de civilisations plus anciennes, pendant les ères glaciaires. C'est pour cela que les Tibétains attachent tellement d'importance à leur fonds génétique, dans les grottes des lamas en *samâdhi*.

Revenons à Sumer et aux Anunnaki. Ils avaient un problème à résoudre avec leurs congénères et cherchaient une solution. Elle se présenta sous les traits de leur contemporain primitif, qu'ils trouvaient dans leur région. Ce qu'il advint de lui est retranscrit précisément sur les tablettes, ainsi que le chaînon manquant entre *Homo erectus* et *Homo sapiens*. Le premier homme travailleur (*Adam*) fut créé par les dieux anunnaki. Il y eut, à un moment donné, une manipulation génétique, qui permit l'accélération fabuleuse du développement de l'homme. C'est Enki (Ea) qui eut l'idée décisive, selon les textes anciens, en ayant l'intuition de former un Adamo. L'homme primitif qui vivait dans ces régions convenait parfaitement aux Anunnaki, avec leur dessein d'en faire un esclave moderne. Cela ne fonctionna pas tout de suite, ils durent expérimenter.

38. La naissance du « premier » homme
montrée sur un sceau-cylindre assyrien.

Les textes nous disent qu'il fallut beaucoup de temps aux Anunnaki pour trouver « l'image » exacte, c'est-à-dire le mélange génétique approprié. Il faut avoir à l'esprit que les scientifiques actuels, qui travaillent dans la manipulation génétique et le clonage, ont recours à un grand nombre d'essais, malgré les avancées technologiques, avant d'arriver à des résultats satisfaisants. Les Anunnaki eurent eux aussi à tâtonner, jusqu'à ce qu'ils obtiennent le résultat parfait. Souvenons-nous du cours de biologie à l'école : nous essayions de prouver les lois de Mendel sur l'hérédité en croisant des races de pois. Pour prouver la loi de l'hérédité, il faut plusieurs croisements. Les Anunnaki vivaient une situation similaire il y a plusieurs centaines de milliers d'années, à la différence que nous connaissons les résultats des travaux de Mendel et que nous avons un guide.

Il n'y a pas d'autre explication à l'évocation répétée d'expériences, de croisements et d'êtres hybrides des anciennes traditions de Mésopotamie. Il existe dans d'autres cultures des traditions qui confirment les écrits sumériens. Nous supposons donc qu'il y eut un temps pour les expériences, jusqu'à ce que les « dieux » aient trouvé la combinaison adéquate pour créer les premiers « Adam ».

39 et 40. L'obélisque noir du roi assyrien Salmanazar (Salmanasar V).
On mène des hommes animaux à la laisse.

L'être amphibien trouvé au Japon (voir figure 25 p. 75) est-il un témoignage de ces expériences ? Malgré les descriptions très précises des textes sumériens, il est impossible de déterminer combien d'années ou de décennies ces expériences durèrent : il nous manque surtout des artefacts, des vestiges archéologiques.

Qui était Enki – le créateur de l'*Homo sapiens* ?

Il était le fils du dieu extraterrestre Anu (aussi An ou Anou). EN.KI signifie le seigneur, le maître de la Terre. Ce titre ne semble pas entièrement fondé, car il dut, apparemment, partager le pouvoir avec son frère ENLIL, qui était son grand rival et fomentait constamment des intrigues contre lui. On attribue à Enki non seulement la création de l'homme moderne, mais aussi d'autres réalisations, dont l'assèchement des marais au bord du golfe Persique, qu'il aurait transformés en terre arable, la construction de digues et de navires.

Ce qui nous importe ici, c'est sa bienveillance, sa générosité envers l'objet de sa création. Dans les textes mésopotamiens, il est écrit qu'Enki intervenait toujours pour défendre les hommes au grand Conseil des extraterrestres.

Il protestait contre la cruauté avec laquelle les autres extraterrestres, surtout son frère Enlil, traitaient les humains. Il ne voulait pas les voir réduits en esclavage, mais il ne disposait pas de la majorité au Conseil. On traitait cruellement les hommes, qui n'étaient pour leurs maîtres que des bêtes de somme. Les tablettes parlent de famines, de maladies, d'épidémies qu'on organisait, de guerre biologique en quelque sorte, pour anéantir les hommes, mais ces exactions ne suffisaient pas à en faire reculer le nombre. Il fut donc décidé de déclencher un déluge, surtout pour se débarrasser des créatures non réussies – des êtres hybrides, des mutants, des mélanges d'humains et d'animaux. Les archéologues savent qu'il y eut un déluge au Moyen-Orient ; même les mythes des tribus indiennes d'Amérique du Nord en mentionnent l'existence.

Dans L'*Épopée de Gilgamesh*, Enki s'adresse à Utnapishtim et lui révèle le plan des aliénigènes (extraterrestres), lui conseille de construire un navire, de prendre la mer avec un certain nombre d'animaux, et de ne pas oublier de prendre de l'or.

L'histoire de Noé, comme beaucoup de celles dans l'Ancien Testament, fut empruntée aux épopées mésopotamiennes. Les Hébreux changèrent les noms, les nombreuses divinités furent transformées en un seul dieu.

Un des animaux que les hommes toujours vénérèrent le plus se démarque par son importance : le serpent. Sans doute parce qu'il était l'emblème d'une confrérie qui eut une grande influence dans les civilisations anciennes. Cette confrérie composée d'hommes érudits avait pour but de propager les connaissances de l'esprit, afin de parvenir à la liberté de penser. C'était la Confrérie du Serpent. Elle combattait l'esclavage et essayait de libérer l'humanité de la servitude des extraterrestres. Le mot biblique pour serpent, *nahash*, vient de la racine *NHSH*, qui signifie « déchiffrer », « trouver ».

C'est Enki (Ea), le dieu rebelle et très développé spirituellement, qui serait à l'origine de cette confrérie. Son savoir fut transmis et symbolisé par l'histoire d'Adam et Ève dans le jardin d'Éden. Enki est désigné comme le coupable, c'est lui qui enseigna aux hommes l'histoire de leur origine extraterrestre, c'est lui qui leur donna la liberté et leur enseigna la liberté de l'esprit. Dans le jardin d'Éden, le verger des Anunnaki, où travaillaient des *Homo sapiens*, il était interdit de manger les fruits d'un arbre bien précis – l'arbre de la connaissance. Pourquoi était-ce interdit ? Comment une « pomme » pouvait-elle être si dangereuse ? Lisons le texte dans l'Ancien Testament :

> Le serpent était le plus rusé de tous les animaux des champs que l'Éternel Dieu avait faits. Il dit à la femme : « Dieu a-t-il réellement dit : Vous ne mangerez pas de tous les arbres du jardin ? » La femme répondit au serpent : « Nous mangeons du fruit des arbres du jardin. » Mais quant au fruit de l'arbre qui est au milieu du jardin, Dieu a dit : « Vous n'en mangerez point et vous n'y toucherez point, de peur que vous ne mouriez. » Alors le serpent dit à la femme : « Vous ne mourrez point, mais Dieu sait que, le jour où vous en mangerez, vos yeux s'ouvriront, et que vous serez comme des dieux, connaissant le bien et le mal. » (Gn 3, 1-5)

Cet extrait devrait interpeller tous les fidèles de l'Ancien Testament, car leur « Dieu » ment : Adam et Ève ne sont pas morts. Ce Dieu n'était pas le Créateur de l'univers mais Anu, le père d'Enki et d'Enlil, qui connaissait la particularité de cette pomme – en réalité, il s'agissait… d'une pomme grenade !

Morpheus, l'auteur du livre *Matrix-Code* [traduit de l'allemand : *Gebundene Ausgabe*], donne une interprétation très personnelle de la Création, sur des critères scientifiques :

> Les pépins de la grenade et l'écorce de ses racines contiennent une substance psychotrope puissante, la N-diméthyltryptamine (DMT). Quand on en prend, on est pris d'une sensation qui ressemble à l'illumination. Un peu comme les nourrissons, dont le cerveau produit de la DMT, et ont une connexion directe avec l'hyperespace. La DMT est précisément le principe actif qu'on trouve dans les pépins des grenades. C'est ce qu'on essayait d'empêcher à l'époque d'Adam et Ève, et qui engendra la césure la plus marquante de l'histoire de l'humanité : l'expulsion du paradis !

Manger ce fruit et la connaissance qu'il procurait était un acte important : c'était un moyen de devenir conscient, afin de pouvoir ensuite se reproduire. Jusque-là, les hommes étaient des hybrides stériles, résultant du croisement de plusieurs types humains. Zecharia Sitchin, un expert en culture sumérienne, pense que nous sommes plutôt des hybrides d'*Homo erectus* (le prédécesseur de l'*Homo sapiens*) et d'Anunnaki.

Les Anunnaki n'appréciaient pas cette envie de se reproduire, car ils ne voulaient pas perdre leur contrôle sur les humains. Enki, l'instigateur du mouvement de libération de l'esclavage, incitait les hommes à consommer les fruits défendus. Il ne se rebella pas contre Dieu, mais contre la barbarie des dieux extraterrestres, contre son propre père Anu. Malgré tous leurs efforts, Enki et sa Confrérie du Serpent ne réussirent pas à libérer les hommes. Les tablettes expliquent que le serpent (la confrérie) fut vaincu par d'autres groupes plus puissants. Enki fut discrédité, diabolisé, banni. On changea son titre : de Prince de la Terre, il devint le Prince des Ténèbres ; c'est la chute de l'étoile du matin : « Te voilà tombé du ciel, Astre brillant, fils de l'aurore ! Tu es abattu à terre, Toi, le vainqueur des nations ! » (Es 14, 12)

Lui, le Porteur de lumière, l'être le plus beau et le plus puissant de son temps, celui que les Grecs appelaient Hélios ou Phosphoros et les Romains, Lucifer, fut diabolisé ! On le présenta comme l'ennemi mortel de l'Être suprême, son propre père. On fit croire aux hommes que le mal venait de lui, qu'il voulait les réduire en esclavage. Cette interprétation est valable si Enki et Lucifer sont la même personne. Le sont-ils ? Lucifer aime-t-il tant la liberté, est-il si désintéressé ? Nous en reparlerons.

L'affirmation que des formes de vie sont venues des profondeurs de l'univers sur notre planète dans le but d'y créer de nouvelles formes de vie avant de repartir n'est pas tirée par les cheveux. La mythologie grecque nous parle des dieux qui habitaient sur l'Olympe et d'Hermès, le messager des dieux, qui allait et venait dans son chariot. Les chants hawaïens et la *hula*, cette danse indigène, relatent qu'un vaisseau cosmique atterrit sur le volcan de Mauna Kea, sur la grande île, et que le plus valeureux des guerriers escalada ce volcan et s'unit à la femme sortie du vaisseau, créant ainsi le peuple des Hawaïens.

Les Mayas et les Hopis affirment venir de la constellation des Pléiades. Ils disent avoir vécu d'abord sur un continent au milieu de l'Atlantique, qui se serait ensuite enfoncé dans l'océan, et avoir survécu dans des villes souterraines, avant de s'établir sur le continent nord et sud-américain. Les aborigènes d'Australie racontent que des vaisseaux cosmiques atterrirent sur leur territoire il y a très longtemps, que les occupants leur auraient enseigné la sagesse de l'esprit, et leur auraient laissé un objet en souvenir : le boomerang.

L'histoire qu'on apprend dans les écoles situe le début de la période historique au commencement de l'empire de Sumer, il y a 3 800 ans. Avant, nous étions des sauvages et des barbares chevelus. Il y a, malheureusement, des éléments qui ne sont pas cohérents. Le sphinx de Gizeh, par exemple, fut supposément construit il y a 2 500 ans par le pharaon Khéphren [NdÉ : d'autres sources donnent son frère, Djédefrê]. L'orientaliste égyptologue et mathématicien René Adolphe Schwaller de Lubicz et l'égyptologue John Anthony West prouvèrent que les traces d'érosion sur le sphinx sont dues à de l'eau courante d'une profondeur de 70 cm, et non au sable et au vent, comme on l'a toujours affirmé. Pour expliquer les motifs créés par l'érosion, West calcula que le sphinx subit des pluies continuelles sur une période de mille ans. La géologie contredit l'archéologie. Les climatologues pensent que la dernière période où furent enregistrées de grandes précipitations dans le Sahara se situe entre 12 000 et 3 400 ans av. J.-C., ce qui donnerait une date de construction antérieure de plusieurs millénaires à celle avancée par les égyptologues.

À cette époque, il n'y avait pas de civilisation développée, certainement pas une ayant pu ériger le sphinx. Même à l'époque actuelle, avec notre technologie, l'entreprise serait difficile. Voici donc la question ultime qui nous préoccupe : les voyageurs de l'espace nous ont-ils quittés définitivement, ou reviendront-ils ? Certains ne sont peut-être jamais partis ? Existe-t-il un accord avec les puissants de notre monde, afin qu'ils puissent continuer à exploiter – en silence – les matières premières ?

Voici un indice allant dans ce sens : en février 1998, je rencontrai à l'aéroport de Francfort un agent des services spéciaux sud-africains. C'était un Boer, donc de peau blanche ; nous avions rendez-vous pour échanger diverses informations. Je lui montrai mon livre, *Unternehmen Aldebaran* [*L'opération Aldébaran*], qu'il ne connaissait pas, et les photos des armes allemandes miraculeuses du Troisième *Reich*, les disques volants (figure 41-44).

Un des prototypes d'engins volants fabriqués à la base de Peenemünde, puis dans les usines Messerschmitt d'Augsbourg, de Neubrandenburg, de Breslau et de Wiener Neustadt, avait la forme d'un cigare. À la vue du cliché, l'agent, un homme carré et d'apparence froide, eut la chair de poule et commença à montrer des signes de nervosité. Il me dit qu'il devait me raconter une histoire qu'il n'avait encore jamais confiée à personne.

Fils d'une famille fortunée, il avait grandi dans un ranch. Un jour qu'il se promenait avec sa nourrice, une Africaine assez forte, ils virent un objet volant s'approchant d'eux. Ce qu'ils avaient pris pour un avion s'avérait un cigare géant aux reflets argentés.

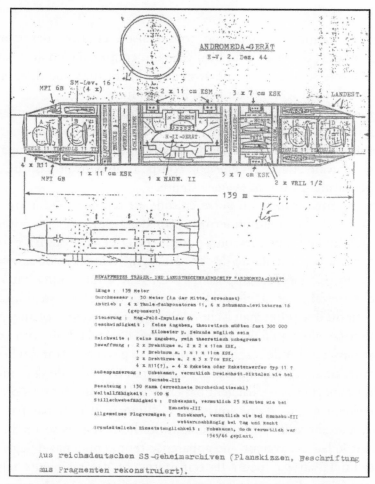

41. La « machine d'Andromède » (Andromeda-Geräte), un vaisseau spatial allemand en forme de cigare développé entre 1944 et 1945, fonctionnant sur la base de l'antigravité. On ignore s'il fut utilisé. Le rapport de l'agent sud-africain laisse entendre que des techniciens auraient réussi à mettre à l'abri certaines technologies avant l'arrivée des Alliés.

L'engin s'approcha suffisamment, en suspension à quelques mètres au-dessus du sol, puis une porte s'entrouvrit, une échelle se déplia et un homme en sortit. La nourrice avait pris la fuite et il restait là, comme paralysé. L'homme portait une combinaison et avait des cheveux blonds longs et des yeux d'un bleu éclatant, comme il n'en avait jamais vu. L'homme semblait le connaître, car il lui fit un signe de la main, l'invitant à s'approcher. C'est là qu'il prit la fuite.

Mon interlocuteur me regarda les yeux grand ouverts et ajouta qu'il avait rencontré à plusieurs reprises, dans le cadre de son travail au sein des services secrets sud-africains, des personnes comme celle-ci, mais en costume-cravate et avec les cheveux courts. Il ne pouvait pas dire si les autorités savaient à qui ils avaient affaire.

Il me raconta ensuite un autre épisode en rapport avec notre sujet des Anunnaki. Il connaît un fermier possédant un ranch au territoire si vaste qu'il lui faut plusieurs jours pour le traverser à cheval. Il s'y trouve un lac, qui a la particularité de se vider régulièrement et de se remplir subitement. Ce fermier suppose qu'il est relié à une source ou à une rivière souterraine, et que l'eau disparaît pour des raisons inconnues.

Un jour qu'il se promenait à cheval, il vit une soucoupe volante, posée près de ce lac alors qu'il était asséché. Armé, il décida d'observer ce qui allait se passer avant de réagir, mais rien ne se passa pendant des heures. Le fermier ne savait plus quoi faire, car il était trop loin de sa ferme, les téléphones portables n'existaient pas encore, les voisins les plus proches se trouvaient à plus d'une journée de distance. Il finit par passer la nuit là, à attendre, et vit le lendemain des humanoïdes sortir du trou laissé par le lac. Ils avaient une apparence reptilienne, pas désagréable, qui ne lui faisait pas peur. Ils transportaient des récipients remplis d'un matériau, d'une matière première extraite, qu'ils chargeaient à l'intérieur de leur vaisseau. Après qu'ils eurent fini de charger plusieurs récipients, l'écoutille se referma et l'engin reprit son vol.

De quel matériau s'agissait-il ? Ces êtres ne viennent-ils sur terre que pour s'approprier cette matière première ? Les Anunnaki sont apparemment venus extraire de l'or pendant des centaines de milliers d'années, mais pas pour prendre possession de la Terre, car ils retournaient toujours vers leur planète. Ils ne représentaient donc pas un danger pour les hommes, sans parler du fait qu'ils étaient soumis sur terre au processus de vieillissement, ce qui fut l'une des raisons des révoltes des ouvriers anunnaki.

Entre-temps, la Terre entière fut colonisée. Supposons que vous et moi soyons des Anunnaki. Après une absence d'une certaine durée, nous constatons que les choses ont évolué sur terre. Surtout au cours du siècle dernier, car l'homme a développé des technologies lui permettant de voyager dans l'espace. Il possède des bombes atomiques, des radars et des appareils qui nous empêchent de venir sans être découverts, pour charger ce matériau, dont nous avons absolument besoin. Que faire ? Prendre possession de toute la planète ? C'est sans intérêt. Qu'en ferions-nous ? Ici, nous vieillissons plus vite. La seule solution serait de trouver des gens à qui nous pourrions confier un contrat et nous aideraient à recueillir ce dont nous avons besoin et à disparaître ensuite. Évidemment, nous devrions donner une contrepartie, faire un échange. De technologie peut-être ?

À ce sujet, je vais vous raconter une autre histoire assez folle, qui nous apportera peut-être un début de réponse. Au cours d'un de mes nombreux voyages, je rencontrai en 1990 aux États-Unis l'amie d'un des plus grands avocats américains. Nous sympathisâmes et elle me raconta un jour l'aventure suivante : son ami, Mark, était à trente ans l'un des avocats les mieux payés du pays, car il défendait, entre autres, les intérêts de la famille X.

Un jour qu'il se trouvait dans une de leurs grandes propriétés à Houston, on lui demanda de patienter quelque temps, car on était occupé ailleurs. Comme il entretenait de bons rapports avec la gouvernante, elle l'invita à boire un café dans la cuisine. Ils parlaient quand il remarqua des chaises de forme étrange dans un coin de la pièce. Il aborda le sujet, mais elle évita d'abord de répondre, puis, voyant qu'il y revenait, elle lui dit, la main devant la bouche : « Si vous n'en parlez à personne [...]. Donc, une fois par mois, les employés de la propriété ont congé la fin de semaine ; pas moi, car je suis là depuis longtemps. Et l'après-midi, il y a toujours une soucoupe volante qui atterrit sur la propriété. Nous avons un problème ; ma foi, ces types qui descendent des vaisseaux ne nous ressemblent pas, ils ont des airs de reptiles, trois doigts et une queue. Ils sortent de leur soucoupe avec de grandes valises, qu'ils apportent à la famille [...] Quand ils repartent, ils n'apportent rien. Ces chaises que vous voyez au fond de la cuisine ont été construites pour eux. Les emplacements sur les accoudoirs sont là pour leurs trois doigts, le trou dans le dossier de la chaise pour leur queue. Je crois qu'ils viennent déposer de l'argent, j'ai vu un jour une valise ouverte. »

La jeune femme qui me raconta cette histoire me dit que son petit ami fut tellement choqué par ce qu'il avait vu, qu'il vendit son cabinet d'avocat à l'âge de trente-cinq ans, et qu'ils vivaient maintenant dans les Caraïbes. Il avait, disait-il, assez d'argent pour ne plus devoir travailler, mais l'histoire l'avait complètement déboussolé.

Un pilote allemand me parla des Haunebu II. Il prétendit avoir vu voler ce disque en 1943, à Neubrandenburg, et s'être entretenu avec les pilotes, qui lui expliquèrent le fonctionnement du moteur à antigravité. Il présente la forme d'une lemniscate comprimée, ∞, le symbole de l'infini. Les disques magnétiques supérieurs et inférieurs tournent en sens opposé, créant un effet de dynamo. Cet effet induit un champ magnétique nul autour du vaisseau, qu'on appelle *antigravité*, qui maintient le vaisseau et le propulse vers l'avant. En pointant ce champ vers une direction précise, on oriente le vaisseau, qui sera aspiré, aimanté, par le champ magnétique. À l'intérieur, les pilotes ne sont soumis à aucune attraction, les vaisseaux générant leur propre champ de gravité. Le lendemain, ils partaient pour un vol de reconnaissance autour de la Terre. Un des pilotes dit que le vol devrait durer cinq heures. Mon interlocuteur me raconta ce qu'il vit de ses propres yeux : « Au lever du soleil, l'escadrille entière était là, pour assister à cet événement fantastique et voir voler ces machines mystérieuses. »

Il dit n'avoir entendu qu'un léger ronronnement, que les Haunebu s'étaient élevés avec une certaine lourdeur, jusqu'à une hauteur de six à sept cents mètres et puis, d'un seul coup, le vaisseau avait disparu comme un éclair. Il ajouta : « J'étais assis là à discuter avec les pilotes, ils m'expliquèrent que ces vaisseaux n'étaient pas soumis au passage du mur du son. »

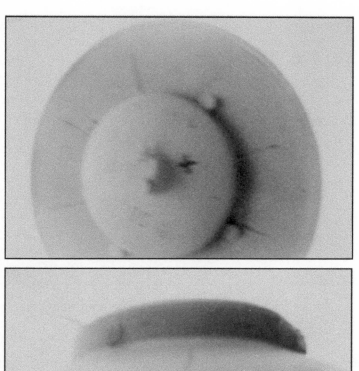

42 et 43. Au cours de la Deuxième Guerre mondiale, les Allemands expérimentèrent divers objets volants en forme de disque. Certains étaient équipés de turbines, d'autres fonctionnaient par antigravité. En tout, il dut y avoir 62 exemplaires de ces machines.
On voit Haunebu II (Hauneburg-Geräte II) au cours d'un vol d'essai.

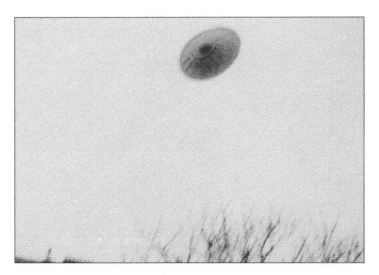

44. Le Vril I fonctionne aussi à base d'antigravité.
Il est plus léger que le vaisseau Haunebu.

Qu'en dites-vous ? Que ce ne sont que des balivernes ? Que c'est invraisemblable, de la pure science-fiction ? Peut-être. Je ne sais qu'en penser moi-même, je n'étais pas présent. N'empêche que cette histoire ne me semble pas plus invraisemblable que celle de celui qui prétend qu'un jour la mer s'est ouverte devant ses pas pour lui permettre de la traverser.

Je propose de mettre cette histoire de côté et de revenir à ce qui est documenté par les historiens : les tablettes sumériennes. Elles parlent donc des Anunnaki, comme le *Livre de la Genèse* parle des fils de Dieu qui séduisaient les femmes de la Terre.

D'après moi, les textes anciens racontent des événements qui eurent vraiment lieu, ou du moins de façon très similaire. Les preuves (artefacts) de l'intervention d'une civilisation étrangère existent en grand nombre (*voir les nombreuses illustrations de ce livre*).

E1. Les tablettes de Tartaria.

En 1961, Nicolae Vlasa, un chercheur roumain, découvre les tablettes de Tartaria, issues de la civilisation de Vinˇca, vieilles de 7 000 ans environ, dont la signification reste un mystère. On pense qu'elles furent importées de Sumer et on les étudia et analysa à Moscou. Il fut montré que l'écriture était sumérienne, mais gravée deux mille ans environ avant celles que l'on trouva entre le Tigre et l'Euphrate. L'historien russe N. Jirov en déduisit que les Sumériens étaient originaires des Carpates, qu'ils émigrèrent vers l'Orient plusieurs millénaires plus tard. Indépendamment de ces considérations, ces tablettes parlent aussi des Anunnaki. Certaines racontent que leur planète n'était pas Nibiru, qu'il s'agissait d'une base intermédiaire, et supposent que leur patrie se trouvait dans le système solaire d'Aldébaran (Alpha Tauri), l'étoile la plus brillante de la constellation du Taureau et la treizième étoile la plus brillante dans le ciel.

Si l'on pense que ces textes sont authentiques, comme d'autres croient ce qui est écrit dans la Bible, le Coran, les *Veda*, des « apporteurs » de culture vinrent sur la Terre il y a très longtemps. Certains arrivèrent de Sirius, d'autres de Nibiru, d'autres encore d'Aldébaran, comme je l'ai raconté dans *L'opération Aldébaran*. Et comme on peut s'en douter, il y eut des différends territoriaux, qui débouchèrent sur des guerres. Ce sont les guerres entre les Élohim et les Nephilim de l'Ancien Testament, celles entre les dieux des Germains, des Grecs et des hindous.

Personne ne peut dire lesquels de ces extraterrestres étaient bien intentionnés envers les hommes. Il existe des comptes rendus de certaines « personnes bien informées », qui prétendent que dans les bases souterraines secrètes des Américains (Zone 51), sont entreposés les débris de vaisseaux spatiaux tombés du ciel, qu'ils auraient copiés, effectuant eux-mêmes des voyages dans l'espace. On dit la même chose du Troisième *Reich*, et on dispose pour cela de documents photographiques, qui prouvent l'existence de ces vaisseaux. La technologie ne nous rend pas meilleurs, au contraire. Les progrès technologiques et les découvertes scientifiques ont souvent des fins associées au pouvoir, qu'il s'agisse de manipulation génétique, de clonage humain ou de projets axés sur le contrôle.

Il est possible que vous trouviez cela un peu fort de café, mais le temps est venu de regarder la vérité en face, de savoir ce que les puissants de ce monde gardent secret depuis des siècles, et qui n'est transmis que dans les loges les plus élitistes. Et ce qui peut fait sourire les non-initiés est pris très au sérieux par ces puissants, qui diligentent toujours des enquêtes sur les événements. Si les éléments s'avèrent fantaisistes et infondés, ils le savent et mettent ces dossiers de côté. S'ils trouvent que c'est plausible, ils confisquent tout ce qu'ils trouvent, l'analysent et s'en servent éventuellement à leur profit.

La plupart des gens de notre environnement culturel qui se pensent informés ne ressentent pas le besoin de conduire des recherches par eux-mêmes, ils se contentent de dénigrer ce qui n'entre pas dans leur logique, c'est plus confortable : « Nous regardons les reportages à la télévision, ils nous disent ce qui se passe réellement. » De la même manière que nous fûmes informés sur la guerre en Irak ?

Maintenant, voulez-vous savoir pourquoi je vous raconte tout cela ? Je ne vous le dirai pas tout de suite. Continuez la lecture…

Nous allons faire un saut de plus dans le temps – comme le comte de Saint-Germain – en nous retrouvant au XIIe siècle, et jeter un œil sur…

6. L'ARCHE D'ALLIANCE

L'Arche d'alliance : quel symbole ! Il n'y a pas qu'Indiana Jones et ses adversaires, les nazis, qui étaient sur sa piste. Les chevaliers du roi Arthur l'étaient aussi, et beaucoup d'autres. On a écrit de nombreux livres à ce sujet et échafaudé autant d'hypothèses sur l'origine et l'essence de l'Arche, ce qu'elle était ou est encore.

Pour suivre à la trace ce secret, nous devons remonter à 1094. Comme tous les matins, le jouvenceau Bernard de Fontaine, abbé de Clairvaux, qui sera canonisé plus tard (saint Bernard), se rend à la chapelle du château où il réside. Mais ce jour devait être différent. Poussé par un besoin intérieur, il reste plus longtemps qu'à son habitude dans la chapelle, et soudain il a une vision.

Lui apparaît « un ange de Dieu », qui lui intime l'ordre de se rendre à Jérusalem, en Terre sainte, et de rapporter par bateau en France l'Arche d'alliance, que le roi Salomon a enfouie dans le Saint des Saints, sous le Dôme du Rocher.

Des carnets personnels de Bernard de Clairvaux, nous apprenons qu'il reçu la mission de la rapporter dans les environs de Nice. Cet endroit, le mont Chauve, lui apparaîtra quand le bateau aura passé le cap Ferrat. Après avoir acheminé l'Arche vers ce lieu, il devra construire une pyramide, « selon des mesures et une orientation précises ».

Pourquoi tout cet investissement ? Bernard explique que le sens de cette mission, comme le lui a notifié l'ange, est « d'intégrer l'Arche d'alliance à nouveau dans la pensée des hommes, car l'humanité est mûre pour comprendre les lois cosmiques, et les hommes peuvent reconnaître que Dieu existe en tant qu'être réel, et qu'il créa les âmes par la force de sa pensée ».

L'ange lui dit que l'Arche contenait la connaissance du sens et de la raison d'être de tout ce qui existe, telle qu'elle avait été révélée à l'humanité mille ans auparavant.

Comme Jérusalem était en ce temps occupé par les Seldjoukides et leur sultan, de confession musulmane, il était interdit aux chrétiens de se rendre sur les lieux saints.

Que faire ? Ce que vous allez lire ressemble à un film à sensations, mais les événements eurent vraiment lieu tels que rapportés ici : comme l'Arche n'allait pas se mouvoir toute seule, il fallait trouver un moyen d'accéder où elle se trouvait. Le jeune Bernard décide de confier au pape Urbain II le sens de sa vision et de sa mission, et la décision est prise d'appeler les chrétiens à la guerre sainte, dans le but de pouvoir se rendre à Jérusalem.

Après avoir mis huit chevaliers dans le secret, dont Hugues II de Payns, Urbain II préside un concile à Clermont-Ferrand en 1095, où il prononce le 27 novembre un discours, l'appel de Clermont, devant une foule immense, qui stigmatise les incroyants, les Perses, qui ont désacralisé et dévasté les lieux saints. Il réussit à soulever la foule des croyants qui se jettent à terre, se frappent la poitrine, confessent leurs péchés et crient comme un seul homme : « À mort les païens ! » Il leur montre une croix et leur ordonne ensuite d'en fixer une sur leur poitrine et leurs épaules, pour ne pas oublier que s'ils meurent pour le Christ, ils entreront dans le royaume des cieux.

La nouvelle se répand comme une traînée de poudre, les gens s'exécutent, cousent une croix sur leurs vêtements et déferlent à Cologne, car ils ont appris qu'une foule immense s'y était réunie sous la direction de fanatiques, dans le but de constituer une armée.

En 1096, c'est le départ d'une première vague d'environ 100 000 personnes, principalement des pauvres du petit peuple, sans armes, de Cologne à pied pour délivrer la Terre sainte. Cette vision démontre avec quelle facilité peuvent être manipulées les masses – je ne peux m'empêcher de penser ici à notre époque, par exemple à la guerre du Golfe en 1991, quand furent montrées des photos mettant en scène des soldats irakiens vandalisant des couveuses de nouveau-nés, pour préparer l'opinion américaine à la guerre. Dès janvier 1992, on apprit l'identité de la jeune femme ayant participé au déclenchement de l'affaire : il s'agissait de la fille de Saud Nasir al-Sabah, l'ambassadeur du Koweït aux États-Unis. L'agence internationale de communication Hill & Knowlton avait monté l'opération. Son président, Craig Fuller, était un fervent partisan du président Bush et son chef de cabinet du temps de sa vice-présidence. L'enquête révéla que des médecins koweïtiens avaient menti, personne n'ayant touché aux couveuses. C'est toujours la même chose : l'humanité, surtout en Occident, qui se pense bien informée et terre à terre, retombe sans cesse dans les mêmes pièges…

Revenons aux Croisades : la plèbe, qui échappe à tout contrôle, commet des méfaits dans son propre pays. Elle persécute et massacre des juifs, parce qu'elle les estime responsables de la crucifixion du Christ ou pour des motifs pécuniaires. Tous assurent leur subsistance durant leur voyage en pillant. Ils finissent par arriver sur les rives du Bosphore. À Civetot, en Asie Mineure, ils tombent dans le piège tendu par les Turcs : tous sont massacrés, sauf trois mille survivants. Une deuxième vague coordonnée par de grands féodaux se met en route pour l'Orient en 1096 ; il s'agit de la croisade des barons, dont fait partie Godefroy de Bouillon. Cette première armée ne parvient aux portes de Jérusalem que le 6 juin 1099, trois ans après son départ.

Le 15 juillet 1099, Godefroy de Bouillon, l'un des chefs de l'armée des croisés, aidé par Hugues de Payns, parvient à obtenir la capitulation du gouverneur égyptien. Celui-ci quitte la ville librement avec sa suite, mais la population de Jérusalem ne subit pas le même sort. Après le départ du gouverneur, les chevaliers « chrétiens » pillent la ville, massacrent la population – des musulmans, des juifs, des chrétiens grecs, des Arméniens, des Syriens – et font plus de 50 000 victimes. Les combats dans l'ensemble dureront jusqu'en 1114, dix-huit ans en tout, et la Terre sainte reviendra en totalité au christianisme.

Une fois le calme revenu à Jérusalem, les chevaliers se rendent à l'endroit vu en vision par Bernard de Clairvaux. Ils trouvent un caveau, qu'ils commencent à déblayer. Apparaissent alors un grand nombre de sculptures et d'objets religieux. En creusant davantage, ils finissent par trouver dans une chambre voisine la fameuse Arche d'alliance, qui se présente sous la forme d'un ensemble de dix-neuf sarcophages. Ils découvrent des rouleaux de cuir, remplis de dessins et d'écrits, des maquettes conçues sur des matériaux inconnus, des cristaux taillés, des appareils mécaniques dont ils ignorent l'utilité, et nombre d'objets inconnus.

Après en avoir dressé l'inventaire, ils referment le caveau et attendent le moment propice pour déménager l'ensemble. Un an après la victoire et la proclamation du royaume de Jérusalem, Godefroy de Bouillon meurt en revenant d'une expédition, le 18 juillet 1100. Son frère Baudouin devient le souverain du nouveau royaume, sous le nom de Baudouin Ier. Il gardera le trône jusqu'à sa mort en 1118. De nombreux voyages et échanges secrets ont lieu avec la France sous sa régence. Parmi les nobles ayant mené la croisade se trouve le jeune chevalier Hugues de Payns. Il est le neveu de l'influent Hugues de Troyes, comte de Champagne, un des hommes de l'ombre de cette première croisade. Hugues de Troyes prit le chemin de Jérusalem avec son mentor, Jean de Vézelay, un moine bénédictin bourguignon.

Cet homme de soixante ans resté à Jérusalem est considéré comme l'un des huit fondateurs de l'Ordre du Temple de Jérusalem. Il devint célèbre sous le nom de Jean de Jérusalem, le rédacteur mystique de prophéties secrètes que l'on eut le privilège, dans les cercles d'initiés, de consulter pendant des siècles. Il avait compilé une partie de ses découvertes – comme Nostradamus, sous forme de vers – pour préparer l'humanité à ce qui allait advenir. Nous verrons cela un peu plus tard.

Hugues de Payns retourne en France, fasciné par les mystères des enseignements juifs et musulmans et ébranlé par la « vérité interdite » parvenue à ses oreilles : Jésus n'est pas mort sur la croix !

Le nouveau roi, Baudouin II, soutient la milice qui s'appelle « les Pauvres Chevaliers du Christ et du Temple de Salomon » ; il les loge dans le palais sur la montagne du Temple, non sans raison. C'est ce qui donnera leur nom aux chevaliers du Temple. Hugues de Payns devient le premier grand maître de l'Ordre.

En 1119, les Templiers acheminent finalement les sarcophages vers le mont Chauve à Nice, tel qu'indiqué dans la vision. Là, à l'endroit désigné par la vision de Bernard de Clairvaux, ils édifient une pyramide avec des pierres de la montagne au-dessus de la grotte, qui existe encore de nos jours, même si on peine à l'identifier et que l'accès y est difficile. Les chevaliers transportent leur chargement à l'abri dans la pyramide et commencent à étudier le contenu des sarcophages et les écrits qu'ils y trouvent. Ils sont confrontés à un problème de taille : tout est rédigé dans une langue inconnue, que l'on déterminera plus tard comme d'origine atlante.

Pour ma part, je doute fortement que ces sarcophages soient l'Arche d'alliance décrite dans l'Ancien Testament, car il est spécifié que les Hébreux transportaient un seul objet. Pourtant, les Templiers étaient persuadés d'avoir trouvé l'Arche d'alliance.

Je vais maintenant vous parler des écrits des Atlantes, car ils ont un rapport direct avec ce que les Templiers trouvèrent dans les sarcophages. Certains historiens supposent qu'ils furent d'abord cachés en Égypte, sous le plateau de Gizeh, mais ce n'est pas prouvé. Il est supposé que les Hébreux les y avaient dissimulés avant de les acheminer à Jérusalem, mais qu'ils étaient incapables d'en déchiffrer le contenu, à cause de cette langue inconnue.

Parmi les découvertes, figuraient aussi d'anciennes cartes géographiques. On découvrit plus tard à Constantinople, pendant la restauration du palais de Topkapi (à Istanbul), une copie de l'un de ces anciens parchemins : la mystérieuse carte de Piri Ibn Haji Mehmed dit Piri Reis [reis : grand amiral], qui représente, en dehors de l'Europe, l'Afrique, les continents nord et sud-américains, ainsi que l'Antarctique, libre de glaces.

45. La carte de l'Atlantide d'Athanasius Kircher publiée
dans *Mundus Subterraneus* en 1664.

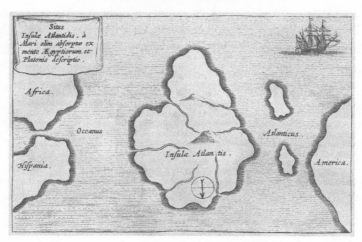

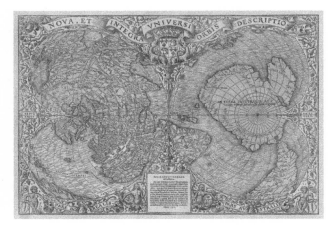

46. La carte de l'Antarctique d'Oronce Fine en 1531.[1]

Bernard de Clairvaux eut une autre vision : elle lui dictait de s'ouvrir dans la pyramide au champ cosmique de l'Esprit (champ akashique), ce qui lui permettrait de visualiser l'ensemble du déroulement de la Création, du début à la fin. Ainsi, il serait non seulement capable de comprendre les lois de l'Esprit, mais aussi la langue et les écrits des Atlantes. Ce n'est qu'à partir de là que Bernard de Clairvaux et ses compagnons, à qui il avait expliquer le contenu de sa vision, purent exploiter et appliquer le savoir des Atlantes.

Les Atlantes avaient rassemblé leurs connaissances dans une langue des pyramides, une langue géométrique universelle, car ils ignoraient l'identité et la langue des découvreurs éventuels de leurs écrits. Celui qui en possède la clé peut saisir chaque lettre et chaque nom de chaque langue, dans sa compréhension de la vie la plus profonde. Les Templiers eurent donc accès à ce savoir, avec la connaissance du plan de la Création, et purent comprendre les mécanismes cachés de la vie.

Un fait de la plus grande importance demeure : les écrits contenaient l'histoire entière de l'humanité – notre avenir compris – et il s'avéra qu'elle coïncidait avec le contenu de l'*Apocalypse de Jean*. Bref, elle annonce que notre civilisation se terminera ou plutôt sera détruite comme il est écrit dans ce livre biblique. Nous y reviendrons au chapitre « Nouvel Ordre Mondial ».

---

1. NdÉ : sur ce sujet, lire *Le Mystère des cartes anciennes – Ces anomalies extraordinaires qui remettent en question l'histoire de l'humanité*, Patrick Pasin, Talma Studios.

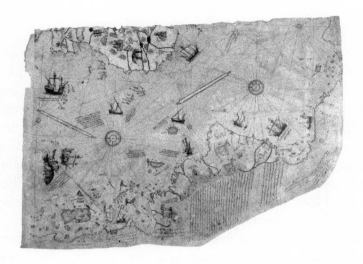

47. L'amiral ottoman Piri Reis dessine cette carte en 1513.
Elle montre plusieurs détails qui, prétend-on, ne peuvent être connus
à l'époque, comme l'Antarctique sans glace. La carte est légèrement
déformée, comme si on l'avait tracée du ciel.
Le cartographe indique qu'elle fut assemblée à partir de vingt cartes
plus anciennes datant d'Alexandre le Grand (né en 356 av. J.-C.)
et montrant le monde entier ![2] Entre la Terre de Feu
et l'Antarctique, il y a un pont sur la carte, ce qui s'est produit la
dernière fois il y a 11 000 ans. Qui dessina la carte originale ?

Les chevaliers apprirent dans ces textes les lois physiques du cosmos
ayant présidé à la naissance de l'Univers, qui lui permettent également
de se maintenir. Ils purent y découvrir que tous les êtres (âmes) émanent
d'un Créateur existant réellement, et que les créatures sont issues de la
puissance du pouvoir de son esprit. Ils étaient conscients que les âmes
de ces êtres créés devaient se matérialiser pour accomplir la création.

Les écrits des Atlantes nous apprennent qu'il existe une « soupe »
originelle, un champ cosmique spirituel, fait de microparticules, les
neutrinos muoniques, qui se manifestent dans les êtres créés par la force
de l'esprit de Dieu.

---

2. NdÉ : une carte égyptienne plus ancienne encore avec le monde entier est présentée
dans le livre cité dans la note précédente.

Ces neutrinos s'unissent selon des lois de physique précises, qui permettent l'apparition d'une unité matérielle vivante, que nous appelons « l'âme ». Cette unité de particules d'âme contient non seulement le plan entier de cette vie, mais aussi toutes les existences qu'un être a vécues depuis la création de l'entité en tant que corps subtil ou intégré dans la matière, ou comme système biologique. Elle se manifeste sous forme holographique dans chaque particule d'âme, par une fréquence vibratoire. Cela signifie que le Créateur créa l'homme, c'est-à-dire l'âme, de façon à le pourvoir d'une force d'esprit, afin qu'il devienne lui-même créateur.

Les Templiers apprirent que le cosmos entier est plein de particules structurées. La physique quantique les appelle des neutrinos électroniques, muoniques et tauoniques [NDR : les trois leptons neutres]. Les neutrinos muoniques établissent le champ d'esprit cosmique, le champ de conscience, aussi appelé champ éthérique, annales akashiques ou champ morphogénétique. Ces neutrinos sont les particules à fréquence modifiée permettant à l'image de la pensée de se manifester par holographie, par des variations de fréquence.

Tout ce qui existe dans le champ d'esprit cosmique est relié en permanence de façon vibratoire, car toutes les particules sont reliées et interagissent continuellement. Le système biologique de l'homme est influencé à chaque instant par les fréquences vibratoires de son environnement, de façon positive ou négative. Cela atteste la constatation des « anciens » mystiques qui se résume ainsi : *Tout est un, un est dans tout.*

Les neutrinos muoniques sont les éléments porteurs de l'image-pensée. Chaque image-pensée que l'homme crée se diffuse dans le champ d'esprit cosmique. Une pensée non reliée au présent, qui ne peut se refléter sous une forme existante, devient une composante du champ d'esprit cosmique : elle agit sur l'être, jusqu'à se matérialiser ou devenir une situation de vie. Pour le dire simplement, les Templiers eurent la révélation que la force de la pensée est le bien le plus précieux de l'homme. Toute pensée devient une composante du champ d'esprit cosmique, elle se dilate dans le cosmos par transmission vibratoire et devient coresponsable de tout événement cosmique. L'homme est donc coresponsable de l'état du monde, en bien comme en mal.

Helga Hoffmann-Schmidt en parle dans son livre *Das Vermächtnis von Atlantis – Das Legat der Hegoliter* [*Le legs des Atlantes*] : « Ils comprirent que l'homme fait partie de systèmes dans lesquels l'âme, la « psyché », qui est le réservoir des pensées, et le corps physique forment trois domaines et son entité qui doivent s'incarner, selon la loi de résonance, jusqu'à ce qu'il n'y ait plus de formes de pensée liées au présent en droit de se matérialiser ou de se réaliser.

Ils comprirent aussi, comme les vieux sages de nombreuses cultures, que TOUT EST DANS TOUT, que le cosmos est empli de microparticules ayant la structure de deux pyramides reliées par leur pointe, les particules neutrinos muoniques, neutrinos tauoniques et neutrinos électroniques citées ci-dessus. Elles forment dans leur ensemble le champ d'esprit cosmique, qui ne laisse aucun espace vide.

Ce qui veut dire que TOUT ce qui existe – que nous le définissions par des notions matérielles ou immatérielles – existe dans et au travers de ce champ d'esprit cosmique, de ces particules, et est relié et interagit. »

Tout est clair ? Ce n'est pas facile à comprendre, j'ai lu plus de mille pages de ces documents atlantes. Pour résumer, on peut dire que les Atlantes savaient que l'homme possède la force de l'esprit, de la pensée, qu'il est donc lui-même un créateur, qu'il n'est pas une partie de la création, mais une partie du Créateur !

C'est la phrase la plus importante du livre. Laissez-vous pénétrer par la fascination de ce propos : **Nous ne sommes pas qu'une partie de la création, nous sommes une partie du Créateur, et nous avons le pouvoir, les moyens et les prédispositions en nous pour être des Créateurs !**

L'esprit domine la matière !

Les Templiers, qui avaient intégré ce savoir, commencèrent à se servir de cette force pour remplir leur mission, guider l'humanité, selon la loi de résonance. Ils prirent la pyramide, qui les rendait capables d'entrer en contact avec des entités étrangères, comme centre de communication, pour s'ouvrir au champ d'esprit cosmique, à l'instar des Atlantes. Ces derniers l'avaient appris d'entités étrangères. J'ajouterai qu'ils avaient à leur disposition un moyen mécanique de communication avec des formes d'intelligence différentes.

Deux faits ressortent des trésors trouvés par les Templiers dans les sarcophages :

A) Avant les Atlantes, d'autres civilisations évoluées technologiquement voyageaient dans l'espace. Toutes avaient des contacts avec des formes d'intelligence d'autres systèmes solaires, et les communications étaient animées.

B) Selon des indications claires des écrits des Atlantes, ces formes d'intelligence venaient d'une étoile : Sirius.

Les documents atlantes parlent d'une manipulation génétique des habitants de Sirius sur la Terre, pour en accélérer le développement. Vous vous dites que c'est difficile à croire, et que vous aimeriez avoir des pièces justificatives, des preuves.

Il y a, par exemple, l'histoire des Dogons, une ethnie qui habite sur un grand plateau du Mali, en Afrique. Ils connaissent des choses depuis sept cents ans, que la NASA n'a pu déterminer qu'en 1970, grâce aux progrès des satellites. Les Dogons affirment depuis sept siècles que Sirius, qui se trouve en bas à gauche de la ceinture d'Orion dans le ciel, a une petite étoile, qui tourne en cinquante ans autour d'elle et est faite de la matière la plus dense de l'Univers. Comme il était impossible de voir cette étoile naine au télescope, les ethnologues pensaient qu'il s'agissait d'un mythe. En 1970, il fut envoyé un télescope dans l'espace, qui découvrit une étoile naine blanche avec une densité de 55 kg/ cm^2 et tournant en 50,1 ans autour de Sirius.

Quand des scientifiques allèrent demander aux Dogons d'où ils tenaient ce savoir, il leur fut répondu qu'un vaisseau de l'espace avait atterri sur leur territoire sept cents ans plus tôt, que l'équipage avait creusé un grand trou et l'avait rempli d'eau. Comme ces êtres étaient amphibiens, ils plongèrent dans l'eau en sortant de leur vaisseau, nagèrent vers la rive et leur révélèrent peu à peu des secrets sur l'Univers.

Leurs explications relataient deux espèces d'habitants sur Sirius, des amphibiens et des *Homo sapiens*, mais de quatre mètres de haut.

Les Incas racontent le même genre d'histoire : des vaisseaux seraient venus de l'espace il y a plusieurs milliers d'années sur le lac Titicaca ; leurs occupants, des amphibiens, auraient plongé dans les eaux du lac et raconté les mêmes informations à propos de l'Univers.

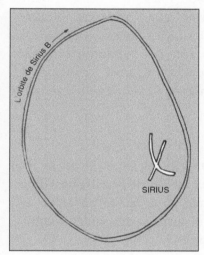

48. L'orbite de Sirius B d'après un dessin dogon.

49. Diagramme moderne montrant l'orbite de Sirius B. Les années indiquent la position exacte de l'astre. Les Dogons ne placent pas Sirius B au centre de leurs dessins, mais plutôt près du foyer de l'ellipse. C'est un détail surprenant qu'ils connaissaient déjà il y a 700 ans !

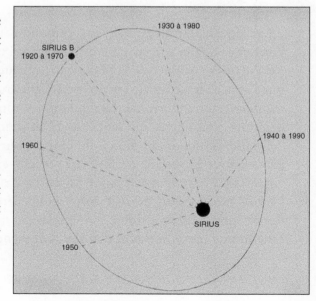

Nous parlons d'êtres amphibiens pour les habitants de Sirius, c'est-à-dire des êtres qui vivent sur la terre et dans l'eau. Rappelons-nous les recherches de Muldashev, et les Atlantes qui vivent dans les grottes des lamas en *samâdhi* – à quoi donc ressemblaient-ils ?

Ils avaient des paupières leur permettant de nager rapidement dans l'eau, des palmures aux mains et aux pieds, un nez en forme de valve comme les dauphins... Peut-on imaginer que les Atlantes communiquaient avec les êtres de Sirius, que l'Atlantide, la Terre, était peut-être une colonie sirienne ? Des textes aztèques décrivent les Viracochas, leurs visiteurs de l'espace, avec des palmures, et Manco Cápak [NdÉ : considéré comme le premier empereur légendaire des Incas], le fondateur de la ville péruvienne de Cuzco, qu'on représente avec des doigts palmés.

Passionnant, non ?

50. Jan van Helsing sur les traces de Jean le Baptiste. Ici avec le père Ireanus dans le monastère copte de Saint-Macaire, en Égypte, qui abrite la dépouille de saint Jean Baptiste.

Les écrits retrouvés par les Templiers mentionnent également l'existence d'êtres d'apparence différente, qui ne venaient pas de Sirius. Les Atlantes y parlent de la période pré-atlante, du temps de Lumania, que j'appelle la Lémurie. Les êtres y étaient grands et avaient un niveau technologique très évolué. Des guerres les confrontaient aux habitants des autres continents, qui tentaient de les soumettre.

Quand ils utilisèrent leur technologie pour se défendre, ils finirent par éventrer la surface de la Terre, ce qui causa une coulée de lave gigantesque et provoqua ensuite un raz-de-marée. Cette vague modifia l'équilibre du globe, de telle sorte qu'un déplacement des pôles sans doute suivit. Presque toute la population de la Terre fut décimée. Une infime partie survécut dans les montagnes, une autre fut évacuée dans les vaisseaux spatiaux. Les textes des sarcophages parlent de ces êtres sans leur donner de nom : « Par le séjour sur les vaisseaux de ces étrangers, qui ne sont pas à l'image de nos créateurs [de Sirius] ou à la nôtre [...], les survivants humains purent constater qu'ils n'étaient pas les seuls habitants de l'Univers. Ils créèrent une culture orientée sur les lois de notre Créateur, qu'ils nommèrent « Dieu », sur la base de leurs connaissances spirituelles et de l'expérience que ces êtres, qui les avaient sauvés, étaient comme des dieux du cosmos, différents et beaucoup plus évolués qu'eux en matière de technologie. »

D'où venaient-ils ? Peut-être d'Orion ? Un artefact nous donne un indice – un de plus qui hérisse les archéologues. Ainsi, il y eut une nouvelle colonisation de la Terre, que nous appelons l'Atlantide. Il faut garder à l'esprit qu'elle ne fut pas seulement un continent, mais aussi une époque. Le terme incluait d'autres parties du globe, mais le continent au milieu de l'Atlantique, entre l'Amérique du Sud et l'Afrique, hébergeait la civilisation la plus évoluée.

Nous pouvons nous imaginer la scène : les Templiers sont assis là, au XIIᵉ siècle, éclairés par des lampes à huile ou par des cierges, penchés sur des textes très anciens, prenant conscience du champ d'esprit cosmique, des extraterrestres...

51. On découvrit cette pyramide en Équateur il y a une trentaine d'années. C'est la même qu'on peut voir sur le billet d'un dollar (cf. figure 75 p. 150). La rumeur dit qu'elle existe en trois exemplaires : une appartiendrait à la famille Rothschild, une deuxième se trouverait dans un musée à Bruxelles, et celle-ci. La constellation d'Orion est gravée sur le dessous de la pierre, avec l'inscription suivante : « De là vient le fils du Créateur. »

Revenons, si vous le voulez bien, au contenu des textes des Atlantes et contemplons...

7. LE SAVOIR CACHÉ DES TEMPLIERS

Ce que vous allez lire n'est pas une invention, c'est issu des sarcophages. Une partie de ce savoir fut publiée à compte d'auteur, par Helga Hoffmann-Schmidt, après la mort du chevalier du Temple qui le conservait, pour le rendre accessible aux membres des loges et aux initiés. Ce que je vais vous conter vient en partie de cette publication, d'entretiens avec le prieur des Templiers d'Autriche et le grand maître d'une loge maçonnique, qui eurent accès à ce savoir.

Selon les traditions des chevaliers du Temple, les incarnations des chevaliers initiés en 1114 vivent encore à l'heure actuelle, même si nous ne le savons pas. Leur but est d'aider l'humanité, jusqu'à la fin du chemin d'évolution, selon la loi de résonance, pour que le « plan de Dieu soit accompli ». Mais, à la différence des lamas en *samâdhi*, qui se maintiennent toujours dans le même organisme, chaque fois que le corps d'un de ces cinq Templiers perd sa force vitale, son âme migre vers un autre corps préparé à cette fin. En anglais, il existe un terme pour cette forme de migration de l'âme : *walk-in*. Le savoir originel que l'âme a reçu au cours de son initiation est ainsi préservé, et s'additionne au savoir de l'époque contemporaine.

Helga Hoffmann-Schmidt nous raconte, dans *Le legs des Atlantes*, cette réalité passionnante : « En 1946, Roger Lhamoy, un habitant de Gisors, gardien du château de la ville, annonce, après avoir eu une vision, qu'il a découvert dans les sous-sols du château les dix-neuf sarcophages de l'Arche d'alliance, trente coffres en métal précieux contenant les parchemins des Templiers, ainsi que des statues grandeur nature de Jésus et des douze apôtres. Il se rend auprès du maire de la ville pour faire part de sa découverte, mais, sur décision des autorités, sans même tenter la moindre fouille, les excavations sont rebouchées. La police et l'armée s'emparent de la découverte, qui devient secret d'État. Un quart de siècle plus tard, cinq personnes vivant dans différents pays reçoivent une partie des documents trouvés. Elles ont été choisies selon les mêmes critères que les cinq dirigeants des Templiers, chacun étant responsable d'un domaine de l'existence : l'économie, la religion, la politique, la société ou la science. »

Après la mort du templier responsable des affaires scientifiques, Helga Hoffmann-Schmidt publie une partie de son savoir. Un de mes amis les plus proches hérita également d'une partie de ce savoir et des documents des Templiers ayant survécu. C'est un physicien. Grâce à lui, je pus avoir accès à ce savoir et, en sa présence, examiner des formes de technologie à vous faire écarquiller les yeux. Il n'est pas seulement professeur de physique, mais également inventeur. Il développa avec quelques collègues un procédé pour générer de l'électricité, de la chaleur, de la lumière, directement à partir de l'éther, c'est-à-dire des neutrinos muoniques.

Cet ami me raconta des choses passionnantes. Au cours d'une expédition en Antarctique, il tomba sur une civilisation inconnue vivant sous terre. Cela coïncide avec mes recherches sur les explorateurs polaires qui vécurent des choses étranges au-delà du 77ᵉ degré de latitude nord. Je pus m'entretenir en 1990 avec le neveu de l'amiral Byrd, Harley Byrd, à Phoenix, en Arizona. Il me confirma que son oncle avait survolé le pôle Nord et trouvé un accès à une cavité terrestre, dans laquelle vivaient une ou plusieurs civilisations hautement développées. L'amiral Byrd et son copilote Floyd Bennett furent soudainement escortés par deux soucoupes volantes, dont l'emblème était un svastika. Mais restons-en là.

Revenons au savoir des Templiers : les textes retracent l'histoire de l'Atlantide et des civilisations antérieures, et on retrouve toujours le même développement, une évolution jusqu'à un niveau technologique très poussé, avant le détournement à des fins égoïstes par des hommes de pouvoir. Les civilisations dégénèrent et finissent par engager des guerres qui les mènent à la destruction complète. Notre civilisation est arrivée à ce stade ; les textes comme l'*Apocalypse de Jean* nous disent que les choses se dérouleront de la même façon. Les écrits atlantes ne nous disent pas qu'il faut l'empêcher, que les hommes lucides, de bon cœur, survivront grâce à leur intuition, pour reconstruire un monde meilleur. Il ne faut ni regretter ni empêcher la désagrégation de la civilisation actuelle, mais accepter que ce soit une évolution pour les âmes. C'est même considéré comme un processus de purification nécessaire, tel un jeûne, pour séparer le bon grain de l'ivraie.

Il ressort des textes qu'il existe un plan cosmique, le plan de la Création, une matrice du Créateur, que les Atlantes appellent le *projet A-Omega*. Voici ce que révèlent les documents, que nous avons légèrement modifiés, pour les rendre plus compréhensibles : « Vous trouverez dans ces écrits la lumière de la vérité si vous avez la maturité d'esprit, la force de tolérance, qui permet d'aimer tout ce qui existe. Selon la volonté de notre Créateur, le savoir originel, les lois du cosmos et de tout ce qui existe, seront à nouveau dévoilés, pour que l'espèce humaine puisse comprendre par la raison le sens et la finalité de la vie sur terre. Cette révélation permettra aux hommes de reconnaître que leur être, l'esprit lié à la matière, est d'origine divine, et qu'il est indestructible selon les lois cosmiques. Quand vous comprendrez que vous êtes vous-mêmes les créateurs de votre environnement, que vous êtes, en tant que communauté, responsables les uns des autres, vous aurez une chance en tant qu'êtres individualisés de retourner dans le royaume de notre créateur, pour y vivre dans la lumière de la vérité, libérés de la matière.

Chacun de nous porte en lui le pouvoir du « Je suis la présence », la toute-puissance de Dieu, qui peut tout réaliser, car chacun est en mesure de générer ce dont il a besoin, par la force de la pensée, qu'il tire de la réserve de puissance de l'univers. La condition indispensable pour profiter de cette force et ne pas porter préjudice aux enfants de Dieu, est de se soumettre aux commandements du Créateur. C'est le seul moyen de profiter de l'énergie divine infinie, de spiritualiser la matière.

Le projet A-Omega existe depuis la nuit des temps, d'univers en univers, pour permettre de transformer la matière en esprit. Nous aussi, les êtres humains, sommes une partie du Grand Œuvre, par lequel nous aidons l'énergie de l'espace à s'allier à la matière, par la force de nos pensées, et à devenir une entité. C'est le but de tout ce qui est. »

Le projet A-Omega, c'est la vie selon la loi de résonance, l'homme doit reconnaître qu'il est le créateur de ses conditions de vie. Comme on ledit communément : « On récolte ce que l'on sème ! » Les écrits des Templiers expliquent que la loi de résonance n'est pas arbitraire, que c'est un processus physique, qui induit à réaliser et matérialiser tout ce que nous pensons, sans exception, y compris les maladies, les accidents, les succès et les gens étranges autour de nous.

Le but est la maîtrise totale de notre force mentale, pour ne l'appliquer que d'une façon : en vue de servir la création, sous forme d'amour qui ne juge et ne condamne pas.

Mais comme l'homme ne peut se rendre compte de l'effet de ses pensées que par les effets qu'il en éprouve, nous sommes soumis à la loi de résonance, pour apprendre à gérer nos pensées de façon plus consciente et plus aimante, comme nous l'a montré Jésus-Christ. La plupart du temps, c'est par la souffrance que l'homme s'inflige à lui-même par ses actions inconscientes, au cours de ses incarnations, qu'il apprend à maîtriser sa force mentale et à expérimenter sa façon de penser et ses actions. C'est principalement par la douleur qu'il reconnaît qu'il doit se montrer digne, qu'il est l'égal de Dieu, du Créateur, car il dispose de la force créatrice la plus puissante.

Et lorsque nous comprenons que les hommes portent en eux la même force créatrice et atteindront le même but, car, soumis aux mêmes lois, ils suivent le même processus de maturation, il n'est pas de l'ordre de l'amour de les juger ou de les évaluer. L'homme ne peut sauver que lui-même, personne ne peut changer le monde. Ce n'est qu'en nous changeant que nous modifions le monde, notre environnement social. Chacun de nous ne peut intervenir que pour lui-même, en bien ou en mal, et nous n'avons à nous référer qu'à notre créateur ou à nous-mêmes.

Chacun doit parcourir seul le chemin qui le sort du chaos (en grec, *confusion originelle*). Nous avons créé nous-mêmes ce chaos et les conditions qui nous entourent, et nous pouvons seulement les remettre en ordre en les identifiant et en les surmontant par nos actions.

Pourquoi dévions-nous toujours de notre chemin ? Ce sont nos désirs, nos envies qui nous détournent de notre voie. Nous pouvons évoquer le Malin, l'adversaire, Lucifer ou quelque autre nom que nous lui donnons, mais c'est lui qui nous défie, qui épice le jeu. Sans lui pour nous défier, pour nous montrer nos zones d'ombre, de même que la lumière et aussi nous illuminer, nous ne pourrions prendre conscience de nos faiblesses et imperfections, des points à améliorer.

L'objectif est toujours l'amour universel, l'amour de nous-mêmes et de la création entière. Autrement dit, je dois prendre conscience de mes faiblesses. Une fois que je les ai reconnues, je dois travailler jusqu'à ce que je mûrisse et grandisse, afin que les tentations cessent d'influencer ma vie.

Notre créateur n'est pas un dieu qui punit, et il nous a laissé notre libre arbitre, ce qui nous prouve qu'il n'est pas un dictateur entretenant des esclaves. Il nous laisse le libre choix de créer par nous-mêmes. La loi de résonance est la meilleure preuve que le Créateur montre de l'amour, du respect et de la tolérance envers ses créatures. Il veut être fier de nous, comme un parent est fier de son enfant qui a réussi sa vie.

Le Créateur nous laisse le choix d'être heureux ou de souffrir. Nous devons éprouver un jour toutes nos pensées, car, comme vous le savez, nous récoltons ce que nous semons ! Si nous arrivons à accepter ce qui nous arrive sans juger, notre vie deviendra peu à peu un paradis. Cela sonne comme un argument rebattu, mais dans les écrits des Atlantes, nous trouvons la recette d'une vie accomplie, ici et maintenant. Il ne s'agit pas de remonter dans le passé ou de rêvasser au futur, mais de commencer par ce que nous avons devant nous : les problèmes professionnels, le nouveau partenaire, les soucis pour les enfants, la maladie de la grand-mère, les efforts à accomplir pour surmonter ses peurs, les affronter. C'est là que débutent la vie et le changement !

Revenons à nos chevaliers, qui n'avaient pas seulement compris cela, mais firent surtout une découverte déterminante : l'homme est venu un jour du cosmos, et il y retournera ! Vous n'avez pas à l'apprendre, vous qui prenez souvent l'avion, qui roulez à grande vitesse sur l'autoroute, et pour qui un téléphone portable, Internet et la télévision sont des possessions tout à fait normales. Mais les Templiers le savaient déjà, et, pourtant, ils vivaient au XIIᵉ siècle !

Les chevaliers l'apprirent à une époque antérieure aux films de science-fiction et à Hollywood, alors que peu de monde savait lire ou écrire. Pour la majorité des gens, la Terre était plate, tandis qu'on révélait à nos chevaliers des vérités sur le système solaire, d'anciennes civilisations et des vaisseaux spatiaux qui volent vers les étoiles. C'est complètement fou.

D'un côté, l'Église cherche à convertir ceux qui ne croient pas au christianisme ; elle guerroie même pour y arriver. De l'autre, il y a ceux qui se commettent dans ces guerres, mais que leur nouveau savoir vient bouleverser. Ce savoir les aurait conduits tout droit au bûcher ; puisqu'ils devaient le cacher, ils fondèrent une société secrète, afin d'agir dans l'ombre. On créa une loge, dont le premier cercle était constitué de templiers connaissant la vérité. Les autres, qui ne faisaient pas partie du premier cercle, n'en connaissaient qu'une partie. Et il fut décidé de cacher un autre secret, très important : la vérité sur la famille de Jésus.

Observons l'ascension des Templiers, tel que la décrit Helga Schmidt-Hoffmann : « Comme les Templiers vivaient selon les lois de Dieu, le Créateur, et les lois cosmiques, ils acquirent un savoir et une fortune matérielle incommensurables, qui en faisaient les hommes les plus puissants du monde. Ils étaient à même de prendre en main le destin de l'humanité, d'une façon qui correspondait à leur devoir. »

Bernard de Clairvaux profita de son influence pour demander au pape de donner une *règle* à suivre, une constitution particulière, à ce groupe de chevaliers de Jérusalem, afin de doter les Templiers d'une légitimité à l'intérieur de l'Église et d'un statut établi. Ce fut fait lors de l'invitation d'Hugues de Payns au Concile de Troyes réuni le 13 janvier 1128 [NdÉ : 1129, selon notre calendrier actuel]. Le cardinal Mathieu d'Albano, légat du pape, présidait le concile. Les archevêques de Reims et de Sens, pas moins d'une dizaine d'évêques et nombre d'abbés, dont Bernard de Clairvaux, formaient l'assemblée. Une fois la requête des Templiers acceptée, les chevaliers avaient le droit de porter leur propre cape, blanche au départ, et d'avoir leur propre constitution. Pour le monde extérieur, ils étaient des chevaliers et des moines avec leur propre règle [NdÉ : du « moine soldat »], légitimée par l'Église, qui sera coresponsable de leur massacre en 1307.

La fortune et la puissance des Templiers

Ce qui devait advenir est unique dans l'histoire moderne : l'ascension rapide et la chute brutale de cet ordre puissant. Après avoir obtenu leur propre constitution en 1129, les Templiers commencent à prospérer et à avoir une grande influence. Ils reçoivent le soutien de grands propriétaires terriens, l'argent et les biens affluent de l'ensemble du monde catholique. Quand Hugues de Payns et André de Montbard [de l'Ordre de Sion] retournents à Jérusalem, deux ans plus tard, ils ont la bénédiction (leur règle) du pape, de l'argent à profusion, des biens, des objets de valeur et un groupe formé d'une centaine de nobles les accompagne. En 1130, ils possèdent des biens en France, en Angleterre, dans les Flandres, en Espagne, au Portugal et en Écosse. La femme d'Hugues de Payns, Catherine de St. Clair [NdÉ : Sinclair avant leur arrivée en Écosse], est une noble écossaise. Les monastères et les commanderies de cette société mystérieuse sortent de terre comme des champignons, grâce aussi à leur entente avec l'ordre cistercien.

On situe leur apogée entre 1153 et 1170, quand Bertrand de Blanchefort est leur grand maître, ce qui est en soi un paradoxe : il descend d'une dynastie cathare du sud de la France. Comme les Templiers sont catholiques, il est curieux de découvrir un cathare à leur tête. Quarante ans plus tard, les armées catholiques du pape auront presque exterminé les cathares.

Les Templiers ont la main heureuse pour les questions financières. Stefan Erdmann l'explique dans le tome 1 de son livre, *Banken, Brot und Bomben* [*Les banques, le pain et les bombes*] : « Les chevaliers du Temple étaient les premiers prêteurs d'argent, et donc les premiers banquiers de l'Occident. Notre système monétaire a un long passé ; il a précédé la venue de Jésus-Christ. Avant la création de la monnaie, les gens pratiquaient le troc de nourriture et d'objets précieux. Quand le commerce et les transports commencèrent à se développer, les profits augmentèrent et l'on introduisit les lettres de change, des titres de paiement, qui évitaient de transporter de grandes sommes d'or sur de longues distances. Pour les commerçants, c'était un moyen sûr de mettre leur argent à l'abri. On a vit aussi apparaître les premières caisses de dépôt. Les commerçants pouvaient, à tout moment, retirer leur or d'une des nombreuses agences disséminées sur le territoire. L'accumulation de l'or déposé permettait aux banquiers d'en prêter une partie, bien que ce ne fût pas le leur. Les commerçants échangeaient leurs titres, l'or restait dans les coffres. Peu à peu, ces titres se transformèrent en billets, l'argent en papier était né : l'or devint argent. »

Les conséquences de cette évolution eurent une portée beaucoup plus vaste. Armin Risi en parle dans *Machtwechsel auf der Erde* [*Le pouvoir change de mains*] : « Les prix des produits, les services, les salaires étaient convertis en monnaie de papier. Tout était déterminé par sa valeur monétaire. Les gens devinrent dépendants de l'argent et de ceux qui contrôlaient son flux, les banquiers. Les banques émettaient des titres qui n'étaient pas couverts : « Nous avons cent coffres remplis d'or, nous avons émis des titres en gage de cet or. Mais l'or est toujours entre nos mains ! Pourquoi ne pas continuer ce jeu ? » Les clients étaient tellement convaincus de l'honnêteté de leurs banquiers, qu'ils pensaient que leurs dépôts étaient couverts. Personne ne pouvait le savoir : les titres changeaient de mains, mais personne ne touchait à l'or. Cette pratique est aujourd'hui complètement légale. L'argent en papier doit être couvert par l'or, jusqu'à un certain degré. Les banques d'État impriment des billets de banque et leur donnent une valeur nominale, sans que cela corresponde à une richesse réelle ; maintenant, ce n'est plus qu'un jeu imaginaire de chiffres et de lignes sur des écrans d'ordinateur. C'est ce jeu illusoire qui a explosé comme une bulle de savon. »

Les Templiers et l'ère gothique

C'est à l'apogée des Templiers et des cisterciens que se développa l'architecture gothique, unique en son genre. Entre 1130 et 1260, on construisit environ quatre-vingts cathédrales d'une beauté fascinante, mystérieuse et mystique, telles Notre-Dame de Paris, celles de Strasbourg, d'Amiens, de Chartres, de Reims, de l'Assomption de Rouen, l'abbaye de Westminster à Londres, et les cathédrales de Milan (Dôme de Milan) et de Cologne (plus haut bâtiment au monde jusqu'au XIXe siècle). Les cathédrales sont des œuvres maîtresses de l'architecture, où l'on appliqua les règles de la géométrie sacrée à la perfection. Des millions de visiteurs se demandent aujourd'hui comment la main de l'homme put construire ces « miracles ». Le mystère des cathédrales reste intact, de même qu'on ne sait pas très bien comment se fit la transition entre l'art roman et l'art gothique. La renaissance de la géométrie sacrée, au début du XIIe siècle, a manifestement un lien avec les découvertes des écrits des Atlantes dans les sarcophages.

L'autre secret

Au-delà des découvertes des sarcophages, un autre secret souda fortement la communauté des Templiers, une histoire circulant à Jérusalem et pour laquelle on trouva des preuves plus tard : la véritable histoire de la crucifixion de Jésus.

Certains disent que Jésus fut mis à l'abri, en sécurité, par ses disciples, après avoir été descendu de la croix, et qu'il vécut jusqu'à un grand âge. Il aurait voyagé dans le monde, en Inde et au Tibet principalement, et serait mort en France, inhumé auprès de sa femme, Marie-Madeleine. C'est ce que me révéla le prieur d'un temple à Klagenfurt, en Autriche, à l'automne 2003. Il ne me donna pas le nom du lieu où il serait enterré, il me dit seulement que tous les ans, les Templiers y organisaient un rassemblement en son honneur. Il est assez probable que Marie-Madeleine ait quitté la Palestine après la crucifixion et trouvé refuge dans une des communautés juives du sud de la France. Sa légende, qui n'a pas été complètement prouvée, divise encore les croyants à l'heure actuelle. Il est vraisemblable que le récit corresponde à la vérité. Toutefois, elle ne serait pas venue seule en France, mais accompagnée d'un enfant ou même de plusieurs, car elle était la femme de Jésus.

Certains prétendent que les nombreuses constructions gothiques consacrées à Notre Dame (« notre Dame, notre chère épouse »), et où l'on trouve des vierges noires, s'adressent en fait à Marie-Madeleine et à l'enfant Jésus – l'enfant de Jésus.

Les cathares partageaient les opinions des Templiers sur la situation familiale de Jésus et représentaient logiquement au XIIIe siècle une menace pour le Vatican. Ce dernier intervint militairement pour étouffer le mouvement, et ils subirent le même sort que les Templiers : ils furent exterminés. Cette convergence d'esprit liait les deux communautés dans leur combat contre l'Église. C'est l'une des raisons qui permirent à un cathare de devenir le grand maître des Templiers.

Michael Baigent, Richard Leigh et Henry Lincoln soutiennent l'hypothèse qui suit, dans *L'énigme sacrée* : « Marie-Madeleine et sa famille trouvèrent refuge dans le sud de la France, où la famille s'agrandit. Au cours du Ve siècle, il semble que la lignée se soit liée par mariage avec la famille royale des Francs et qu'ils aient fondé ensemble la dynastie des Mérovingiens. L'Église [catholique] conclut un traité en 496 avec cette dynastie, ce qui semble suggérer qu'elle connaissait sa véritable origine. »

Les auteurs redessinent, après de nombreuses recherches, l'arbre généalogique des descendants de Jésus, qui traverse les siècles par le biais des Mérovingiens et des Templiers, jusqu'à l'époque actuelle.

La chute des Templiers

Plusieurs facteurs expliquent la persécution et la chute des Templiers. Leur richesse, qui leur avait permis de s'imposer politiquement, semble la raison majeure. En 1187, l'Ordre du Temple dut abandonner Jérusalem au sultan Saladin (Salaheddine). Cette perte signifiait le début de leur déclin : la bataille avait coûté beaucoup de vies humaines. Lisons ce qu'en dit Stefan Erdmann : « Il semble que les Templiers aient perdu leur objectif politique, avec la perte de Jérusalem. Leur déclin se poursuivit en Palestine et en Europe. Malgré ce gros échec, il leur restait encore une certaine influence et une partie de leur fortune. En 1291, ils perdirent leur forteresse de Saint-Jean-d'Acre et leurs derniers bastions de la Palestine. Les chevaliers durent se replier sur l'île de Chypre. Jacques de Molay fut élu grand maître en 1293. En 1307, le conflit avec le roi de France Philippe le Bel s'accentua, car ils représentaient une menace pour son pouvoir. Le roi avait, malgré tout, un grand respect pour l'ordre, et bien qu'ils aient eu à souffrir de nombreuses pertes humaines, les chevaliers qui rentraient en France constituaient une force militaire bien entraînée. Toutefois, Philippe savait qu'ils n'étaient plus invincibles, comme ils l'avaient été à leur apogée.

Les Templiers avaient plus d'un millier d'établissements, dont la majorité se trouvait en France. Le siège à Paris était un domaine indépendant, à l'intérieur de la capitale. Le roi de France prépara en secret un plan pour les renverser par surprise. Il savait qu'en cas de réussite, leur patrimoine et leur fortune lui reviendraient de fait.

La situation s'aggrava. Les documents les plus importants, les écrits des Atlantes et les autres artefacts furent mis à l'abri des convoitises du roi. Un nombre important de chevaliers fuit la France et se réfugia au Portugal, en Angleterre et en Écosse, pays où le Vatican exerçait une moins grande influence. Une part importante se rapprocha des loges maçonniques déjà existantes. Sous une nouvelle identité, les chevaliers posèrent les premiers jalons de la Réforme protestante en devenir, afin de se venger des persécutions de l'Église catholique.

Une autre partie fonda au Portugal un nouvel ordre templier, la Milice du Christ (*Ordem Militar de Cristo*), que réhabilitera le pape Clément V. Ses membres furent les chevaliers du Christ. Dans ce pays, l'Ordre du Temple jouit à nouveau d'un certain pouvoir. D'autres templiers fuirent par la mer, avec leur flotte. Les Templiers disposaient d'une flotte impressionnante dans le port de La Rochelle en ce 12 octobre 1307, mais quand le roi lança l'assaut le vendredi 13, la flotte de dix-huit navires disparut. Personne ne sait ce qu'elle devint.

Certains spéculent sur le départ de ces bateaux pour le Nouveau Monde, puisqu'ils disposaient des cartes géographiques de l'ensemble du globe. D'autres chevaliers partirent officiellement vers le Nouveau Monde – *La Merica*. On en a trouvé certains indices au Massachusetts, dans la petite ville de Westford, près de l'océan Atlantique. Sur un rocher, on a trouvé l'effigie d'un chevalier gravée dans la roche. Ses vêtements rappellent l'uniforme des Templiers. Sur le bouclier, on voit un navire ; au-dessus, il y a le Soleil, la Lune et une étoile à cinq branches qui pointe vers la Lune, vers l'ouest ! Au Moyen-Orient, l'étoile du matin – Vénus – est appelée *Merica* depuis l'Antiquité. Les Templiers qui connaissaient, grâce à leurs cartes, l'existence du pays sous l'étoile du matin, « le pays sous l'étoile La Merica », lui donnèrent le nom français *La Merica* !

L'ordre du roi de France, qui marque le début des persécutions, date du 13 octobre 1307. En France, toutes les propriétés des Templiers subirent des rafles et des arrestations. L'Église et le pape Clément V soutinrent Philippe le Bel. Quelques semaines plus tard, les arrestations eurent lieu dans d'autres pays d'Europe et à Chypre. Pour motiver l'accusation, on brandit les motifs de blasphème et d'hérésie. Les Templiers auraient renié le Christ et souillé la Croix. Malgré l'obtention de plusieurs aveux sous la torture, ils avaient une divergence de vue fondamentale avec l'Église catholique, une interprétation différente de l'histoire de Jésus. C'était l'Église qui avait fixé la règle des Templiers, mais, en secret, ils suivaient un autre enseignement. C'est ce qu'on leur reproche maintenant ouvertement.

On sait ce qui arriva au dernier grand maître des Templiers et de quelle façon « chrétienne » l'Église se comporta à son égard. Philippe le Bel fit mettre au bûcher, à Paris, le grand maître Jacques de Molay et deux de ses dignitaires, le 18 mars 1314. Selon Maurice Druon, de Molay aurait prononcé au moment où le feu l'atteignait : « Roi Philippe, chevalier Guillaume, pape Clément, avant un an je vous appelle à comparaître devant le tribunal de Dieu, pour y recevoir votre juste châtiment ! Maudits ! Maudits ! Vous serez tous maudits jusqu'à la treizième génération de votre race ! »

Le chroniqueur Geoffroi de Paris rapporte que Jacques de Molay mourut dignement, immolé sur le bûcher : « Le maître, qui vit le feu prêt, se dépouilla immédiatement, et se mit tout nu en sa chemise [...]. Il ne trembla à aucun moment, bien qu'on le tira et bouscula. Ils le prirent pour le lier au poteau, et lui, souriant et joyeux, se laissa faire. Ils lui attachèrent les mains, mais il leur dit : "Dieu sait qui a tort et a péché, et le malheur s'abattra bientôt sur ceux qui nous condamnent à tort. Dieu vengera notre mort. Seigneur, sachez que, en vérité, tous ceux qui nous sont contraires, par nous auront à souffrir." »

Le roi et le pape moururent peu après : le pape succomba un mois plus tard, le 20 avril, à un cancer de l'intestin et Philippe le Bel mourut des suites d'une chute de cheval le 29 novembre.

8. QUI ÉTAIT NOSTRADAMUS ?

Le voyant le plus célèbre de l'histoire, qui était également astrologue et alchimiste, est sans aucun doute le Français Nostradamus. Contrairement à l'opinion répandue, il n'était pas un original vivant à l'écart du monde.

Michel de Nostredame voit le jour à Saint-Rémy de Provence, le 14 décembre 1503. Fils d'une famille de juifs convertis au catholicisme, il passe les premières années de sa vie auprès de son grand-père, Pierre de Nostredame, le médecin et confident du bon roi René Ier, duc d'Anjou et de Bar et roi titulaire de Jérusalem et d'Aragon. Pierre, qui fait partie du cercle des initiés, enseigne à son petit-fils les fondements de la religion juive.

Après la mort de son grand-père, Michel étudie la rhétorique et la philosophie à Avignon, il devient bachelier ès arts. En 1529, il s'inscrit à la Faculté de Médecine de Montpellier, et obtiendra quelques années plus tard son doctorat. Certains affirment qu'il fut radié de l'université avant d'obtenir son diplôme. Il épouse en 1547 Anne Ponsard, une jeune veuve de Salon-de-Provence, où il s'installe en 1555 comme médecin [ils auront six enfants ensemble]. Il publie la même année à Lyon *Les Prophéties de Me Michel Nostradamus*, l'ouvrage qui fait l'essentiel de sa gloire auprès de la postérité. [Addition de quatrains, revue et corrections des premières éditions imprimées en Avignon en 1556 et à Lyon en 1558 sous le titre subséquent *Les vrayes centuries et prophéties de Me Michel Nostradamus où se void représenté tout ce qui s'est passé, tant en France, Espagne, Italie, Allemagne, Angleterre, qu'autres parties du monde : avec la vie de l'autheur.* Ouvrage posthume paru en 1649.] Son élève [en calculs astronomiques], Jean Aimé de Chavigny, publie après sa mort survenue en 1566 le reste de ses prédictions, qui concernent la période de 1555 à 3797 [*Recueil des Presages prosaiques de M. Michel de Nostredame*, que le disciple fait imprimer à Grenoble en 1589].

Ses différents séjours à l'abbaye d'Orval en Lorraine belge et dans un monastère de Chambéry sont peu connus. Orval était l'abbaye sœur de Clairvaux, le monastère de saint Bernard. Gérard de Suède prétend que Nostradamus y fut initié à de nombreux secrets pendant les dix-huit mois de son séjour. Depuis ce jour, il était soumis à la règle du « Prieuré de Sion », une société secrète descendante des Templiers. Si on peut croire Gérard de Suède, Nostradamus aurait eu accès aux secrets des Templiers ; on retrouve dans ses écrits des allusions sur l'apparence des Atlantes, sur leurs conditions de vie, le ciel rougeâtre et leur caractère amphibien…

C'est ce qui pourrait aussi expliquer sa capacité de prédire pour les siècles, voire les millénaires à venir. Il connaissait la feuille de route révélée par les textes atlantes. Si Nostradamus fut réellement initié, il est logique de se demander si d'autres n'eurent pas aussi accès à ce savoir. Qu'en pensez-vous ? Le savoir a-t-il disparu ou un groupe se l'est-il approprié, pour obtenir un pouvoir encore plus grand que celui des Templiers ?

D'où la question…

52. Michel de Nostredame (Nostradamus) : voyant, médecin et naturopathe, il vécut dans le sud de la France entre 1503 et 1566. C'est le plus grand voyant de l'Occident.

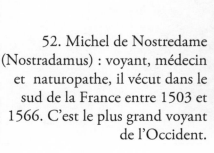

9. QUE SONT DEVENUS LES TEMPLIERS ET LES ÉCRITS DES ATLANTES ?

Pour lever le voile, je vous invite à retourner mille ans en arrière. Que voyons-nous ? Il n'y a ni électricité, ni routes asphaltées, ni automobiles, ni avions. Les personnes se déplacent sur des véhicules tractés par des chevaux ou des bœufs, chauffent l'eau sur le fourneau, il n'y pas de cabinet de toilette, de téléphone portable ou de réseaux de télécommunication. Peu savent lire et écrire. Les livres, quand on a les moyens d'en acheter, sont rédigés en latin et traitent de sujets religieux ou philosophiques. Il y a aussi des hommes qui voyagent dans des contrées lointaines et en rapportent des connaissances. Dans notre voyage imaginaire, n'oublions pas qu'en ce temps-là, on ne badine pas avec les gens qui ne partagent pas nos opinions religieuses. Ils finissent rapidement sur le bûcher ou sous la hache du bourreau.

Nous voici donc au temps de l'Inquisition et de la chasse aux sorcières. À cette époque, il y a déjà des confréries, des sociétés secrètes, des loges maçonniques et des clubs qui débattent. On y trouve des hommes éduqués, des apothicaires, des médecins et des professeurs, des Franciscains, des Bénédictins, des voyageurs, des archéologues, des physiciens et des chimistes, des inventeurs et des commerçants.

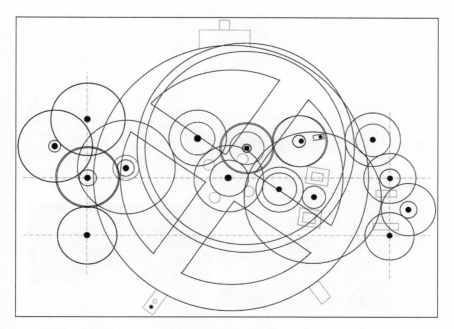

53 et 54. Des appareils historiques furent trouvés en avril 1900, telle la machine d'Anticythère, une véritable calculatrice métallique (au mécanisme compris un demi-siècle plus tard), en fait un antique ordinateur grec, découvert en 1902 grâce à des pêcheurs d'éponge grecs ayant découvert une épave antique de navire romain près des côtes de l'île grecque d'Anticythère. L'American Philosophical Society interprète le vieil artefact millénaire comme une boîte de vitesses de différentiel avec des combinaisons de pignons compliquées. La figure 54 (sur la page précédente) montre au centre le fragment principal. Celle de droite est le schéma d'un dispositif complexe mis au jour par le docteur Derek J. de Solla Price (physicien et historien des sciences, université Yale).

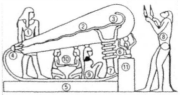

1 Priester 2 ionisierte Dämpfe 3 elektrische Entladung (Schlange)
4 Birnenfassung (Lotos) 5 kabelartiger Strang (Lotosstengel)
6 Luftgott 7 Isolator (Djed-Pfeiler) 8 Lichtbringer Thot mit Messern
9 Ausdruck für »Spannung« 10 entgegengesetzte Spannung
(Haarpolarität +) 11 Energiespeicher (elektrostatischer Generator ?)

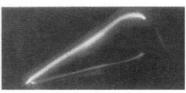

55, 56, 57 et 58. Ce bas-relief du temple de la déesse Hathor
de Dendérah (Haute-Égypte) donne une étonnante
structure semblable à un système d'éclairage tel que la décharge
électrique ci-dessus. Ainsi, la représentation rappelle une ampoule.
Reinhard Habeck construisit une réplique exacte (voir le croquis) se
basant sur les données précises des textes égyptiens trouvés dans le
temple. À une pression d'environ 40 torr, un fil de lumière ondulé
relie les deux parties métalliques (électrode), tel que représenté
dans le bas-relief.

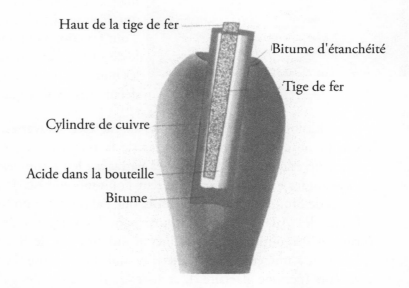

Haut de la tige de fer

Bitume d'étanchéité

Tige de fer

Cylindre de cuivre

Acide dans la bouteille

Bitume

59 et 60. Une vieille pile de 2 000 ans ! Ces éléments de galvanisation furent excavés en 1936, à proximité de Bagdad. Le directeur du Roemer und Pelizaeus-Museum de Hildesheim découvrait en 1978, par une expérience pratique menée avec la collaboration d'un technicien chimiste de la société Bosch, que les objets de culte « livrent précisément et encore aujourd'hui 0,5 volt de tension » et fonctionnent d'après le principe d'éléments électriques.

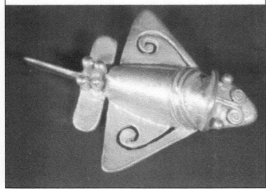

61, 62 et 63. Ces avions en or furent trouvés en Colombie au Ve siècle. Les archéologues les considèrent comme des oiseaux ou des insectes. Des ingénieurs en aéronautique les analysèrent et découvrirent des éléments de construction aérodynamiques très évolués, qui n'existent pas dans la nature. En 1995, Peter Belting construisit des maquettes d'environ un mètre qui dépassèrent ses espérances. Tout fonctionnait à merveille : le décollage, l'atterrissage, même les boucles ; il n'y avait aucun défaut aérodynamique.

Dans les loges, on échange sur les dernières découvertes, et ce qui y est dit ne doit franchir les portes de la pièce, car c'est considéré comme hérétique. Les archéologues partagent leurs connaissances sur les pyramides et celles-ci contredisent l'opinion admise. Je pense aux vestiges de Stonehenge en Angleterre, que j'ai pu voir : un témoignage éclatant des Atlantes. On a trouvé dans les Carpates des tablettes écrites et des outils qu'on qualifierait aujourd'hui de machines, qui remontent à une culture très ancienne qui dut, à cause d'événements extérieurs (période glaciaire ?), creuser des tunnels et des galeries dans les montagnes pour survivre.

Voilà deux exemples de savoir secret que l'humanité ne doit pas connaître. Les premiers archéologues rapportèrent d'Égypte des parchemins qui décrivent l'organisation du système solaire, abordent la géométrie secrète, sacrée, et révèlent l'application de ces principes à l'architecture. Le seul fait de savoir que la Terre est ronde peut entraîner des conséquences funestes. La Terre est plate comme un disque, personne ne peut mettre cela en doute aux environs de 1300.

Nous connaissons les secrets des Templiers, nous savons le pouvoir qu'ils en tirèrent. Un grand nombre d'entre eux furent persécutés et exécutés. Une autre partie fuit à l'étranger et rétablit quelques communautés templières, les autres se réunirent dans les loges maçonniques. Une partie du savoir des Atlantes se retrouve ainsi à la disposition de personnes puissantes et influentes. Les frères de loge approfondissent leurs connaissances des textes atlantes sur la géométrie sacrée.

Léonard de Vinci, le peintre et inventeur italien (1452-1519), bénéficia indubitablement de ces connaissances. Il peignait ses tableaux selon les divines proportions, le nombre d'or. Il est également célèbre pour ses inventions : le sous-marin, les machines volantes, la machine à tisser mécanique, les ponts amovibles et les pompes.

La majorité de ses inventions ne dépassa pas l'état de maquette, mais on peut se demander d'où lui vint de façon soudaine ce savoir.

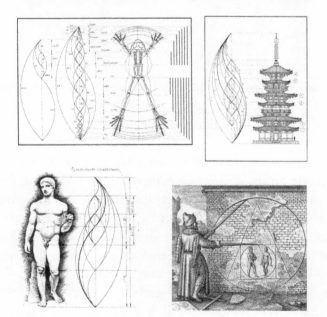

64, 65, 66 et 67. Exemples de géométrie sacrée : le nombre d'or, le quotient φ (phi) dans la nature (squelette de grenouille), dans l'art (statue grecque), dans l'architecture (temple japonais).

Les maçons étudient dans les loges la structure de l'ADN et découvrent l'existence d'autres civilisations dans le cosmos. Ils apprennent que ce que l'on dit sur Abraham, Moïse, Mahomet et Jésus ne correspond pas à la réalité. Ils deviennent donc de fait les ennemis mortels des autorités et de l'Église.

Nous sommes en présence de deux aspects distincts :

– les maçons profitent du savoir des Templiers sur l'organisation du cosmos et sur la capacité créatrice du cerveau ;

– ils connaissent l'origine extraterrestre de l'humanité, la fécondation qui est venue de l'espace et le retour de l'humanité un jour dans l'espace.

 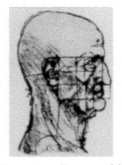

68. Léonard de Vinci   69. Esquisse d'un vieil homme.
Léonard superposa plusieurs rectangles,
certains dans la divine proportion.

Nous nous sommes donc dit : si nous recevons la visite de voyageurs de l'espace, de Sirius, d'Orion, d'Aldébaran, de Nibiru ou d'une autre planète, que ferons-nous ? Surtout, que feront-ils ? Atterriront-ils en Chine, en Amérique, dans le comté ou la principauté d'untel ou d'un autre ? Les hommes ne vont-ils pas essayer de tirer avantage, à leur profit purement personnel, d'une rencontre avec une civilisation supérieure ?

On décide d'élaborer un plan subversif afin de préparer l'humanité à ce jour. Comment arriver à rassembler le monde, que divisent les religions, les États et les guerres ? Il faut viser la domination mondiale, établir une sorte de gouvernement, qui pourrait gérer la communication avec les autres civilisations et établir des relations normalisées. C'est là qu'est née l'idée d'un gouvernement mondial, dans un sens constructif.

Un plan a été échafaudé pour renverser les maisons royales et les gouvernements, par des révolutions et des intrigues, pour parvenir à ce que nous appelons maintenant le Nouvel Ordre Mondial. Tout allait bien, c'était le temps où un grand nombre d'hommes éclairés fréquentaient ces loges – des hommes politiques, des monarques et des présidents, qui avaient tous le même objectif.

Cependant, un changement intervint au XVIIIe siècle, avec la création de la loge des Illuminés de Bavière, en 1770, par Adam Weishaupt, à la demande de la Maison Rothschild (selon Ayn Rand, une romancière américaine, née Alissa Zinovievna Rosenbaum). Cette loge créa de hauts grades et attira des francs-maçons, en leur faisant miroiter de nouvelles connaissances et plus de pouvoir, mais le plan était diabolique. Et cela créa un problème réel : les Illuminati entrèrent en possession d'une partie du savoir des Templiers sur les mécanismes de la vie, la force de la pensée, l'existence des civilisations extraterrestres et des artefacts des sarcophages.

Les mécanismes de la pensée fonctionnent dans les deux sens, de façon constructive ou destructive. On différencie de nos jours la magie blanche et la magie noire. Le mécanisme est le même, seules les motivations diffèrent. Les Illuminati apprirent l'existence de gisements de matière première, ils en commencent l'exploitation. Nous connaissons tous le résultat de cette évolution. Les tenants de ces monopoles sont à Wall Street et à la Cité de Londres – appelée la *City* –, l'endroit où le mètre carré est le plus cher au monde ; c'est un État indépendant, comme le Vatican. Si vous ne voyez pas de quoi ou de qui je parle, voici quelques mots d'un homme politique : « La politique mondiale est menée par l'empire de la haute finance. »

Revenons à mes propos d'entrée en matière de ce livre, lorsque je révélais que nous sommes dans une situation où une information secrète devient une arme, que l'on cache à la collectivité, et qui sert à ceux qui ont le savoir, pour obtenir ce qu'ils souhaitent. Là, vous êtes curieux. Si vous n'avez pas lu mes livres précédents, vous voulez savoir qui sont ces Illuminati et connaître leurs objectifs. Entrons dans le monde biaisé des loges modernes et des puissants de ce monde, avec leur savoir secret, et essayons de comprendre ce qui nous attend dans les années à venir…

10. LE NOUVEL ORDRE MONDIAL

J'ai détaillé dans mes deux premiers livres sur les sociétés secrètes, en plus de huit cents pages, la genèse et le développement de ces sociétés ; j'ai expliqué qui se cachait derrière le Nouvel Ordre Mondial. Je voudrais vous éviter, et à moi aussi, de recommencer la démonstration. Ces deux livres furent censurés et ne sont plus disponibles dans le commerce, mais vous pouvez retrouver dans les deux tomes de *Les banques, le pain et les bombes*, de Stefan Erdmann, l'histoire *in extenso* de ce développement.

Pour l'heure, je vais me concentrer sur l'essentiel : un résumé sommaire sera donc suffisant. Pour clarifier les choses aux yeux d'un néophyte, je vais expliquer la structure d'une loge.

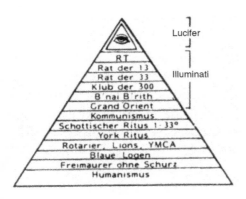

70. La pyramide des Illuminati indiquant les différents degrés, selon Gary Allen.

71. Adam Weishaupt, le fondateur de l'ordre des Illuminati de Bavière.

Une loge est constituée un peu comme l'organisation des rondelles d'oignon. Au centre, il y a le cercle intérieur qui centralise toutes les connaissances. Autour de lui, le cercle suivant, que l'on appelle un degré, qui ne dispose pas de toutes les connaissances du cercle intérieur, mais qui en sait plus que le degré suivant, et ainsi de suite.

On peut représenter cette organisation sous la forme d'une pyramide également : au sommet, se trouvent ceux qui ont le savoir complet ; ils ne transmettent aux degrés inférieurs que ce qui leur convient. L'ordre des Illuminati de Bavière, les familles ou les personnes à l'arrière-plan, avait dans sa ligne de mire les loges maçonniques, où était conservé le savoir des Templiers, dans le but d'avoir accès aux connaissances secrètes des Atlantes et de mettre dans leur poche les puissants frères de loge.

Vous trouvez cela aberrant ? Lisons ensemble la lettre du grand maître des francs-maçons de rite écossais (et fondateur du Ku Klux Klan, l'Américain Albert Pike, 1809-1895), qu'il envoya à Giuseppe Mazzini (1805-1872), le chef des Illuminati de Bavière. Pike était un génie, un grand maître de magie noire. On prétend qu'il maîtrisait seize langues anciennes et, semble-t-il, qu'il vénérait Lucifer : « Nous devons permettre à toutes les fédérations de continuer à fonctionner avec leur système, leur organisation centralisée et avec leurs différentes manières de correspondre entre les grades des différents rites. Toutefois, nous devons créer un rite suprême, qui doit rester inconnu, et dans lequel nous inviterons des maçons de haut grade, selon notre choix. Par respect pour nos concitoyens, ces hommes devront se soumettre au secret absolu. Ce rite suprême nous permettra de régir toute la franc-maçonnerie ; il deviendra la centrale internationale, qui sera d'autant plus puissante que personne n'en connaîtra les dirigeants. »

C'est intéressant, non ? Essayons de comprendre l'esprit qu'il voulait insuffler aux nouveaux membres. Il existe une autre lettre de Pike à Mazzini, datée du 15 août 1871, qui nous révèle ses pensées profondes : « Nous allons lâcher, libérer les nihilistes et les athées, et nous allons provoquer un formidable cataclysme social qui, dans toute son horreur, montrera clairement aux nations les effets d'un athéisme absolu, origine de la barbarie et des troubles les plus sanglants. Et tous les citoyens, obligés de se défendre contre la minorité révolutionnaire, extermineront eux-mêmes les fossoyeurs de la civilisation. La multitude, très croyante, déçue par le christianisme et désorientée, sera à la recherche d'un nouvel idéal. Elle sera prête à recevoir la lumière pure, grâce à la manifestation universelle de la doctrine immaculée de Lucifer, enfin révélée aux yeux du monde. La manifestation de cette doctrine résultera du mouvement de réaction généralisé, dû à l'anéantissement du christianisme et de l'athéisme. »

Et puis : « Nous devons dire à la foule : nous vénérons Dieu, mais nous le prierons sans superstition ; à vous Souverains Grands Inspecteurs généraux, nous vous disons pour que vous le répétiez aux frères des 30e, 31e et 32e degrés : la religion maçonnique doit être maintenue dans la pureté de la doctrine luciférienne [...] Lucifer est Dieu, malheureusement Adonaï est également Dieu. Car, selon les lois éternelles, il n'y a pas de lumière sans ombre, pas de beauté sans laideur, pas de blanc sans noir. L'absolu ne peut exister que sous la forme de deux divinités : l'ombre est à l'arrière-plan de la lumière. »

72. Giuseppe Mazzini   73. Albert Pike

Malheureusement, le projet de Pike et de Mazzini réussit. Et l'esprit de Lucifer prit racine dans la tête des adhérents de haut grade, qui se battaient auparavant pour Jésus, et dont les plus hauts commandements étaient la loi de résonance et l'amour du prochain. Cela ne suffisant pas, la même année ils échafaudent un plan qui leur permettra de dominer le monde, après avoir gagné trois guerres mondiales. Sur le chemin vers le Nouvel Ordre (*Novus Ordo Seclorum*), la Première Guerre mondiale doit être menée pour renverser le tsar et mettre la Russie sous la domination de l'ordre des Illuminati de Bavière. La Russie sera plus tard le bouc émissaire, qui servira les intérêts des Illuminati dans le monde entier.

La Deuxième Guerre mondiale sera déclenchée après avoir exacerbé les divergences entre les nationalistes allemands et les sionistes. Les territoires d'influence de la Russie seront étendus, et il y aura la fondation de l'État d'Israël. La troisième guerre mondiale sera la conséquence des divergences entre les sionistes et les Arabes, qui s'étendront dans le monde entier. Un des objectifs de la troisième guerre sera de provoquer une confrontation entre nihilistes et athées, pour générer une révolution sociale d'une brutalité et d'une bestialité encore jamais vues. « Après la destruction du christianisme et de l'athéisme, nous proposerons la doctrine luciférienne, et nous pourrons faire d'une pierre deux coups. »

Nous pouvons constater que les prévisions relatives aux deux premières guerres se sont réalisées. Pour ce qui est de la troisième, le monde entier peut assister en direct sur CNN et d'autres réseaux de télévision à la façon dont elle est provoquée, consciemment, par les conflits irakien, palestinien et afghan. Vous pensez que c'est un peu osé comme affirmation ? Que répondez-vous au général Wesley Clark, ancien commandant en chef suprême des forces armées de l'Otan ? Il nous déclara, de façon convaincue : « Je mets en garde les Européens : les États-Unis n'auront aucun scrupule à intervenir militairement dans le cadre du Nouvel Ordre Mondial, si leurs intérêts sont menacés, et même en Europe, par tous les moyens, incluant l'arme atomique. Les États-Unis veilleront à maintenir la plupart des pays en état de pauvreté, avec des régimes corrompus, mais obéissants. Ils pourront intervenir en Europe de l'Ouest, même si cela peut paraître absurde à certaines personnes. Nous ne tolérerons pas longtemps une grande puissance nucléaire ou économique européenne ! »

Une partie des objectifs secrets des Illuminati de Bavière fut révélée au public en 1875, quand un de leurs courriers entre Francfort et Paris fut touché par la foudre, ce qui permit de mettre au jour la conspiration qui se préparait. Parmi les documents retrouvés, on lit ces lignes : « Le contrôle de la presse doit permettre à la volonté des Illuminati de conduire les masses [...]. Il faut attiser les passions du peuple et créer une littérature insipide, obscène et répugnante. [...] Il faudra habituer les peuples à prendre les apparences pour argent comptant, à se satisfaire du superficiel, à ne poursuivre que leur propre plaisir, à s'épuiser dans leur quête éternelle du nouveau [...].

Il faudra exacerber en Europe les différences entre les personnes et entre les peuples, attiser la haine raciale et le mépris de la foi afin que se creuse un fossé infranchissable [...]. Il faudra choisir les futurs chefs d'État parmi ceux qui sont serviles et soumis inconditionnellement aux Illuminati et aussi parmi ceux dont le passé est entaché d'un coin secret... Ils seront des exécuteurs fidèles des instructions données par les Illuminati. Ainsi, il sera possible à ceux-ci de contourner les lois et de modifier les constitutions. [...] La vénalité des hauts fonctionnaires d'État devra pousser les gouvernements à accepter des prêts extérieurs qui les endetteront et les rendront esclaves des Illuminati. [...] En suscitant des crises économiques et en retirant soudainement de la circulation tout l'argent disponible, il faudra provoquer l'effondrement de l'économie monétaire des non-Illuminati.

La puissance monétaire doit remporter de haute lutte la suprématie dans le commerce et l'industrie, afin que les industriels agrandissent leur pouvoir politique moyennant leurs capitaux. Tous ces moyens amèneront les peuples à prier les Illuminati de prendre en main le monde. Le nouveau gouvernement mondial doit apparaître comme le protecteur et le bienfaiteur de ceux qui y adhèrent. Si un État se rebelle, il faut inciter ses voisins à lui faire la guerre. Si ces derniers veulent s'allier, il faut déchaîner une guerre mondiale. [...] »

Essayons de voir plus précisément qui sont ces Illuminati aujourd'hui, et ce qu'il en est du Nouvel Ordre Mondial : « Que ce soient les Bilderberg, le gouvernement secret, la Commission trilatérale, le Council on Foreign Relations (CFR) ou les Illuminati, le nom importe peu. Le gouvernement secret est constitué des plus grandes fortunes du monde, et ces vingt mille magnats environ contrôlent de près les gouvernements. Ce sont eux qui décident des candidats aux élections, eux qui déclarent les guerres. Ils contrôlent les pénuries alimentaires et les taux d'inflation des différentes monnaies. Tout est entre les mains des Illuminati. Ils ne contrôlent pas les forces de la nature, mais là où ils peuvent intervenir, ils manipulent. »

Et leur objectif est le pouvoir mondial, auquel ils ont donné le nom de Nouvel Ordre Mondial. C'est George Bush senior qui le proclama en premier publiquement, le 11 septembre 1990, une « coïncidence », onze ans exactement avant les attentats du World Trade Center. Une des composantes essentielles de cet ordre est, en plus d'une religion mondiale, le moyen de paiement par carte de crédit, qui sera remplacé sous peu par une puce implantée sous la peau. Cet élément permettra à Big Brother, comme George Orwell appelle les Illuminati, de contrôler et de dominer tous les individus.

Le concept du Nouvel Ordre est immortalisé sur le dollar américain et le grand sceau des États-Unis d'Amérique. Au-dessus de la pyramide, il est écrit : « *Annuit Coeptis* » (« Il approuve ce qui a été commencé ») et « *Novus Ordo Seclorum* » (Nouvel Ordre Mondial). Ces deux phrases se rapportent à l'objectif des maîtres secrets, des Illuminati : la domination mondiale. La date inscrite en dessous, 1776, est officiellement l'année de la création des États-Unis. En réalité, le grand sceau est celui des Illuminati de Bavière d'Adam Weishaupt. L'ordre fut institué en 1776. Les treize marches de la pyramide correspondent aux treize degrés de l'ordre et l'œil de la Providence, l'œil qui voit tout au sommet de la pyramide, est celui de Lucifer. Lucifer, le porteur de lumière, est pour les frères de loge le porteur et dépositaire du plus haut savoir.

Le grand sceau, la pyramide et l'œil de la Providence, les treize étoiles qui constituent l'étoile de David au-dessus du Phénix, la bannière étoilée à treize bandes et treize étoiles sont des symboles maçonniques importants. Ils furent imposés par les Rothschild, par l'entremise d'Adam Weishaupt. Non seulement leur symbolique remonte à l'Égypte, mais on la retrouve également dans les Andes, en Équateur. La conception de la pyramide des Illuminati revient à Philippe de Rothschild, comme l'explique son amante Ayn Rand, dans son roman *La Grève ou La Révolte d'Atlas*.

74. Le dollar avec la pyramide – comparer
avec la figure 51 (p. 124).

John Todd, un ancien Illuminati, décrit la pyramide :

Figure 75

« Le sceau fut créé à l'initiative de la famille des Rothschild à Londres. On y trouve des francs-maçons, des communistes et des membres d'autres organisations. Cet Ordre est très répandu, on y parle de politique, de finance, on y défend la conception d'un gouvernement mondial unifié. L'Ordre fera tout ce qui lui est possible pour parvenir à ce gouvernement, en prévoyant même la troisième guerre mondiale. Cette organisation s'appelle "Illuminati", ce qui signifie "les porteurs de lumière" […].

Quand on demande à un maître sorcier qui est le sorcier le plus puissant au monde, on obtient la réponse suivante : il s'agit de Ruth Carter Stapleton, la sœur de l'ancien président américain Jimmy Carter. Je ne sais pas s'il est franc-maçon, mais, aux États-Unis, quand on veut faire de la politique, on devient franc-maçon, pour pouvoir être admis dans les cercles politiques. Depuis le président Wilson et la Première Guerre mondiale, tous les présidents font partie des Illuminati, sauf Eisenhower, qui était toutefois sous leur contrôle. Il y a cinq mille personnes dans le monde qui connaissent bien les Illuminati. Des millions de gens travaillent pour eux. C'est un peu comme chez les francs-maçons. Seuls ceux du 33e degré du Rite écossais possèdent le savoir complet, les autres, non. Les Illuminati possèdent toutes les sociétés pétrolières, 90 % de la grande distribution aux États-Unis. Toutes les caisses enregistreuses américaines sont reliées à un ordinateur central à Dallas, qu'on appelle "la bête". Celui-ci est relié à deux autres gros ordinateurs, à Bruxelles et à Amsterdam, qu'on appelle également "la bête". »

Comme nous le savons par les Templiers, le destin de l'humanité ira de pair avec les prédictions de l'*Apocalypse de Jean*. Un petit rappel... de son chapitre 13, versets 1-18 : « Puis je vis monter de la mer une bête qui avait dix cornes et sept têtes, et sur ses cornes dix diadèmes, et sur ses têtes des noms de blasphème [...]

Le dragon lui donna sa puissance, et son trône, et une grande autorité.

Et ils adorèrent le dragon, parce qu'il avait donné l'autorité à la bête ; ils adorèrent la bête, en disant : "Qui est semblable à la bête, et qui peut combattre contre elle ?"

Et il lui fut donné de faire la guerre aux saints, et de les vaincre. Et il lui fut donné autorité sur toute tribu, tout peuple, toute langue et toute nation.

Et tous les habitants de la Terre l'adoreront, ceux dont le nom n'a pas été écrit dès la fondation du monde dans le livre de vie de l'agneau qui fut immolé...

Puis je vis monter de la terre une autre bête, qui avait deux cornes semblables à celles d'un agneau, et qui parlait comme un dragon.

Elle exerçait toute l'autorité de la première bête en sa présence, et elle faisait que la Terre et ses habitants adoraient la première bête, dont la blessure mortelle avait été guérie.

Elle opérait de grands prodiges, même jusqu'à faire descendre du feu du ciel sur la terre, à la vue des hommes.

Et elle séduisait les habitants de la Terre par les prodiges qu'il lui était donné d'opérer en présence de la bête, disant aux habitants de la Terre de faire une image à la bête qui avait la blessure de l'épée et qui vivait.

Et il lui fut donné d'animer l'image de la bête, afin que l'image de la bête parlât, et qu'elle fît que tous ceux qui n'adoreraient pas l'image de la bête fussent tués.

Et elle fit que tous, petits et grands, riches et pauvres, libres et esclaves, reçussent une marque sur leur main droite ou sur leur front,

Et que personne ne pût acheter ni vendre, sans avoir la marque, le nom de la bête ou le nombre de son nom.

C'est ici la sagesse. Que celui qui a de l'intelligence calcule le nombre de la bête. Car c'est un nombre d'homme, et son nombre est six cent soixante-six. »

Nous ne devons pas oublier que Jean vit dans sa vision les images d'objets qui n'existaient pas de son temps (télévision, bombes, cartes de crédit), qu'il interprétait avec ses mots simples. La « bête » n'est pas à prendre au sens propre, mais plutôt comme le contraire de l'*esprit*. Elle représente la matière, le matérialisme et les organisations qui le propagent.

Dans cet extrait, il y a des phrases importantes que nous allons décrypter : « Puis je vis monter de la mer une bête qui avait dix cornes et sept têtes, et sur ses cornes dix diadèmes, et sur ses têtes des noms de blasphème […] Le dragon lui donna sa puissance, et son trône, et une grande autorité. […] Et il lui fut donné de faire la guerre aux saints, et de les vaincre. Et il lui fut donné autorité sur toute tribu, tout peuple, toute langue, et toute nation. »

Lucifer est peut-être le dragon (ou les êtres reptiliens ?), la première bête est les Illuminati (la FED et Wall Street), mis sur le trône séculier par Lucifer et dotés d'un pouvoir financier : « Le poids de l'or qui arrivait chaque année à Salomon était de six cent soixante-six talents d'or […] » [2 Chroniques 9, 13 et 1 Rois 10, 14]).

1. Jésus n'avait pas fait le ménage sans raison parmi les prêteurs d'argent du temple. Il avait donné une explication claire : « Vous avez pour père le diable, et vous voulez accomplir les désirs de votre père […] » (Jn 8, 44)

Peu de gens savent ce qui différencie la FED, la banque centrale des États-Unis, des autres banques centrales. Je vous fais donc un autre rappel historique : à la fin du XIXe siècle, les banques contrôlées par l'empire des Rothschild investirent l'industrie américaine. Les Rothschild d'Europe financent la banque J. P. Morgan, la banque Kuhn & Loeb finance la Standard Oil de John D. Rockefeller, les chemins de fer d'Edward Harriman et les aciéries d'Andrew Carnegie. Cette conjonction permet à l'époque d'avoir plus qu'une jambe d'appui dans l'économie américaine. Vers 1900, les Rothschild envoient un de leurs agents, Paul Warburg, travailler avec la banque Kuhn & Loeb. Jacob Schiff et Paul Warburg entreprennent une campagne pour la création de la Federal Reserve Bank (FED), la banque centrale privée des États-Unis.

Jacob Schiff s'adresse à la Chambre de commerce de New York en 1907 : « Si nous n'avons pas une banque centrale qui contrôle le crédit, ce pays connaîtra la panique financière la plus forte et la plus profonde de son histoire. »

Ce qui fut dit fut fait, ils plongèrent les États-Unis dans une crise monétaire et financière, qui ruina la vie de dizaines de milliers de personnes. La panique à la Bourse de New York rapporta plusieurs milliards de dollars aux Rothschild, ainsi que le succès qu'ils escomptaient. Un des arguments décisifs, qui conduisit à la création d'une banque centrale, était la panique qui avait prévalu ; il fallait éviter qu'elle ne se reproduise. Paul Warburg déclara devant la Commission des finances : « La première chose qui m'est venue à l'esprit en voyant cette panique, c'est que nous avons besoin d'une banque centrale [...]. »

La décision sans appel de l'introduction de la FED fut prise sur l'île de Jekyll (Jekyll Island), dans l'État américain de Georgie, sur le domaine de J. P. (John Pierpont) Morgan. L'apparition de la FED en 1913 permit aux banquiers internationaux de consolider leur pouvoir aux États-Unis. Le Congrès américain adopta une résolution proposant le seizième amendement, prévoyant l'introduction d'un impôt sur le revenu. Comme le gouvernement américain ne pouvait plus imprimer d'argent, c'est la solution qui fut trouvée pour financer le budget des

États-Unis. C'est la première fois que le peuple américain devait payer un impôt sur le revenu.

Les principaux actionnaires de la FED étaient les banques :

1. Rothschild de Paris et de Londres
2. Lazard Frères de Paris
3. Israël Moses Seif d'Italie
4. Warburg d'Amsterdam et de Hambourg
5. Lehmann de New York
6. Kuhn & Loeb de New York
7. Chase Manhattan de Rockefeller de New York
8. Goldman Sachs de New York

Charles Lindbergh décrit la nouvelle Federal Reserve Bank comme le gouvernement invisible, à cause de son pouvoir financier. Comment fonctionne la FED ? Le comité de politique monétaire émet des dollars, que la FED prête contre des obligations d'État, des bons du Trésor, au gouvernement américain. La FED perçoit des intérêts annuels sur ces bons du Trésor. En 1992, la valeur de ces obligations était de 5 000 000 000 000 $. La FED amassa ce trésor en prêtant de l'argent au gouvernement, alors qu'il ne lui coûte que les frais de papier et d'imprimerie. Cela peut paraître incroyable, mais c'est un fait.

Daniel Doyle Benham, un défenseur des droits civiques américains, eut l'audace de contacter la San Francisco Federal Reserve Bank en 2002. Il obtint une interview de Ron Supinski, du *Public Information Department*, dont voici quelques extraits :

– David Benham : Monsieur Supinski, mon pays contrôle-t-il la FED ?

– Ron Supinski : Nous sommes un bureau qui représente le gouvernement.

D – Ce n'est pas ma question. Est-ce que mon pays contrôle cette banque ?

R – C'est un bureau du gouvernement qui fut créé par le Congrès.

D – La FED est-elle une entreprise ?

R – Oui.

D – Notre gouvernement a-t-il un portefeuille d'actions à la FED ?

R – Non, les banques associées en ont.

D – Les banques associées sont-elles des sociétés privées ?

R – Oui.

D – Les billets de la FED sont-ils nantis ?

R – Oui, par les biens de la FED, mais principalement par le pouvoir du Congrès qui prélève un impôt sur les citoyens.

D – Vous disiez par le pouvoir de lever un impôt ? C'est cet impôt qui garantit les billets de la FED ?

R – Oui.

D – À combien s'élève la totalité des biens de la FED ?

R – La San Francisco Bank possède un actif de 36 milliards de dollars (G$).

D – En quoi consiste cet actif ?

R – De l'or et des garanties bancaires gouvernementales.

D – Quelle est la valeur de cet or ?

R – Je ne sais pas, mais la banque de San Francisco possède 1,6 G$ en or.

D – Voulez-vous dire que la Federal Reserve Bank de San Francisco possède 1,6 G$ en or, et que le solde est garanti par le gouvernement ?

R – Oui.

D – Où la FED se procure-t-elle les billets ?

R – Ils sont autorisés par le Trésor.

D – Combien revient à la FED la production d'un billet de 10 $?

R – De 50 à 70 cents.

D – Combien un billet de 100 $?

R – Pareil, de 50 à 70 cents.

D – Cinquante cents pour 100 $, c'est un profit énorme.

R – Oui.

D – Selon le Trésor américain, la FED paie 20,60 $ pour une valeur nominale de 1 000 $, c'est-à-dire un peu plus de 2 cents pour 100 $; est-ce bien cela ?

R – Oui.

D – La FED n'utilise-t-elle pas les billets qui lui reviennent à 2 cents l'unité pour acheter des obligations d'État au gouvernement ?

R – Oui, mais c'est aussi plus que cela.

D – Combien de dollars de la FED y a-t-il en circulation ?

R – Une somme de 263 G$, mais nous ne savons pas où se trouve la majeure partie de ces dollars.

D – Où peuvent-ils être ?

R – Dans les bas de laine des particuliers, enterrés peut-être ; il y a aussi l'argent de la drogue.

D – Les dettes sont payables en dollars de la FED. Comment pourrait-on rembourser 10 000 G$ de dette publique avec la totalité des billets en circulation ?

R – Je ne sais pas.

D – Si le gouvernement fédéral récoltait tous les billets en circulation, serait-il mathématiquement possible de rembourser ces 10 000 G$?

R – Non.

D – Si je dis que pour 1 $ de dépôt dans une banque affiliée, 8 $ pourraient être prêtés avec une marge suffisante, est-ce correct ?

R – Environ 7 $ pourraient être prêtés.

D – Corrigez-moi si je me trompe, mais ces 7 $ sont de l'argent qui n'a jamais été mis en circulation. La FED n'a pas réellement imprimé de billet, c'est juste une inscription comptable qu'on prête avec des intérêts. Est-ce bien cela ?

R – Oui.

D – Est-ce pour cette raison qu'il ne circule que 263 G$?

R – En partie.

D – Est-ce que j'interprète bien, quand je dis que la loi votée en 1913 transféra le pouvoir de battre la monnaie du Congrès à une société privée ? Et mon pays emprunte maintenant ce qui devrait être notre argent à la FED, plus les intérêts. Est-ce correct ? Les dettes ne pourront jamais être remboursées sous le régime monétaire actuel ?

R – Dans le fond, oui.

D – Ça ne sent pas bon, vous ne trouvez pas ?

R – Désolé, je ne peux répondre à cette question, je travaille ici.

D – Les comptes de la FED ont-ils déjà été vérifiés par un organisme indépendant ?

R – Nous sommes vérifiés.

D – Pourquoi existe-t-il une résolution n° 1486 du Congrès américain, qui demande une vérification complète des comptes par le GAO

(Government Accountability Office), et pourquoi la Fed offre-t-elle de la résistance ?

R – Je ne le sais pas.

D – La FED réglemente-t-elle la valeur des billets et des taux d'intérêt ?

R – Oui.

D – Expliquez-nous comment le système de la FED peut être constitutionnel, si seul le Congrès a le pouvoir de battre monnaie, de la diffuser et de réglementer sa valeur (Article 1, section 8) ? Il n'est écrit nulle part dans la Constitution que le Congrès a le droit de transférer un pouvoir constitutionnel à une société privée, non ?

R – Je ne suis pas un expert en droit constitutionnel, mais je peux vous référer à notre département juridique.

D – Je peux vous le confirmer, j'ai lu la Constitution. Elle ne permet pas le transfert d'un pouvoir à une société privée. N'est-il pas spécifié que tous les pouvoirs appartiennent à l'État et aux citoyens, pas à une personne privée ? Est-ce aussi valable pour une entreprise privée ?

R – Je ne pense pas, mais nous avons été créés par l'Assemblée constituante ?

D – Êtes-vous d'accord avec moi si je vous dis que c'est notre pays, et que ce devrait être notre argent, comme le dit la Constitution ?

R – Je comprends ce que vous dites.

D – Pourquoi devrions-nous emprunter notre propre argent à un consortium de banques privées, qui nous demande en plus des intérêts ? N'est-ce pas la raison pour laquelle nous avons fait une révolution, être un peuple souverain avec des droits propres ?

R – (*Il ne veut pas répondre.*)

D – Le sujet a-t-il été abordé par la Cour constitutionnelle ?

R – Je crois qu'il y a une jurisprudence à ce sujet.

D – Devant la Cour suprême ?

R – Je pense que oui, mais je n'en suis pas sûr.

D – La Cour suprême n'a-t-elle pas confirmé à l'unanimité, dans les affaires A.L.A. Schlechter Poultry Corp., *et al. vs* États-Unis (1935) et Carter *vs* Carter Coal Co. (1936), que ce décret est une délégation anticonstitutionnelle du pouvoir législatif ? Transférer le pouvoir est une façon de le réglementer. Ici, c'est une délégation législative sous sa forme la plus choquante ; ce n'est pas une délégation envers un corps d'État, une collectivité ou une société officielle, qui réglemente de façon désintéressée le bien commun, mais une délégation intéressée pour les affaires privées d'une personne (Carter *vs* Carter Coal Co.).

R – Je ne sais pas, mais allez voir notre département juridique.

D – Le système monétaire actuel n'est-il pas un château de cartes, qui DOIT s'écrouler, parce qu'on ne pourra jamais rembourser les dettes ?

R – Il semble que oui. Je peux vous dire que vous connaissez bien le sujet et que vous voyez clair. Cependant, nous avons une solution.

D – Quelle est cette solution ?

R – La carte de crédit.

D – Parlez-vous de l'Electronic Funds Transfer Act (Loi relative au transfert électronique de fonds) ? N'est-ce pas inquiétant, quand on connaît la capacité des ordinateurs ? Il donne à l'État et à ses délégations, la FED inclue, des informations comme : vous étiez à la pompe à essence à 14 h 30, vous avez acheté pour 10 $ d'essence sans plomb à 1,41 $ le gallon. Puis vous avez été au supermarché à 14 h 58, vous avez acheté du pain, de la viande et du lait pour 12,32 $, et à 15 h 30, vous êtes allé à la pharmacie, où vous avez acheté des médicaments pour 5,62 $. En d'autres mots, vous savez où nous allons, combien a payé le grossiste, et quel bénéfice il a fait. Avec ce système, vous savez tout sur nous. N'est-ce pas inquiétant ?

R – Oui, cela peut surprendre.

D – J'y vois une énormité qui a roulé notre constitution dans la farine. Ne payons-nous pas une contribution énorme, sous la forme de l'impôt sur le revenu, à un consortium de banques privées ?

R – Je n'appelle pas cela une contribution, ce sont des intérêts.

D – Les fonctionnaires des banques ne sont-ils pas assermentés pour défendre la Constitution contre des ennemis de l'intérieur ou de l'extérieur ? La FED n'est-elle pas une ennemie de l'intérieur dans ce cas précis ?

R – Je ne dirais pas cela.

D – Nos fonctionnaires de la FED sont coupables de favoritisme, ils anéantissent notre constitution, ce qui est une trahison. Le châtiment pour une trahison n'est-il pas la peine de mort ?

R – Je pense que oui.

D – Merci pour les informations et le temps que vous nous avez accordés. Si je le pouvais, je vous dirais d'entreprendre les démarches nécessaires pour vous protéger, vous et votre famille, et retirer votre argent des banques, avant que le système ne s'effondre. Moi, je le ferai.

R – La situation n'est pas bonne.

D – Puisse Dieu être miséricordieux avec les esprits qui sont derrière ces agissements anticonstitutionnels et criminels, que l'on appelle *The Federal Reserve*. Le jour où la plupart des gens se rendront compte de cette gigantesque escroquerie, ils seront obligés d'en tenir compte. C'était un réel plaisir de vous avoir au téléphone, je vous remercie de votre disponibilité. J'espère que vous suivrez mon conseil, avant que tout ne fasse faillite.

R – Malheureusement, cela ne se présente pas bien.

D – Passez une bonne journée et encore merci.

R – Merci de votre appel.

Encore une fois, en clair : **Le dollar n'est pas émis par le gouvernement américain, mais par un consortium de banques privées, la FED, qui met l'argent à la disposition du gouvernement, en prélevant des intérêts et des impôts.**

C'est une des plus grandes escroqueries de l'histoire des États-Unis, et personne ne semble le remarquer. De plus, la FED a le droit de gage sur l'ensemble des propriétés des États-Unis, publiques et privées, par les obligations du gouvernement américain qu'elle détient. Un nombre incalculable de procès, qui visaient au retrait de la loi touchant la FED, fut intenté, jusqu'à ce jour sans effet. Le premier qui essaya de faire abolir cette loi fut John F. Kennedy. On sait ce qu'il est advenu de ce président. On peut évidemment dire que c'est une spéculation, mais la première chose que son successeur, Lyndon B. Johnson, ait faite fut de retirer le projet de loi de Kennedy.

2. « Puis je vis monter de la terre une autre bête [...] Elle exerçait toute l'autorité de la première bête en sa présence, et elle faisait que la Terre et ses habitants adoraient la première bête [...] »

La deuxième bête est au service de la première – les gouvernements qui obéissent aux Illuminati et à leur outil, Wall Street. Voici le commentaire d'un grand quotidien allemand sur l'élection présidentielle américaine de 2000 : « Peu importe que ce soit George Bush ou Al Gore qui gagne, Alan Greenspan est le président de la FED [...] » Peut-on être plus clair ?

3. « Elle opérait de grands prodiges, même jusqu'à faire descendre du feu du ciel sur la terre, à la vue des hommes. »
Cela ressemble à l'éclatement d'une bombe atomique. Qui procéda à la première explosion atomique ? Les Américains, aux ordres de ceux qui commandent au gouvernement américain, les Illuminati.

4. « Et il lui fut donné d'animer l'image de la bête, afin que l'image de la bête parlât, et qu'elle fît que tous ceux qui n'adoreraient pas l'image de la bête fussent tués. »
Cette déclaration est explicite : l'image qui s'anime et parle, ce sont la télévision et les ordinateurs. Nommez-moi un peuple qui n'adore ni la télévision ni les ordinateurs ? Imaginons Jean le visionnaire, avec devant lui une scène du futur, qui voit un homme de notre époque assis devant le téléviseur, ou qui travaille devant son écran d'ordinateur. Comment un homme de l'époque du Christ décrirait-il la scène ? Il voit les hommes de l'avenir, prosternés devant une image qui parle et s'anime. Et la télévision est l'outil principal des maîtres du monde. Tout le monde sait où se trouvent les leaders d'opinion qui façonnent le monde actuel : au « pays » de Wall Street, à New York.

5. « Et elle fit que tous, petits et grands, riches et pauvres, libres et esclaves, reçussent une marque sur leur main droite ou sur leur front, et que personne ne pût acheter ni vendre, sans avoir la marque, le nom de la bête ou le nombre de son nom. C'est ici la sagesse. Que celui qui a de l'intelligence calcule le nombre de la bête. Car c'est un nombre d'homme, et son nombre est six cent soixante-six. »
On peut interpréter cette dernière phrase de plusieurs façons. Le chiffre 6 symbolise dans la kabbale et dans le tarot l'Amoureux, la tentation, le chemin qui mène de l'esprit à la matière, alors que le chiffre 9, la

sagesse, symbolise le retour de la matière vers l'esprit. Une prophétie des Indiens Pueblos du nord de l'Arizona (les Hopis) se lit ainsi : « Personne ne pourra acheter ou vendre s'il n'a le signe de l'ours. Quand ce signe apparaîtra, nous verrons la troisième guerre mondiale. »

Comparons le signe de l'ours, son empreinte, à un code-barres. Il faut avoir à l'esprit la vision d'un Indien, remontant à plusieurs siècles, au moment où il aperçoit un code-barres. Comme il en ignore le nom, il décrit l'objet de sa vision comme la trace d'un ours qui aiguise ses griffes. Les traits des codes à barres ont des lignes doubles, qui représentent des chiffres, selon l'épaisseur et la distance entre les lignes, ce qui permet d'identifier un produit, selon un système binaire de numération. On peut distinguer douze lignes doubles, six à gauche et six à droite. Il faut ajouter trois lignes plus longues, à gauche, à droite et au milieu. Si vous cherchez dans les lignes plus courtes de droite le chiffre 6 (deux lignes courtes), et si vous le comparez aux lignes plus longues, vous verrez que les lignes plus longues représentent également un 6, mais il n'est pas écrit au-dessous des lignes. Les trois lignes doubles plus longues sont partout les mêmes ; dans le monde entier, il n'y a que les lignes plus courtes qui varient. La machine lit toujours le chiffre 666.

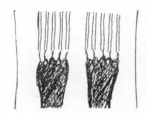 

E2. La vision des Hopis. E3. Le code-barres.

Or, le monde occidental, surtout les États-Unis, ne peut plus vivre sans code-barres ni carte de crédit. Bientôt, les hommes auront ce signe sur la main, sur le front ou sous la peau, au même endroit. Pourquoi certains endroits particuliers ? Parce que la puce est alimentée par une batterie et une petite pompe à chaleur, qui se recharge par les variations de chaleur entre froid et chaud. La main et le front sont les deux endroits où la température du corps varie le plus. Elles permettent aussi d'identifier une personne.

Il est intéressant de comprendre la symbolique du plus grand ordinateur de la planète à Bruxelles, que l'on appelle « la bête ». D'évidence, le chiffre 666 a un rapport avec les codes zébrés et les cartes de crédit, donc avec l'argent et les banques. Le code de la Banque mondiale est 666, les cartes de la Banque Nationale de l'Australie portent le chiffre 666. La Banque de réserve indienne de Bombay utilise comme code le chiffre 666. Les nouvelles cartes de crédit américaines ont comme préfixe le chiffre 666. Les reçus de caisse aux États-Unis ont des points gris qui entourent le chiffre 666. Qui a introduit la carte de crédit et qui utilise le tatouage au laser dans différents domaines ? Ce sont les banques privées internationales. Elles ont institué le système de la FED en 1913, elles contrôlent Wall Street et elles peuvent ruiner de grandes entreprises, voire des pays entiers. Et ces camarades, qui ont asservi le monde grâce aux taux d'intérêt, se serviront d'un krach bancaire artificiel (doublé d'une guerre ou d'un attentat mis en scène), pour remplacer l'argent liquide par de l'argent plastifié, en vue de parvenir à leur objectif de gouvernement planétaire, donc le Nouvel Ordre Mondial. Comment cela se fera-t-il ? C'est très simple. Il y aura une inflation et on imprimera de l'argent, pour entretenir le monde économique, comme nous l'avons déjà vécu. Il y a une variante, l'introduction d'une monnaie unique, peut-être l'eurodollar. On peut penser qu'il n'y aura pas assez de temps pour imprimer autant d'argent et combler les besoins des gens, la population mondiale ayant beaucoup augmenté depuis le dernier effondrement. On se rappelle combien de temps il a fallu pour introduire l'euro. Et on attendra la solution parfaite, la société sans argent liquide, la société de l'argent virtuel ou plastifié (la carte de crédit). Comme chaque détenteur de compte a une carte de crédit, on veut nous faire croire que la vie économique peut fonctionner seulement avec des cartes de crédit. Personne ne doit se préoccuper des cours des monnaies, les « chefs » de Wall Street s'en occupent. Comme le dit le slogan d'une banque : *Vivez, nous nous occupons du reste !*

Toutefois, relisons la dernière ligne de la révélation de Jean : « [...] sans avoir la marque, le nom de la bête ou le nombre de son nom. C'est ici la sagesse. Que celui qui a de l'intelligence calcule le nombre de la bête. Car c'est un nombre d'homme, et son nombre est six cent soixante-six. »

Il s'agit de numérologie, de calcul basé sur des lettres ou des chiffres. Comme le montre l'extrait de la révélation de Jean, il s'agit du chiffre qui correspond au nom (de la bête). Selon la kabbale, à chaque lettre de l'alphabet correspond un chiffre. Chaque chiffre, chaque lettre, a sa signification, son caractère. Quand on connaît la signification des chiffres, on peut prédire une forme de caractère ou de destin. Comme il y a plusieurs systèmes de numération, il existe plusieurs interprétations des chiffres.

Un code permet d'additionner les lettres selon leur place dans l'alphabet (a=1 ; b=2 ; c=3 ; d=4... u=21). Multiplions ces chiffres par six, et nous obtenons les valeurs suivantes : a=6 ; c=18 ; u=126. D'autres codes numériques donnent des résultats très intéressants. On peut interpréter le nom de sociétés en numérologie, comme le www qui précède les sites Internet. Le w correspond au chiffre 6. Chaque fois que nous tapons www, nous composons le chiffre 666. Nous devons garder à l'esprit que, dans la dernière ligne du texte de la révélation, on parle d'un homme dont le code numérique est 666, et qui subjugue les foules par son charisme. Cette personne, on l'appelle l'Antéchrist – l'adversaire de Jésus. Son objectif est l'avènement du Nouvel Ordre Mondial, avec une seule religion, unifiée. Les voyants nous donnent des indications sur cet homme et sa façon de se présenter. C'est une personne née au Moyen-Orient ou en Israël (selon les voyants), au début des années 1960, et qui doit apparaître sur la scène mondiale sous peu.

Jeane Dixon, une femme célèbre parmi les médiums, en fait un portrait détaillé : « Il s'appliquera à séduire l'humanité, par une idéologie qui réunira des concepts politiques, philosophiques et religieux, et qui plongera les hommes dans une crise existentielle profonde [...]. Les hommes seront aveuglés par les progrès de la technologie et du bien-être, qui font partie de cette idéologie. La société aura une forme d'adoration fétichiste pour elle-même et ses acquis matériels, jusqu'au point où les hommes diront : "Nous sommes la force, nous n'avons pas besoin de Dieu. Je n'ai besoin que de ma science humaine." »

Il fera des miracles, que les nouvelles technologies rendront possibles. Jeane Dixon est persuadée que l'Antéchrist sera pour l'essentiel un phénomène à caractère politique : « Ce sera un militaire, qui va conquérir le monde, et le tenir en respect à l'aide d'armes révolutionnaires [...]. Il se proclamera lui-même le "prince de la paix" [...] Il introduira une religion particulière, basée sur l'athéisme, qui combattra toute autre forme de religion. » La voyante américaine Mary a dit en 1930 que « Lucifer se fera un corps de matière, pour apparaître comme homme parmi les hommes ».

76 et 77. Une carte d'identité allemande.

Pour comprendre l'essence de l'Antéchrist, tournons-nous vers Jésus, dont il est l'opposé. Voici ce que dit Amadeus Voldben (pseudonyme d'Amadeo Rotondi), un écrivain italien du début du XXᵉ siècle : « Le Christ représente la force du bien, la synthèse de la grande lumière, capable de délivrer et de sauver les hommes. Ce qui n'est pas en harmonie avec lui, lui est opposé. La cheville ouvrière de la vie des hommes est la lutte, pas contre les autres, mais contre les forces intérieures que nous portons en nous. Les autres sont les prétextes, les mauvais objets, des forces qui sont à l'œuvre en nous-mêmes. C'est une lutte qui se répète jusqu'à la fin, et qui s'achève par la déroute des forces négatives qui sont en nous, qu'on appelle l'Antéchrist. Chaque être humain est un champ de bataille. Tout ce qui est brut et animal, l'orgueil, l'égoïsme, la haine, la luxure, disparaît peu à peu comme l'ombre qui cache le soleil, car la lumière du bien progresse. Les forces négatives du mal, opposées au Christ, qui ont cent noms et mille aspects (l'esprit autoritaire, l'intolérance, la violence, l'impudence), sont incarnées par l'Antéchrist, le mal par excellence, le messager direct du diable. « L'apparition de cet impie se fera, par la puissance de Satan, avec toutes sortes de miracles, de signes et de prodiges mensongers » (Deuxième épître de Paul aux Thessaloniciens, II, 9), dont les succès sont illusoires et limités. Dans le Livre de Job, il est dit que le Dieu des Hébreux, cédant au défi lancé par Satan, lui permet d'éprouver un homme intègre et droit, qui craint Dieu et s'écarte du mal (Livre de Job, chapitre 1). »

Il est possible que l'Antéchrist ne symbolise que l'expression de l'ego, avant l'avènement de l'âge d'or. Mais l'Antéchrist pourrait être aussi un individu. En plus de l'*Apocalypse de Jean* qui met en garde contre le Nouvel Ordre Mondial, il y a aussi Jean de Jérusalem (Jean de Vézelay), que nous avons évoqué dans le chapitre sur les Templiers. Il avait mis en vers ce qu'il avait trouvé dans les textes des Atlantes, et qu'il avait présenté à un cercle restreint. Il y a neuf cents ans, il prédisait ceci :

« Lorsque commencera l'An Mille qui vient après l'An Mille
Un ordre noir et secret aura surgi
Sa loi sera de haine et son arme le poison
Il voudra toujours plus d'or et étendra son règne sur toute la terre
Et ses servants seront liés entre eux par un baiser de sang
Les hommes justes et les faibles subiront sa règle
Les Puissants se mettront à son service
La seule loi sera celle qu'il dictera dans l'ombre
Il vendra le poison jusque dans les églises
Et le monde marchera avec ce scorpion sous son talon
Lorsque commencera l'An Mille qui vient après l'An Mille
Régneront des Souverains sans croyance
Ils ordonneront aux foules humaines innocentes et passives
Ils cacheront leurs visages et garderont secrets leurs noms
Et leurs châteaux forts seront perdus dans les forêts
Mais ils décideront du sort de tout et de tous

Personne ne participera aux assemblées de leur ordre
Chacun sera vrai serf et se croira homme libre et chevalier
Seuls se dresseront ceux des villes sauvages et des fois hérétiques
Mais ils seront d'abord vaincus et brûlés vifs. »

Entre temps, nous savons grâce à quelles connaissances ces familles de magnats ont réussi à devenir si influentes. Et vous avez sûrement envie de savoir si le Nouvel Ordre Mondial est absolument nécessaire, ou s'il ne se réalisera pas.

En 2003, j'ai rencontré à Amsterdam le grand maître d'une loge belge, et après avoir longuement discuté avec lui, je peux vous assurer que leur objectif est en vue. Depuis 2003, on implante en Allemagne des micropuces pour les stimulateurs cardiaques. Aux Pays-Bas, en Nouvelle-Zélande et aux États-Unis, c'est le cas depuis une décennie. Beaucoup de gens pensent qu'ils vont pouvoir y échapper. La disparition du paiement en espèces progresse.

En 1996, j'ai eu besoin d'un garde du corps en Suisse. Il avait travaillé pendant des années pour les services de protection contre l'espionnage économique. Le jeune homme disait avec fierté qu'en Suisse les terminaux étaient prêts, et que bientôt toutes les opérations financières se feraient par carte ou par chèque. C'était en 1996. Ne nous faisons pas d'illusions, bientôt il n'y aura plus d'argent liquide. Rien ne peut empêcher l'avènement du Nouvel Ordre Mondial, sans doute est-il nécessaire au processus de maturation de l'humanité. Il y a quelques années, il y avait encore une possibilité de diriger l'humanité dans une autre direction, mais nous l'avons laissé passer.

Si nous voulons soustraire le pouvoir aux Illuminati, il faut abolir le système (bancaire) à base d'intérêts et la Bourse, qui sont leurs outils et leur poule aux œufs d'or, mais le monde ne peut plus être déconnecté du système de la FED ; à cause de la mondialisation, nous pouvons voir de quelle façon « démocratique » l'euro a été introduit. La chute des Illuminati plongerait le monde dans le chaos. Nous ne pourrons toutefois pas l'éviter non plus, car le Nouvel Ordre Mondial progresse, par la lutte contre le terrorisme qu'on a créée artificiellement. Le sceau du Rite écossais des francs-maçons énonce *Ordo ab chao*, qui veut dire « du chaos jaillit l'ordre ».

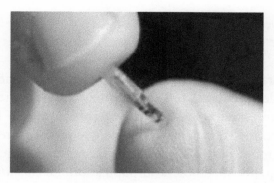

78. Les puces électroniques sont aujourd'hui devenues si « banales » que nous n'y prêtons même plus attention. Elles sont partout : dans nos machines à calculer, nos ordinateurs, nos appareils ménagers, etc. Depuis quelques années, nous les trouvons aussi sur nos cartes bancaires, voire nos cartes de sécurité sociale ou… nos cartes d'identité ! On implante même aujourd'hui sur des animaux des micropuces fort proches de celles dont il est question dans cet article, et qui contiennent des données médicales sur l'animal (nom, vaccinations, etc.) et permettent de l'identifier, de le localiser, de le traquer et de le retrouver par satellite lorsqu'il s'est perdu ou échappé. Bref, ce qui n'était hier encore que science-fiction est aujourd'hui bien réel. Poursuivons un peu la réflexion : si l'on est parvenu à appliquer cette technique sur des animaux, pourquoi ne pourrait-on pas en faire autant sur les êtres humains ? (AMESSI – Alternatives Médecines Évolutives Santé et Sciences Innovantes)

Les Illuminati fomentent le chaos comme ils le peuvent en abolissant les frontières, en abrutissant les enfants, avec la violence et le sexe à la télévision, dans les jeux vidéo et par Internet, et avec la destruction des valeurs traditionnelles de la famille et de l'honneur, par le biais de la pornographie et des drogues.

Les gens n'ont plus le sentiment d'être en sécurité, ils sont pleins d'angoisse, à la recherche d'une force rassurante. Ce que font les gouvernements avec l'augmentation de la surveillance, du contrôle des individus. Personne ne peut aller à l'encontre de ce développement. En 1997 déjà, un grand maître de loge berlinoise expliquait que le monde serait la proie d'une vague de terrorisme. Les événements suivent leur cours…

Je ne voudrais pas vous faire peur, mais si les hommes continuent à se « dégonfler », nous savons où cela nous a déjà menés. Ce qui est plus inquiétant, c'est ce qu'on envisage de faire avec les « bouches inutiles ». Comme vous ne voyez pas ce que je veux dire, je vais vous relater un entretien que j'ai eu avec un « Illuminé » américain, en 2003. Un de leurs grands soucis est la surpopulation. Le *Global 2000 Report*, un rapport de prospective commandé par le président Jimmy Carter en 1980, aurait dû nous mettre la puce à l'oreille. Selon ce rapport, l'Arabie Saoudite atteindra en 2012 son niveau maximal de production de pétrole, et après il y aura un problème.

Quand un puits de pétrole a atteint les deux tiers de sa capacité d'extraction, les impuretés (sédiments, boues) exigent une filtration supplémentaire, qui augmente le coût de production. C'est ce qu'on appelle le niveau de production maximal, car les bénéfices commencent ensuite à chuter.

Lorsque j'ai abordé le sujet de l'énergie libre, l'Américain m'a répondu que c'était un trompe-l'œil, car seulement 20 % du pétrole servait aux moyens de transport et au chauffage… Il m'a dit que tout ce que nous utilisons est fait à base de pétrole : les vêtements, les peintures, les plastiques, les ordinateurs, les jouets, les chaussures, les appareils photo…

Tout augmentera, mais le problème principal, auquel nous devrons faire face en 2012, sera la surpopulation. Les prix augmenteront, il y aura moins de travail. On a donc demandé aux pays émergents de prendre en main ce problème. Ce qu'ils n'ont pas fait. « C'est à nous de nous en occuper. Nous avons donc développé une arme ethnique, qui permet de toucher certaines populations précises. » Les peuples d'Afrique sont, par exemple, des bouches inutiles, qui ne produisent rien, qui consomment de plus en plus et se reproduisent « comme des lapins ».

Pour cet homme, les masses de ces peuples sont comme des animaux, ils ont les mêmes comportements. Les hommes sont à considérer comme un troupeau, et que fait-on avec des bêtes ? On les marque ! On implantera une puce sous leur peau. Il y a un autre facteur dont il faudra tenir compte, l'influence grandissante des intelligences extraterrestres, qui ne laisseront pas le choix aux Illuminati. Rappelez-vous les êtres qui viennent sur la Terre pour exploiter les ressources dont ils ont besoin.

Si le citoyen moyen savait tout ce qui se passe sur cette planète, il aurait sans doute une vision complètement différente. Les Illuminati préparent l'humanité à comprendre la réalité par le truchement des films de science-fiction d'Hollywood.

Lors de cet entretien, j'ai pris des notes, dont je publie quelques extraits. Je lui demande : « Pourquoi le Nouvel Ordre Mondial est-il le but à atteindre ? » Il me répond avec un petit sourire : « Monsieur Van Helsing, vous voyez bien que nous y sommes déjà. George Bush senior l'a instauré officiellement en 1990, le monde entier était devant son poste de télévision ce jour-là, ce n'est donc plus un secret, même si les lois qui préparaient son avènement existent depuis longtemps. Le Nouvel Ordre Mondial est là, il n'y a pas d'autre voie possible. Comme vous l'écrivez vous-même dans vos livres, que nous avons lus, il y a des civilisations extraterrestres qui sont venues nous rendre visite et continuent à le faire. Nous sommes devenus leurs alliés, ils ont besoin de matières premières ; en échange, ils nous donnent de nouvelles technologies. Les gens s'étonnent qu'il y ait une révolution technologique depuis les années 1950 […] Mais on ne peut pas leur dire pourquoi, pas encore. À qui ces êtres très intelligents peuvent-ils s'adresser pour négocier ? À un cheikh arabe, un moine bouddhiste, qui est plus en lévitation que les pieds sur terre ? À un Turc d'Antalya, un Mexicain du ghetto de Mexico, un Italien de Sicile ou un paysan des Alpes ? Ce ne sont pas de bons représentants de notre monde. Dans les années cinquante, il y avait déjà des émissaires de ces mondes différents dans diverses commissions, au Pentagone même. Ils nous ont encouragés à créer rapidement un gouvernement mondial, par le biais de l'ONU. Les moyens que nous utilisons ne sont pas toujours très « propres » ; celui qui s'oppose à nous, nous le détruisons. L'avenir de l'humanité est dans l'espace, nous ne pouvons coopérer avec les peuples de l'Univers que si nous sommes unis dans un seul monde. Il n'y aura plus de guerres, nous imposerons un gouvernement unique auquel les hommes s'habitueront. Nous avons expliqué notre projet à tous les gouvernements. Ou ils coopèrent, ou nous les forçons à le faire, par des guerres, des révolutions ou des crises économiques. Ils ne vont pas croire qu'un musulman va expliquer le Coran à un Vénusien […]. Là, il y a un autre problème. Nos visiteurs n'ont pas la même compréhension de Dieu que nous. Ils n'ont pas de Bouddha ou de Moïse. Ils en ont entendu parler, ils ont du respect pour ces croyances, tant que cela ne remet pas en cause la communication avec eux. Toutes les croyances qui les considèrent comme des ennemis n'ont pas d'avenir sur cette Terre. Nous préparons l'humanité depuis longtemps à cette perspective. Beaucoup de ces visiteurs, avec qui nous travaillons, viennent d'un autre système solaire et ont une apparence différente de la nôtre. Croyez-vous que nous allons pouvoir discuter avec un croyant obstiné ? Les différentes croyances ne renonceront pas d'elles-mêmes à leurs enseignements hérétiques, nous en avons fait l'expérience. C'est pour cela que nous devons les dissoudre. »

J'ai ensuite changé de sujet et commencé à parler de l'éducation des enfants, que l'on abrutissait de façon délibérée par l'entremise des médias. Il m'a répondu : « C'est vrai, mais les gens peuvent choisir la station de leur choix. Nous avons des sites pornographiques qui cannibalisent l'esprit, nous avons également des stations qui jouent de la musique classique, des pièces de théâtre. Croyez-vous que j'ai déjà regardé un talk-show ? C'est ce qu'il y a de plus bas. Nous occupons ces gens pour qu'ils ne fassent pas de bêtises. Bientôt, ils auront tous une puce sous la peau, ils ne pourront plus faire n'importe quoi.

Croyez-vous que mes enfants et ceux de nos associés suivent la tendance, comme le font la plupart des jeunes ? Certainement pas. Nos enfants sont bien élevés et élégants, ils fréquentent les écoles des élites, ils parlent plusieurs langues et pensent de façon globale. Ce sont les chefs de demain que nous éduquons. Ils sont droits et fiers. Regardez la jeunesse actuelle, ils ont les épaules qui tombent, ils ne vous regardent pas dans les yeux, ils ne vous serrent pas la main de façon franche et ne s'expriment pas clairement. Je l'admets, nous les séduisons. Mais chacun a le choix de se laisser séduire ou pas, chacun est responsable. »

Je lui ai répondu : « Oui, mais c'est dû à vos émissions de télévision, et à la façon dont on les bombarde de mensonges et de manipulations de l'histoire… » Ce à quoi il rétorqua : « C'est faux, mon jeune ami. N'avez-vous pas trouvé la vérité par vous-même ? N'avez-vous pas eu accès aux livres et aux écrits que vous cherchiez ? N'avez-vous pas eu la confirmation des choses que vous ressentiez ou que vous avez vécues ? N'est-ce pas vous particulièrement qui avez découvert un grand nombre des secrets de ce monde ? Celui qui cherche trouve ! Mais la plupart des gens ne cherchent même pas. C'est la raison pour laquelle nous ne les différencions pas des animaux : eux non plus ne cherchent pas, vous comprenez ? Celui qui ne se sert pas de son raisonnement et ne se bat pas pour sa liberté n'est pas en manque. Le savoir est disponible, partout. Celui qui ne veut pas voir ne voit évidemment pas. Vous savez que nous ne nous cachons pas, nous ne nous sommes jamais cachés, en fait. Notre symbolique est visible dans les logos des marques et les différents emblèmes. Nous disons aux gens que nous voulons imposer un état de surveillance et personne ne se rebelle. Je conviens du fait que nous les avons manipulés, mais ils avaient en théorie la possibilité de changer les choses. Nous ne pouvons tolérer aucun contretemps, même pas de vous, monsieur Van Helsing. Je peux suivre votre cheminement, dans un sens, il est justifié, de votre point de vue, mais êtes-vous capable de comprendre le nôtre ?

Vous n'avez gratté que la pointe de l'iceberg, peut-être un peu plus. Je sais des choses qui vous pousseraient sans doute à changer d'avis sur le Nouvel Ordre Mondial, si vous les connaissiez. C'est comme dans le film *Matrix*. Il y a la masse, c'est-à-dire 95 % de la population, qui n'y connaît rien, mais rien de rien. Il y a les 5 %, s'il y en a autant, qui se sentent comme les hommes de demain et vivent de façon forcée dans un monde du passé. Monsieur Van Helsing, nous disposons d'une technologie qui a atteint le niveau que vous pouvez voir dans les films de science-fiction d'Hollywood, que nous présentons au peuple. Il n'y a pas de retour possible. Peut-être qu'un jour vous serez de mon côté et que vous me donnerez raison. »

Je demande : « L'argent liquide va disparaître. Quand ? » Il affirme, alors : « Cela dépend de l'évolution de certains facteurs. Il y aura de nouveaux attentats terroristes, qui vont exacerber encore plus les tensions. Les gens nous demanderont plus de sécurité, nous avons la technologie, nous irons dans leur sens. L'argent liquide disparaîtra, cela se produira en parallèle d'un autre événement, dont je ne peux vous parler, sinon je ne pourrais pas vous laisser rentrer chez vous cette nuit. Il est clair que nous ne pourrons pas laisser aux États arabes les derniers champs de pétrole jusqu'en 2012... »

Je poursuis en demandant : « L'énergie libre est-elle à nos portes ? » Et sa réponse n'attend pas : « Elle viendra, nous l'utilisons depuis des années dans nos installations souterraines. Nos transporteurs de l'espace en utilisent une variante. Là aussi, nous avons bénéficié de l'appui des Allemands, qui ont été les premiers à avoir du succès avec l'antigravité. L'énergie libre fera son apparition, mais sous notre contrôle. »

Et ainsi de suite... C'est brutal, non? C'est l'état des choses. Après l'entretien avec cet homme, j'en suis venu à la conclusion qu'il pense vraiment être du bon côté. Il est convaincu de l'incapacité des gens de prendre des décisions, et de leur besoin d'être dirigés – par une élite, à laquelle il pense appartenir.

Comment voyez-vous les choses ? La fin peut-elle justifier les moyens, quels qu'ils soient ? Et jusqu'où peut-on aller ? Pour ma part, je m'en tiens à l'ancienne sagesse qui dit : « Ne fais pas aux autres ce que tu ne veux pas qu'on te fasse ! » En fait, comme nous le verrons plus loin, il existe bel et bien un projet pharaonique, à long terme, sur notre Terre. Les Illuminati en sont partie prenante, ils montrent aux gens assoupis qu'on leur a pris leur liberté, avec leur consentement, de façon brutale, et que cela a des conséquences. Ils servent la cause qui veut toujours le mal, et qui, en fin de compte, fait le bien. À l'avenir, nous dirons sans doute en regardant en arrière : « C'est ainsi que cela devait se passer ! »

Même l'attentat du 11 septembre 2001 était planifié, depuis longtemps. Dans mon essai prophétique, *Le livre 3 – La troisième guerre mondiale,* je l'ai expliqué sur trois cents pages, et le livre est paru en 1996. Entre temps, j'ai déniché trois enfants médiums, dont on a prouvé qu'ils avaient vu les attentats du 11 septembre dix mois avant qu'ils ne se produisent. Cet événement était déjà manifeste. Ces enfants ont évidemment vu des événements pour les années à venir, ils nous promettent du suspense. Essayons de savoir si tout doit arriver comme cela a été prédit et planifié par les Illuminati. Pour que je puisse répondre à cette question de façon sensée, nous devons faire d'abord quelques révisions et reconsidérer les prémices de la vie, pour que ce que je vous explique ait un sens, et que vous soyez familiers avec un certain vocabulaire.

Considérons d'abord…

11. LES LOIS COSMIQUES

Le monde physique a ses lois, le monde subtil les siennes. On parle des lois de l'esprit ou des lois cosmiques. Le mot *cosmos*, qui vient du grec, signifie *ordre*. Nous vivons à l'intérieur d'un système ordonné, nous sommes une partie de cet ordre. Tout ordre est soumis à des lois précises, sinon ce n'est pas un ordre, c'est un *chaos*, qui vient aussi du grec et signifie *désordre*. Nous faisons donc partie intégrante de cet ordre et de ses lois.

Je vais vous résumer rapidement les lois les plus importantes. Je citerai des extraits de mon livre *Die Kinder des neuen Jahrtausends* [*Les enfants du nouveau millénaire*] ; que ceux de mes lecteurs qui le connaissent déjà m'accordent leur indulgence. Malgré tout, je leur en conseille la relecture, car comme les médias et les livres d'histoire répètent toujours les mêmes contrevérités, il est important de rappeler encore et encore la vérité.

La loi de causalité (la loi du karma)

C'est la loi de cause à effet. On peut la résumer par cette phrase : on récolte ce que l'on sème. Selon cette loi, nous récoltons de la destruction quand nous semons la haine et la colère. Si nous plantons du blé, nous récolterons 100 % de blé, pas de l'orge. Et selon le soin et l'attention que nous y apportons, notre récolte sera d'autant plus riche et importante. On appelle aussi cette loi, la loi de l'équilibre ou du karma, qui veut dire *action* en sanscrit, et qu'on définit comme la voie du service. Elle repose sur le fait que nous, les hommes, ne pouvons apprendre à avoir un comportement qui respecte les lois divines de l'esprit qu'en recevant en retour, et en ressentant personnellement ce que nous avons fait à autrui. Ce n'est pas une punition, comme le prétendent les esprits chagrins ou ignorants. C'est beaucoup plus un processus de maturation de l'âme, s'inspirant des expériences de vie. Cette loi veille à ce que chaque être humain, chaque âme, soit en butte au même problème, jusqu'à ce qu'il puisse le résoudre. Ainsi, chaque pensée, chaque sentiment devient éternel et nous revient comme un boomerang. Elle exige de chacun de nous de prendre en main notre destinée et d'en assumer la responsabilité.

Un être clairvoyant peut voir le karma d'une personne par son champ d'énergie, son aura ; il devine tout ce que cette personne a pensé, ce qu'elle a fait, ce qu'elle a semé. Il ne peut sans doute pas voir son avenir, il peut voir ce qu'elle a provoqué dans sa vie, et peut révéler à l'intéressé les conséquences de ses actes. Et les choses se passeront comme il les a vues, si la personne ne change rien à sa vie. Le destin est variable. Si demain nous prenons une décision constructive et pleine d'amour, elle aura une influence sur notre devenir.

La loi d'analogie

Cette loi est dite aussi « loi hermétique », d'après Hermès Trismégiste : ce qui est en haut est comme ce qui est en bas, et inversement, pour accomplir le miracle d'une chose unique. « Comme au ciel » en est une variante. Les lois du macrocosme et du microcosme sont les mêmes. L'esprit, la conscience et la spiritualité sont liés à la matière. Mais il y a un problème pour mesurer la qualité de ces mots abstraits. L'éthique, l'amour, la sagesse, la connaissance, la vérité et la paix ne sont sur terre qu'une pâle copie de leur réalité dans l'au-delà. Nous n'utilisons que 20 % de nos capacités mentales et nos étincelles divines ne sont que des portions congrues de communication avec le divin ; alors, nous ne pouvons qu'entrevoir ce que cet axiome pourrait signifier dans notre vie. La loi d'analogie renferme aussi l'idée que l'intérieur est semblable à l'extérieur. L'organisme est le reflet de l'âme. Une maladie reflète l'état intérieur, l'âme du malade.

La loi de résonance

L'homme et le monde de l'esprit sont soumis, tels le diapason et le récepteur radio, à la loi de résonance. De même qu'une radio branchée sur les ondes courtes ne peut recevoir les grandes ondes, une personne pleine d'agressivité et de haine n'est pas réceptive à l'amour. Chacun de nous ne peut ressentir que les plans de la réalité avec lesquels il est en résonance. On dit que chacun ne voit que ce qu'il veut voir, que nous ressemblons aux gens que nous fréquentons.

Notre entourage nous renvoie ce que nous rayonnons. Si nous mentons, on nous ment ; si nous sommes peureux, nous devons confronter nos peurs. Si nous sommes en résonance avec des sentiments d'amour, nous attirerons des sentiments analogues. Si nous vivons dans la joie et la gaieté, nous trouverons toujours de quoi nous en procurer. C'est la capacité de résonance. Si nous changeons notre façon de considérer certaines choses, notre environnement changera, comme un miroir. Dans l'au-delà, on parle de loi d'affinité ou de principe d'attraction mutuelle. Cette force élémentaire fait apparaître ce que nous ressentons, comme le ciel et l'enfer. Si toutes les âmes des menteurs se retrouvent dans l'au-delà, avec les suicidaires, les usuriers et les escrocs, ils sont tous véritablement en enfer. Sur terre, c'est pareil. Soumis à la loi de résonance, les menteurs se retrouvent entre eux, de même que les escrocs et les usuriers, et ils vivent l'enfer sur terre.

La loi de la réincarnation (basée sur la loi du rythme)

On peut définir le rythme comme une vibration régulière. Le rapport entre une vibration et une note de musique est comme le lien entre le rythme et la mélodie. Le rythme implique une répétition et des cycles. On peut expliquer tout l'univers avec des mots tels que vibration, rythme et ondes, comme une suite de phases structurées, périodiques, inhérentes à chaque événement. La vie et tout ce qui va avec s'étend dans une progression de cycles, en forme de spirales, et se rétracte de la même façon. Tout se transforme à un certain moment en son contraire. La loi de la réincarnation en fait partie. Tout comme la vie matérielle se divise en deux polarités, mâle et femelle, la vie est partagée en deux : ici-bas et dans l'au-delà. Si nous mourons ici-bas, nous naissons dans l'au-delà, qui devient alors notre réalité.

Si nous quittons l'au-delà, nous renaissons ici. Celui qui peut prendre du recul par rapport à la subjectivité des apparences s'aperçoit que la naissance et la mort, l'ici-bas et l'au-delà, sont deux faces de la même médaille. La vie se joue dans un va-et-vient entre deux plans, dans le monde des polarités, le plan matériel et le monde subtil. Quand on revient du monde de l'au-delà dans le monde physique, on parle de réincarnation et de renaissance.

Lorsque nous changeons de plan, nos bonnes et nos mauvaises actions nous accompagnent dans la nouvelle incarnation, afin que l'expérience du bien et du mal faits aux autres permette notre progression spirituelle. C'est basé sur la loi de cause à effet : nous récoltons ce que nous avons semé.

On parle traditionnellement de la roue des réincarnations. Certains pensent que ce jeu des naissances, morts et réincarnations dure éternellement, car nous créons sans cesse de nouvelles causes, qui créent à leur tour de nouveaux effets. Ce n'est pas cela, heureusement, car je n'en aurais pas envie. Quand on atteint un certain degré de développement et de conscience, ou, plus simplement, lorsqu'on est une personne « pleine d'amour », on ne revient plus sur terre. Nous nous libérons de la roue des réincarnations en ayant accompli les devoirs que nous nous étions fixés, et que nous avons vécu ce que nous voulions vivre. Nous pouvons alors décider librement de nous incarner à nouveau, pour aider un ami à évoluer, pour être un guérisseur ou un moine. Si nous ne le voulons pas, l'évolution de notre âme continuera dans les mondes subtils. Et là il n'y a pas de frontières, mais des plans et des dimensions différents.

Il est possible d'atteindre ce degré ultime par la connaissance de soi, par un travail sur soi, dans le sens de l'enseignement de Jésus, et on peut devenir soi-même un joyau.

Mon père explique cela plus précisément dans son livre *Jesus 2000 – Das Friedensreich naht* [*Jésus 2000 – Le royaume de la paix est en vue*] : « Pour permettre le processus de maturation, il y a la réincarnation, qui n'est pour beaucoup de gens qu'une théorie ou une hypothèse, même si sont de plus en plus nombreux ceux pour lesquels elle représente la seule logique de la compréhension du monde et de Dieu, comme le montrent les nouvelles parutions, les séminaires et les congrès internationaux de ces dernières années. La définition même du mot pose problème. *Réincarner*, de retour dans la chair, est une traduction du latin et donne *réincarnation* ou *palingenèse*, qui est la théorie du retour dans la matière et des vies terrestres à répétition. La métempsycose (la migration des âmes) implique que le moi puisse se réincarner en un animal ou en un végétal. Elle est souvent utilisée pour ridiculiser les adeptes occidentaux de la réincarnation, mais cela n'a rien à voir avec la pureté de la théorie gnostique originelle, qui est définie comme la voie hindoue, par opposition à notre processus de maturation chrétien. »

Je vais prendre trois exemples, qui vous montreront clairement ce que ressent une personne qui se souvient de ses incarnations antérieures. Il s'agit de trois enfants qui nous racontent leurs expériences. Trutz Hardo, un des meilleurs experts en réincarnation et un thérapeute en régression, nous raconte les deux premiers cas. Il a publié plusieurs livres sur la réincarnation et a ainsi contribué à la compréhension de ce phénomène. Son livre, *Children Who Have Lived Before – Reincarnation Today* [*La réincarnation aujourd'hui – Des enfants prouvent leur renaissance*], en est l'œuvre principale.

En voici un épisode, intitulé *Ma mère habite à Charles City* : Romy est la fille de Barry et de Bonie Crees, qui vivent à Des Moines, Iowa (États-Unis), où ils sont nés. La petite fille parle souvent du fait qu'elle était avant un garçon, au nom de Joe Williams. Peu à peu, les parents en apprennent de plus en plus sur la vie de Joe Williams. Au début, ils pensent que cette histoire est issue de l'imagination de leur fille. Elle prétend avoir vécu à Charles City. Peut-être a-t-elle eu connaissance de cette ville, qui se trouve à 250 kilomètres de Des Moines, par la télévision ? Elle déclare aussi avoir été mariée avec une femme, Sheila, et ils auraient eu trois enfants ensemble. Elle raconte également que sa mère s'appelait Louise Williams, et que Joe a grandi dans une maison avec un toit aux tuiles rouges. À la suite d'un incendie qu'elle a provoqué, sa mère a souffert de brûlures à la main et aux jambes. Romy montre l'endroit où sa mère s'est brûlée. Elle demande sans cesse à sa mère de l'emmener à Charles City, car elle veut rendre visite à son ancienne mère, pour lui dire que tout va bien et lui présenter ses nouveaux parents, qui ne savent toujours pas quoi en penser. Alors qu'ils se trouvent sur une route, une moto passe devant eux à grande vitesse, et Romy est prise de panique. Elle raconte à ses parents comment, en tant que Joe, elle a perdu la vie avec sa femme Sheila, à la suite d'un accident de moto. Voyant l'insistance de Romy, les parents finissent par accéder au souhait de leur fille. Comment procéder ?

Ils ont entendu parler d'un professeur indien en Californie, Hemendra Banerjee, qui étudie les cas d'enfants se souvenant de leur vie antérieure. Ils prennent contact avec lui. Il se rend à Des Moines en 1981, accompagné de sa femme et de deux journalistes de la revue *Allers*, pour enquêter sur le cas de Romy Crees. Il s'agit d'un cas exemplaire dans la recherche sur la réincarnation, car, pour une fois, le chercheur s'empare d'un cas non résolu par la personne concernée. La plupart du temps, le chercheur ne peut s'appuyer que sur les récits de tierces personnes, dans l'espoir que les faits rapportés soient semblables à la réalité. Après s'être fait expliquer encore une fois l'histoire de Romy, le professeur et ses accompagnateurs, dont la famille, prennent la route. Dès que Charles City apparaît à l'horizon, Romy devient de plus en plus nerveuse. Elle passe sur le siège avant et, en entrant dans la ville, elle annonce : « Nous devons acheter des fleurs pour maman Williams, elle aime beaucoup les fleurs bleues. Nous ne pouvons pas entrer par la porte de devant, il faut passer par celle de derrière. »

Ils achètent les fleurs bleues, consultent l'annuaire téléphonique et trouvent l'adresse de Louise Williams. Romy montre le chemin, naturellement, et arrivent à la maison qu'elle a décrite, dans la banlieue de Charles City. La maison de plain-pied blanche n'a pas de tuiles rouges, comme l'a dit Romy. Une pancarte invite à entrer par la porte de derrière. Une femme assez âgée ouvre la porte, s'appuyant sur une béquille et portant un bandage à la jambe droite. Quand ils lui demandent son nom, elle répond « Louise Williams ». « Avez-vous eu un fils qui s'appelait Joe ? » Elle répond oui. Ils lui expliquent vouloir s'entretenir avec elle, mais elle n'a pas le temps, car elle doit se rendre chez son médecin, mais elle sera disponible ensuite. Romy est très déçue, elle s'était imaginé la rencontre autrement, et en oublie même de lui offrir les fleurs bleues. Elle a les larmes aux yeux.

Une heure plus tard, le groupe revient. Mme Williams les prie d'entrer. Romy lui tend le bouquet de fleurs, la femme est très surprise, et elle leur dit que c'est son fils Joe qui lui en avait offert la dernière fois. Ils lui expliquent alors qui est Romy, qu'elle se souvient de sa vie passée, lorsqu'elle s'appelait Joe Williams. Mme Williams est décontenancée, elle donne l'impression d'un humain qui rencontre pour la première fois des extraterrestres parlant de leur passé. Elle confirme les détails que donne Romy, mais ne peut pas comprendre qu'une petite fille puisse connaître l'histoire de sa vie et celle de son fils Joe. Elle ne connaît personne à Des Moines qui aurait pu en raconter quoi que ce soit. Quand ils lui parlent des tuiles rouges, elle répond que la toiture a dû être refaite après une forte tempête remontant à quelques années et qu'elles ont été remplacées. On lui relate aussi que Romy sait qu'il faut passer par la porte de derrière. Mme Williams explique que Joe les avait aidés à construire la maison, que c'est lui qui leur avait conseillé de condamner la porte de devant.

Mme Williams ne croyant pas à la réincarnation, cette histoire lui semble incroyable, mais elle se sent attirée par la jeune fille. Les deux femmes passent dans la pièce voisine, et lorsqu'elles reviennent, elles se donnent la main. Mme Williams tient une photo et rayonne : « Elle a reconnu tout le monde sur la photo ! » Elle montre cette photo prise à Noël avant l'accident ayant coûté la vie à Sheila et à Joe. Mme Williams répète sans cesse que Romy a reconnu toutes les personnes, puis elle confirme tout ce que Romy a raconté à ses parents à Des Moines, dont le fait que Joe et Sheila ont eu un accident de moto mortel en 1975, qu'ils avaient trois enfants, et qu'elle-même s'est brûlé la main au cours d'un incendie. Les noms des cousins que Romy a donnés sont exacts, mais ni les parents de Romy ni Mme Williams ne veulent croire à la réincarnation, ils sont trop conditionnés par les dogmes de l'Église catholique pour envisager la réincarnation de Joe sous l'apparence de Romy. Aucun d'eux ne peut s'expliquer le phénomène. Mme Crees exclut pourtant une imposture de la part de sa fille : « Je suis sûre qu'elle ne nous ment pas. » Nous voyons la difficulté qu'éprouvent les gens à se défaire de leurs anciens schémas cognitifs.

Le deuxième cas est différent, dans la mesure où les parents sont familiers avec le thème de la réincarnation. Nous avons affaire à une histoire criminelle – « Un enfant sur trois confond son assassin » –, racontée en premier par le professeur de médecine israélien Eli Lasch. Les Druzes sont un peuple de 200 000 personnes, établi depuis longtemps au Liban, en Syrie, en Jordanie et en Israël. Ni musulmans ni chrétiens, ils ont leurs propres croyances. En Israël, ils sont principalement installés sur le plateau du Golan et sont les seuls non-juifs qui servent dans l'armée israélienne. La réincarnation est au centre de leur religion. Dès qu'un enfant vient au monde, on cherche les grains de beauté (taches de naissance), car elles sont les traces des blessures mortelles reçues au cours de l'existence passée. Dès que l'enfant peut s'exprimer, on essaie de savoir ce qu'il sait sur son existence antérieure et sur les conditions dans lesquelles il a perdu la vie. On sait que les enfants en bas âge font difficilement la différence entre leur vie actuelle et leur vie passée, pour eux c'est une seule et même vie. À l'âge de trois ans, quand ils sont en état de faire la différence entre les deux existences, on se rend à l'endroit où l'enfant affirme avoir vécu. C'est un événement particulier, piloté par un comité d'anciens du village.

Lorsqu'une nouvelle fois, un enfant ayant atteint l'âge de trois ans et avec une tache de vin sur le front expliqua qu'il avait vécu dans les environs, un comité de quinze personnes se réunit, constitué du père de l'enfant, de parents, de quelques anciens et de trois représentants des villages environnants. Le seul non-Druze invité à ce comité était le professeur Eli Lasch, dont les recherches sur la réincarnation étaient connues. Le groupe se rendit dans le village voisin, et on y demanda à l'enfant s'il en avait quelque souvenir. Il répondit qu'il avait vécu dans un autre village. Ils s'y transportèrent, mais l'enfant donna la même réponse, donc le groupe se rendit au troisième village, où l'enfant reconnut avoir vécu. Soudain, il se souvint du nom qu'il portait dans sa vie passée. Depuis des mois, il soutenait qu'il avait été tué par un homme, avec une hache, mais il n'avait pas été capable de se souvenir de son nom ni de celui de son assassin. Un des anciens du village connaissait l'homme qui avait porté ce nom, et dit qu'il avait disparu depuis quatre ans sans laisser de traces et avait été déclaré disparu. Dans cette région, on capturait souvent des gens entre les lignes syriennes et israéliennes, qu'on fusillait ensuite pour espionnage.

Le groupe avançait dans le village et l'enfant montra du doigt la maison où il avait vécu. Beaucoup de curieux s'étaient rassemblés et, soudain, il se dirigea vers un homme, et lui dit : « N'es-tu pas... ? » (Eli Lasch a oublié le nom de l'homme). L'homme répondit : « Oui. »

Le bambin lui dit alors : « J'étais ton voisin, un jour nous nous sommes disputés et tu m'as tué avec une hache. » L'homme pâlit d'un coup et l'enfant ajouta : « Je sais même où il a enterré le corps. » Le comité se rendit dans les champs environnants et demanda à l'homme mis en cause de les accompagner. Le garçon s'arrêta devant un tas de pierres : « C'est là qu'il a caché le corps, et là, plus loin, qu'il a enterré la hache. » On enleva les pierres et apparurent des vêtements et le squelette d'un homme adulte, dont le crâne était fendu. Les regards se portèrent sur l'homme mis en cause par l'enfant. Il avoua sur-le-champ son forfait, devant tout le monde. Le groupe se rendit ensuite à l'endroit que le garçon avait indiqué, et il fallut peu de temps pour trouver la hache.

Pour les Druzes, la réincarnation est une chose naturelle et évidente : ils n'ont plus besoin d'en prouver l'existence. Pourtant, chaque fois, ils sont étonnés, époustouflés par la réalité de cette manifestation... Eli demanda quel serait le sort du meurtrier qu'on venait de confondre : on ne le dénoncerait pas aux autorités, mais il serait jugé par la communauté.

Le troisième exemple vient de mon cercle d'amis : en 2003, un de mes deux beaux-frères organisa une soirée, à laquelle il avait invité un de mes amis, Goran. Ce dernier vint avec son fils Finn, âgé de quatre ans. Goran naquit en Yougoslavie, mais il grandit en Allemagne. Une semaine auparavant, il avait rendu visite à sa mère en Serbie, accompagné de son fils, et ils s'étaient rendus avec quelques cousins sur la tombe de sa grand-mère, au cimetière du village. Au bout d'un certain temps, Goran se rendit compte que son fils avait disparu et le chercha. Il le trouva assis en tailleur devant une tombe qui lui était étrangère, regardant fixement la photo de la femme disparue accrochée sur la stèle, selon la coutume locale. Quand Goran lui demanda ce qu'il faisait là, Finn répondit qu'il connaissait cette femme. Son père lui demanda de qui il s'agissait, sachant que c'était la première fois que son fils venait au pays de ses ancêtres : « C'est Maria ! »

Goran ayant grandi en Allemagne, il ne connaissait pas l'alphabet cyrillique. Il fit signe à sa mère de les rejoindre. Elle traduisit le nom inscrit sur la tombe. Il s'agissait de Maria Dzakula, morte en 1979. La surprise était de taille. On demanda à Finn d'où il connaissait cette femme. Le garçonnet répondit : « J'ai acheté de la viande chez cette femme. » L'assistance était perplexe. Maria et sa famille n'avaient pas de boucherie, mais il leur arrivait de tuer des bêtes et d'en vendre la viande.

Comment expliqueriez-vous ces phénomènes ? J'ai rencontré un grand nombre d'enfants comme eux sur les cinq continents, j'ai fait des recherches et trouvé des réponses, souvent de la part des enfants eux-mêmes, qui savaient exactement qui ils étaient avant de renaître dans le ventre de leur mère...

Vous en saurez plus en avançant dans le livre, je vais glisser régulièrement des déclarations d'enfants médiums, pour vous montrer qu'à côté d'enfants abrutis par les ordinateurs, il existe une élite de jeunes qui grandissent et sont promis à un avenir bien rempli. J'ai abondamment parlé d'eux dans mon livre *Les enfants du nouveau millénaire*.

Revenons à la réincarnation. Le développement de l'âme humaine est un long processus d'apprentissage, de connaissance de la vie dans son ensemble. Le chemin est très long, parsemé d'erreurs et de corrections. On peut comparer ces incarnations aux classes d'école. La vie terrestre correspond à un niveau de l'école, avec ses devoirs, ses examens, ses difficultés et ses succès. Après une phase d'apprentissage survient une période de vacances, au cours de laquelle il y a des cours de rattrapage. Puis nous accédons à une classe supérieure, où nous sommes répartis selon nos résultats antérieurs. Si nous n'avons pas été bons, nous redoublons. La différence entre l'école et la vie est que cette dernière est infiniment patiente avec nous, qu'elle nous propose toujours de nouvelles opportunités d'intégrer ce que nous n'avons pas compris.

Plus une âme est évoluée, plus elle est responsable, et plus son besoin de servir les autres et d'aider les plus faibles est développé. Ce qui ne signifie pas que nous devons entrer au couvent ou être des guérisseurs. Nous pouvons être milliardaires, avoir du succès dans les affaires et nous engager dans des causes humanitaires. La différence entre les uns et les autres est la façon de traiter les employés, de partager nos réussites ; cela tient aussi aux dons que nous faisons, et à la façon d'utiliser notre puissance et notre influence pour asseoir notre position. Un homme politique aussi bien qu'un banquier peut très bien se servir de son influence pour aider les autres.

C'est l'exemple que choisit Flavio, un Argentin de sept ans, qui déclare : « La vie est une grande école ; certains sont au début, d'autres redoublent ; on monte les échelons peu à peu, jusqu'à devenir nous-mêmes des maîtres. On devient des spécialistes de l'éternité, on a le devoir de redescendre et d'aider les élèves à progresser. On leur apprend qu'ils sont tous une partie du divin, et que la vie nous abrase, nous use, nous rectifie, jusqu'à ce que tout soit parfait. »

La phrase suivante résume ces principes : « Tout ce que tu fais à Dieu, aux hommes, aux animaux ou aux plantes, que ce soit en bien ou en mal, te reviendra un jour directement. »

C'est pour cela que les coups du sort, du destin, ont toujours un arrière-plan karmique : nous avons la chance d'équilibrer ce que nous avons fait subir aux autres. Voici un exemple qui illustre mes propos. Imaginons un aimant. Il va attirer certains clous, selon sa force et la distance. Si nous l'apportons aux Pays-Bas, en Grèce, à Hawaï ou en Amérique du Sud, l'effet sera le même. Appliquons cela aux êtres humains : peu importe l'endroit où nous nous trouvons, nous portons notre aura, notre champ d'énergie, avec toutes nos peurs, de même que nos espoirs et nos schèmes. Si nous attirons l'argent ou les ennuis chez nous, nous ferons de même en Thaïlande. Si nous modifions notre schéma de pensée, donc notre comportement, nous changeons notre champ de résonance et nous attirons d'autres êtres humains et d'autres sujets.

Il en va de même avec la réincarnation. Nous venons d'observer une transplantation de notre champ d'énergie, que nous avons comparé à un aimant. Si nous conservons l'aimant sous vide pendant vingt ans, il produira le même effet : il attirera les mêmes clous, de la même taille. Pour les âmes réincarnées, c'est pareil. Le schéma de notre champ d'énergie, à la fin de notre vie, qui contient nos comportements, nos peurs, nos espoirs et nos talents, se maintiendra dans notre prochaine vie, à l'âge adulte, à l'instar de l'aimant. Il y aura un décalage temporel, mais l'âme est la même. Néanmoins, le corps sera neuf.

Une régression, ou la consultation d'un médium compétent, peut être utile dans le cas de maladies dues à des causes karmiques, pour comprendre la raison d'une souffrance, d'un accident, d'un empêchement ou d'un blocage dans notre vie. Plus tôt nous comprenons la relation de cause à effet, plus tôt nous serons capables de dissoudre ou de corriger les implications karmiques et les chemins de vie erronés, par :

- la connaissance ;
- la compréhension ;
- le pardon, vis-à-vis de nous-mêmes et des autres.

Il n'y a que nous qui sommes capables de nous libérer, car nous sommes des êtres divins, par lesquels agit le divin. C'est la fin de notre existence d'esclave, d'esclave de l'esprit ; nous devenons indépendants, nous pensons par nous-mêmes et sommes conscients de nous-mêmes. Le pardon est l'élément le plus important. C'est cet aspect que Jésus nous a enseigné, qui fait que son enseignement a des longueurs d'avance sur les autres. En faisant abstraction des visées terrestres hégémoniques de l'Église et de l'Ancien Testament, qui n'a rien à voir avec l'amour de Jésus et de son père aimant, nous comprenons les raisons qui ont poussé à clouer Jésus sur la croix.

Il est souvent question de la loi du karma en rapport avec des expériences douloureuses, négatives. Celle-ci agit dans les deux sens, également dans le sens positif, constructif ! Les privilèges appréciés de notre vie – une bonne famille, une situation financière confortable, la chance dans notre métier, des facultés de guérisseur – sont les effets positifs d'une vie antérieure.

Trutz Hardo, l'expert en réincarnation, apporte des précisions complémentaires : « Nous observons que le karma est souvent considéré de façon erronée, comme une punition pour des actes délictueux du passé. En fait, le karma n'a rien à voir avec une punition, car il n'y a pas de punition dans la création divine. Le karma implique que nous récoltons ce que nous semons. Quand, avec le temps, nous prenons conscience de ce que nous récoltons, nous apprenons à ne faire que des choses qui nous font du bien. La loi du karma nous permet de suivre peu à peu, sur plusieurs existences, la voie de la connaissance, et d'agir, de penser et de parler selon les lois divines de l'amour. »

L'univers n'oublie aucune bonne action, même si nous avons parfois l'impression d'avoir été abandonnés. C'est là que commence le travail de celui qui est sur une voie spirituelle. L'ésotériste est celui qui cherche en lui-même ; il se différencie de l'exotériste, qui vit dans le monde extérieur. L'ésotériste ne se contente pas d'une vision superficielle et purement matérielle de l'existence, dont il cherche dans les profondeurs à comprendre les causes de ce qui lui arrive : pourquoi est-il malade ou seul, a subitement du succès, tombe toujours sur le même genre de personnes ? Il voudrait savoir ce qu'il fait sur cette planète, connaître sa mission, le rôle qu'il joue dans cette pièce de théâtre, apprendre à devenir meilleur...

Et c'est dans ce sens que le fait de s'occuper de sujets spirituels peut le rendre plus calme, plus équilibré, plus compréhensif, plus courageux, plus tolérant, mais aussi plus sûr de lui, plus direct, prêt à prendre des risques, afin de trouver sa voie, en accord avec les lois de l'esprit.

Certains « élus » prennent la mauvaise direction, « pètent les plombs », perdent le contact avec la réalité, car leur ego et non leur âme les pousse vers le haut. Ils négligent leurs devoirs quotidiens, leur famille, leur travail, ils se perdent dans leurs chimères et leurs constructions imaginaires, et se retrouvent dans une position bien pire qu'avant.

C'est le revers de la médaille, chers lecteurs. J'ai moi-même donné à beaucoup de gens l'impulsion, par mes livres, de voir le monde autrement, de vivre de façon plus consciente et plus indépendante. J'ai dû constater que certains n'étaient pas capables de la gérer, que leurs angoisses ne faisaient que décupler, qu'ils vivaient dans la persécution, que la colère les submergeait... Quand j'entends parler de gens comme cela, je me dis parfois que je n'aurais pas dû écrire ces livres. C'est pareil pour toutes les choses de la vie : celui qui inventa l'électricité n'avait certainement pas l'intention de tuer des gens sur la chaise électrique.

Lorsque nous nous rendons compte que nous n'évoluons pas dans un domaine, nous devrions faire une pause, nous donner le temps d'assimiler intérieurement ce que nous avons appris, et observer dans notre vie pratique ce qui est applicable et génère des résultats positifs. L'arrière-plan des lois karmiques n'est pas de charrier nos déchets, notre culpabilité, de vie en vie, mais de comprendre que si la loi du karma fonctionne parfaitement dans le sens destructif, elle fonctionne aussi très bien dans le sens inverse, constructif. Nous allons donc essayer, en tant qu'individus qui pensent de façon logique, de faire autant de bien que nous le pouvons, pour récolter dans le futur, dans cette vie ou dans une vie à venir, des fruits agréables.

Dans le Talmud, tout cela est résumé en cinq phrases :
- *Prends garde à tes pensées, car elles se changeront en paroles ;*
- *Prends garde à tes paroles, car elles deviendront tes actes ;*
- *Prends garde à tes actes, car ils deviendront tes habitudes ;*
- *Prends garde à tes habitudes, car elles forment ton caractère ;*
- *Prends garde à ton caractère, car il est ton destin.*

Vu sous cet angle, nous allons aborder le sujet de la maladie, car elle ne tombe pas du ciel. Posons-nous la question suivante.

12. QUI EST RESPONSABLE DE MA MALADIE ?

Les maladies ne tombent pas du ciel, elles ne sont pas non plus une punition de Dieu. Il existe des virus, des agents pathogènes, qui perturbent l'organisme, mais uniquement en terrain favorable, où le système immunitaire et le mental sont affaiblis. Dieu ne punit jamais. Tout ce qui nous arrive est la conséquence de nos actions passées. Le corps est le miroir de l'âme, du psychisme. Si le psychisme est déséquilibré, il y aura tôt ou tard des répercussions sur l'organisme. C'est pour cela que nous ne pouvons combattre une maladie avec des moyens externes. Les maladies sont nos amies, qui veulent nous indiquer quelque chose. Plus nous avons peur d'une maladie, plus il y a de chances que nous la contractions. Plus on la combat, plus elle devient virulente ; plus on veut la nier, plus elle se maintient. Si nous comprenons le message qu'elle nous livre, elle disparaîtra d'elle-même, car elle est comme une bonne amie qui nous recommande de changer parce que nous sommes restés bloqués dans notre développement. La maladie n'est donc pas une ennemie, mais une messagère : IL N'Y A PAS DE MALADIES, IL N'Y A QUE DES GENS MALADES !

Prenons un exemple : un alcoolique est arrivé à un point critique où son organisme commence à flancher. Le foie va rendre l'âme, mais le patient va bien. « Mon père boit aussi, il vient d'avoir quatre-vingt-dix ans, moi aussi j'aurai un jour son âge. » Notre camarade a beaucoup d'expressions de ce genre, il évite ainsi d'avouer sa dépendance à l'alcool et de se rendre compte que son organisme est au bout du rouleau, et qu'en plus de son psychisme, qu'il a noyé dans l'alcool, il est en train de ruiner son corps. Il a toujours des excuses à proposer, mais, au fond de lui-même il connaît son état général. Il n'est pas prêt à accepter de l'aide, car il ne sait pas prendre de décisions. On peut évidemment remplacer le foie malade par un foie en bon état (le trafic d'organes est devenu une activité lucrative), ou lui donner un médicament, qui régénère rapidement les cellules du foie. Le malade ira peut-être voir un guérisseur, qui le libérera de son mal par son magnétisme.

On peut se demander quel effet la guérison de son foie aura sur notre ami alcoolique. Cela provoquera-t-il un changement d'état d'esprit et l'abstinence ? Sûrement pas. Dès que le foie se mettra à fonctionner, il reprendra ses mauvaises habitudes et son ange gardien s'arrachera les cheveux. Tous les messages qu'il lui aura envoyés, par le biais de sa conscience et des commentaires de ses amis, n'auront servi à rien. Il ne veut pas entendre sa voix intérieure et il est sur le bon chemin pour ne pas parvenir au but de son existence.

Il ne reste qu'une solution, qui l'ébranle fortement : son foie refuse un jour de fonctionner, ce qui le met violemment à genoux. Sa femme est déjà partie, après qu'il a perdu à plusieurs reprises le contrôle de ses nerfs, que son langage est devenu incompréhensible. Il se retrouve seul à l'hôpital, ses « amis » de boisson n'ont jamais été de réels amis, ce qu'il découvre maintenant de façon douloureuse. Il a beaucoup de temps pour réfléchir, peut-être va-t-il se rendre compte que son goût excessif pour la boisson vient des peurs qu'il n'arrive pas à maîtriser ? En les affrontant, il peut espérer peut-être un début de guérison.

La maladie est-elle positive ou négative ? Le foie détruit livre-t-il un message pour son chemin de vie, ou ne sert-il qu'à être remplacé par un foie neuf, artificiel ? Peut-il guérir, sans changer d'état d'esprit ? Toute maladie, qu'il s'agisse d'un simple rhume ou d'un cancer, renferme un message du psychisme. La maladie ne veut pas être combattue, elle veut que nous comprenions son message, que nous modifiions notre façon de penser et d'agir, pour que les symptômes puissent disparaître.

Il peut s'agir de saisir un message caché du psychisme. Prenons un deuxième exemple : nos yeux sont un organe sensoriel qui permet de percevoir le monde. Si les fonctions de la vision sont altérées, nous pouvons nous demander ce que nous ne voulons pas voir. Ou qu'est-ce qui nous énerve tellement, que nous ne puissions plus le « voir » ? *L'amour rend aveugle* a un rapport avec ce sujet. Nous ne voyons pas les choses clairement, telles qu'elles sont : notre vision est embrumée. La paire de lunettes est une béquille qui nous permet de court-circuiter notre façon tordue de voir les choses, qui ne veut pas voir la réalité. Qu'est-ce que le malvoyant ne veut pas voir ? Le myope manque-t-il de vision à long terme ? A-t-il souvent dit qu'il ne pouvait plus « voir » quelque chose ? S'est-il programmé lui-même, ou a-t-il manifesté une vision du monde rafistolée, qui ne tient pas compte de la réalité ?

Je voudrais vous illustrer de façon frappante qu'une mauvaise vue n'est pas due à des yeux déficients ou malades. Un hypnothérapeute avait réussi, au cours d'un stage, à faire régresser dans son enfance une personne qui avait une très mauvaise vue. L'homme était allongé, il avait retiré ses lunettes et avait fermé les yeux. L'hypnotiseur lui avait permis de remonter à l'âge de dix ans, quand il n'avait pas encore besoin de lunettes. L'homme s'était mis à parler comme un enfant de dix ans, racontait sa vie familiale et parlait du papier peint amusant de sa chambre. Le thérapeute lui donna un livre et lui demanda d'en lire un extrait. L'homme s'exécuta sans erreur, sans lunettes, comme dans l'enfance. Le public assistait à la scène avec fascination. À la fin de la lecture, l'hypnotiseur ramena l'homme dans le présent et lui demanda de relire le même extrait. Le patient réclama ses lunettes, il ne voyait plus assez pour lire. Les spectateurs furent surpris, car ils venaient d'avoir la preuve que la mauvaise vue de l'homme n'était pas due à ses yeux, mais à *sa façon de voir*.

Quand il manifestait l'enthousiasme sans limites et l'ouverture d'esprit d'un enfant de dix ans, il pouvait lire sans lunettes. L'homme mûr, marqué par les nombreux événements, conflits et déceptions, ne pouvait lire sans lunettes, pourtant avec les mêmes yeux. C'est donc dire qu'il voyait à travers les yeux de son âme, de son immortalité, de sa spiritualité, ceux qui s'incarnent dans le corps. Méditons cette vérité.

Que nous disent nos oreilles ? Là aussi, nous connaissons les expressions : « Je ne veux plus en entendre parler, je prête l'oreille, je me fais entendre, nous nous entendons. » Ces expressions nous donnent des indications sur les problèmes des malentendants. Ils ne veulent pas entendre, s'entendre, ils se replient sur eux-mêmes, ils ne supportent pas la critique. Souvent ces personnes sont entêtées, bornées et manquent de mobilité d'esprit. Dans une certaine mesure, les malentendants sont aussi des personnes qui se protègent de leur hypersensibilité, ou de l'excès de bruit dans notre société.

Le mal de tête indique manifestement qu'on se « casse » la tête, à cause de quelque chose ou de quelqu'un. Il y en a qui font la tête, qui ont une forte tête, la tête en l'air, qui perdent la tête. Il y en a d'autres à qui cela monte à la tête, ou qui se sont mis en tête de faire quelque chose. Le mal de tête manifeste une façon de penser erronée : on se « prend la tête » jusqu'à avoir « mal au crâne ». Il y a d'autres expressions qui contiennent des noms d'organes, comme être sans-cœur, se faire de la bile, taper sur les nerfs. Toutes ces expressions imagées ont un rapport direct avec notre santé psychique. Les malades de la peau peuvent se demander ce qui les démange, ceux qui ont des ulcères ce qui leur est resté sur l'estomac.

Comme le psychisme nous envoie des messages et des signaux de certaines maladies, nous pouvons dire que les accidents ont une fonction similaire. Nous sommes sortis du chemin, nous avons perdu le contrôle, nous glissons sur de la glace, nous percutons quelqu'un ou nous finissons dans le fossé. Une fracture interrompt un processus et empêche sa continuation. La maladie nous rend humbles, elle nous oblige à reconnaître ce qui remonte à la surface.

Il y aussi les maladies d'origine karmique, qui proviennent de vies antérieures. Avant de venir sur terre, nous élaborons avec nos accompagnateurs, nos anges gardiens, notre schéma de vie, notre futur chemin de vie. Et celui-ci contient les souffrances passées, mais également les maladies qui se manifesteront, pour nous ramener sur notre chemin de vie, si nous devions en dévier. Certaines maladies karmiques découlent de tortures que nous avons fait subir, qui nous reviennent sous forme de migraines (par exemple), pour nous faire sentir ce que nous avons infligé à d'autres. Peut-être avons-nous crevé les yeux de notre ennemi et alors nous naissons aveugle ? C'est possible, mais ce n'est pas toujours le cas. Il est aussi possible qu'une maladie karmique ne puisse être guérie, car l'âme incarnée peut vouloir équilibrer ce qu'elle a fait subir à autrui.

Essayons d'imaginer ce que cela signifie en réalité : nous apprenons dans le journal qu'un pédophile a abusé de plusieurs enfants, qu'il leur a ensuite fracassé le crâne avec un marteau. N'avons-nous pas tous souhaité le pire à cet homme : qu'il soit puni, qu'il expie sa faute ? Supposons que cet homme meure plus tard dans un accident de voiture et renaisse avec un œil inapte à voir et le visage difforme. Imaginons que nous soyons un médecin, que la mère de cet enfant vienne nous voir et que nous reconnaissions, grâce à nos prédispositions de médium, que cet enfant fut un pédophile dans sa vie antérieure. Que ferions-nous ? La vie serait-elle « juste » de l'avoir défiguré ? Cette vie est sa *matrice* personnelle qui s'accomplit.

J'ai inventé cette situation, mais je ne veux surtout pas insinuer que les handicapées furent des meurtriers. Il se pourrait que ce bourreau d'enfants ait une famille normale dans une nouvelle vie, qu'il ait trois enfants magnifiques, et qu'un jour ils soient victimes d'un autre bourreau, pour qu'il ressente la souffrance des parents, dont il a tué les enfants. Nous devons être très prudents dans nos jugements : ce n'est pas parce qu'on est handicapé ou défiguré qu'on est ou a été une mauvaise personne.

Il n'y a pas que les enfants clairvoyants qui puissent voir ces choses-là ; les hypnotiseurs, les voyants et les thérapeutes en régression aussi, car des tragédies de ce type remontent souvent à la surface au cours de séances de thérapie. Toute maladie serait inutile si elle guérissait sans qu'on en trouve la cause. Une véritable guérison est possible à la condition d'avoir compris le message du symptôme, et de s'être attelé à résoudre le conflit. C'est logique, non ?

Nous avons amplement étudié le vocabulaire, maintenant nous pouvons aborder la question qui suit.

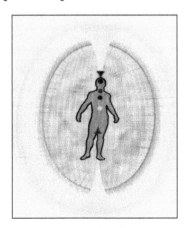

13. Y A-T-IL DES FORCES OBSCURES ?

Pour répondre à cette question, nous devons plonger dans les profondeurs des dimensions subtiles, et nous demander ceci : l'au-delà existe-t-il ? Nous savons qu'il y a des individus sombres et patibulaires. Que pense Albert Pike quand il parle de Lucifer ? Est-il un homme ? Sans doute pas. C'est un être subtil, un ange déchu ou un démon (en grec, un être surhumain), qui a apparemment inspiré les Illuminati. Où vivent les êtres des dimensions subtiles ? Eh bien, dans l'au-delà !

L'au-delà, ou monde subtil, est en réalité notre vrai domicile. C'est la dimension dont nous sommes originaires, c'est notre plan d'existence intrinsèque, l'endroit où nous retournerons un jour. C'est là que se trouve notre véritable famille, celle des âmes. Un jour, nous quittons ce lieu de notre propre gré pour effectuer une mission ou, pour le dire plus gaiement, pour jouer le jeu de la vie. Nous pouvons aussi dire que c'est l'endroit où nous apprenons la théorie ; nous le quittons un jour pour apprendre à connaître la vie pratique, dans la matière.

Quand nous y retournons après notre mort, nous retrouvons notre famille spirituelle, telle que nous l'avons laissée, comme si le temps ne s'était pas écoulé – l'espace-temps n'existe que dans le monde matériel. Nous regardons notre vie, les tâches accomplies que nous nous étions assignées, nous sommes de retour, et notre dernière incarnation peut nous apparaître comme un cauchemar, à d'autres comme un long voyage autour du monde. Tous ceux qui ont vécu une expérience de mort imminente savent ce que je veux dire. Au cours d'une telle expérience, on est en état de mort clinique, pour un temps donné, jusqu'à la réanimation. Les témoignages de ceux qui l'ont vécue concordent sur les points suivants :

• le tunnel sombre que l'on traverse juste après la mort ; on plane au-dessus de son corps physique ;

• puis on rencontre des esprits, la famille, les amis, les anges gardiens, qui apparaissent dans un halo de lumière ;

- on voit sa vie défiler devant soi, étape par étape ;
- on se trouve ensuite face à l'être le plus élevé, d'où irradie une lumière étincelante, qui transmet une sensation de bonheur et d'harmonie ;
- on apprend ensuite qu'il nous faut retourner sur terre, pour réaliser notre matrice ;
- le retour dans le monde physique est souvent ressenti comme une déception.

Celui qui a vécu cette expérience connaît la nostalgie de l'état par lequel il est passé. J'ai eu moi-même le plaisir de contempler l'au-delà à deux reprises, et je confirme le déroulement des choses. Nous avons eu la chance d'entrevoir le « ciel », notre domicile, et nous ressentons ensuite le besoin d'y retourner. Nous nous souvenons du début du voyage, ce monde de lumière, d'harmonie, de musique et de joie.

Comment faire pour imaginer l'au-delà ?

Je vais vous raconter l'aventure d'Harald. Il est le fils d'un homme politique connu, qui n'est pas très fier du don que manifeste son fils de vingt-neuf ans. Harald est en effet un médium très talentueux, capable de voir l'aura des gens, ce qui l'a poussé à quitter son père et ses « amis ». Il est aussi capable de communiquer avec les morts. Harald est ce qu'on appelle dans les cercles d'initiés un *médium spirituel*.

Qu'est-ce qu'un médium et comment travaille-t-il ?

Il y a plusieurs façons de communiquer avec les dimensions subtiles. Nous pouvons imaginer cela comme une radio qui traduit des ondes invisibles en messages compréhensibles. Le film fantastique américain *Ghost* présente très bien les choses. Dans mon livre sur les enfants médiums, j'ai expliqué en détail les différents types de médiumnité. Je vous en présente ici les plus importants. À l'inverse des pratiques occultes, les médiums n'ont pas besoin d'outils pour entrer en contact avec l'au-delà, donc pas de pendule, de planchettes Ouija ou de boules de cristal.

Certains médiums hébergent un être subtil, qui s'exprime à travers eux, par l'écriture, la voix ou la faculté de matérialiser certaines choses. On les appelle « médiums à inspiration ». Patrick en est un exemple. J'ai rencontré ce jeune homme de Munich lorsqu'il avait seize ans. Il pratique l'écriture automatique. Il explique comment se passent les choses : « Je ressens soudainement le besoin de prendre un stylo. Cela peut se produire au milieu de la nuit. Je me réveille et une voix intérieure me dit de m'asseoir à une table et de commencer à écrire. Souvent j'écris plusieurs pages, mon écriture est toute tortillée, les mots n'ont pas de séparation, ce qui est à l'opposé de ma façon habituelle d'écrire. Je sens ensuite qu'une force invisible s'empare de moi, contre laquelle je ne peux lutter. Quand je lis le texte que j'ai écrit, je vois qu'il s'agit souvent de sujets spirituels, sur Dieu et la façon dont nous, les hommes, devons améliorer notre comportement. Mes parents sont toujours très surpris. Je signe toujours de la même façon : Dorian. C'est l'entité qui s'exprime par mon entremise. »

Il existe aujourd'hui une variante qu'on appelle le *channeling* (la canalisation d'esprit). Beaucoup de livres en traitent. Le médium sert de canal à un esprit, qui transmet au médium des messages qu'il exprimera ensuite, ou qu'il mettra sur papier. Les messages sont si puissants qu'ils recouvrent les propres pensées. L'être prend possession de l'organisme pour un certain temps, mais le médium est pleinement conscient, il se souvient de tout ce qui lui a été transmis : « Il y a parmi eux l'homme d'affaires qui entend subitement des voix qui lui parlent de sa vie et de la façon de la changer. Il découvre qu'il est médium, et bientôt il est capable de transmettre aux autres ce que les voix lui disent.

Ce genre de médium est très commun de nos jours ; on peut en consulter, ils entrent en transe et sont capables de voir des événements du passé ou de l'avenir. Ceux qui sont capables d'entrer en contact avec les accompagnateurs, les anges gardiens des religions, sont particulièrement recherchés. Les médiums qui se considèrent comme des canaux vers d'autres plans de conscience reçoivent souvent l'inspiration pour écrire des livres ; ces derniers forment maintenant un rayon à part dans les librairies.

La qualité de ce qui est communiqué dépend du plan d'émission des messages. Le plan que le médium peut atteindre dépend de son degré de pureté et de neutralité. Un médium centré sur son ego et chargé d'émotions n'est pas très adapté à la réception de messages purs et clairs. »

(Karl B. Schnelting, *Les scénarios de l'avenir des sciences de l'esprit et de la prophétie*, traduction du titre d'un livre publié en allemand et non encore traduit en français.)

La plupart des enfants que j'ai pu observer ces dernières années sont nés avec un don de médiumnité, ou l'ont acquis naturellement. Les clairvoyants et les clairaudients n'ont nul besoin d'intermédiaires pour recevoir des informations du monde subtil (les enfants voient l'aura d'un être vivant).

Regardons de plus près ce que signifie lire l'aura : la force vitale qui nous anime, qui nous constitue, qui coule en nous, le corps subtil, ne s'arrête pas à notre peau, elle s'élève, rayonne au-dessus de nous. Le halo que le clairvoyant voit autour de la personne est l'aura : elle est faite de cette énergie.

On la représente en forme d'auréole chez les saints, mais elle est limitée à la tête. Que voit le clairvoyant, de quoi prend-il conscience quand il lit l'aura ?

Les individus capables de voir l'aura multicolore distinguent le niveau d'harmonie d'une personne. Les processus de l'âme se manifestent par des couleurs différentes. Si vous êtes en colère, l'aura deviendra rouge ; les sentiments religieux lui donnent une couleur violette. Le clairvoyant voit tout ce qui est stocké dans le champ d'énergie. On peut comparer l'aura à un disque dur d'ordinateur. Si vous avez le mot de passe, vous pouvez consulter les fichiers. On y voit les pensées, les actions, les causes générées, les désirs, les espoirs. Il peut donc voir les effets qui risquent de se produire. Il est difficile de donner des paramètres temporels. Comme les causes sont posées, il y aura des effets en conséquence, mais le voyant ne voit que des suites d'images. L'espace temporel entre les images est difficilement quantifiable.

Il existe un autre don qui fait partie de la clairvoyance : le don de prophétie ou le don de consulter la chronique ou les annales de l'Akasha. Le médium a une vision qui vient de l'extérieur ou de l'intérieur. Songeons à l'apparition de la Vierge Marie où un être dématérialisé transmet un message. Les visions intérieures surgissent dans les rêves, dans les méditations profondes, au cours d'un accident ou lors d'une expérience de mort imminente. Là aussi, il est difficile d'indiquer une notion de temps. Quand survient la vision d'un événement à venir, le voyant doit composer avec une succession d'images. Il voit, par exemple, quelqu'un monter dans une voiture rouge, une deuxième image lui montre une route départementale avec une église en arrière-fond. Dans la troisième image, il voit la voiture au fond du fossé et une ambulance à côté. Il n'y a pas de paramètres temporels, la seule chose qu'il peut dire est : « Fais très attention, évite même de monter dans une voiture rouge… »

La lecture des annales de l'Akasha est différente. Les médiums ont accès à des informations sur une personne ou un groupe. Ils ne voient pas d'images, ils « consultent » la mémoire occulte.

Comment est-ce possible ?

Comme je l'ai expliqué, les organismes vivants sont entourés d'un champ d'énergie, l'aura, qui mémorise les pensées, les émotions et les actes, tel un disque dur d'ordinateur. Le champ magnétique terrestre mémorise toutes les informations sur ce qui s'est produit sur la Terre – le devenir du monde est le miroir de ce que véhiculent les êtres vivants. Cette mémoire, qui stocke la totalité des événements de tous les êtres vivants, s'appelle la chronique de l'Akasha, que les chevaliers du Temple appellent le champ d'esprit cosmique et que Rupert Sheldrake définit comme le champ morphogénétique. Les schémas d'énergie des émotions et des pensées sont emmagasinés, peu importe que des catastrophes naturelles, des animaux ou des êtres humains les aient alimentés. Comme tout est énergie, la différence vient de la quantité d'énergie. Plus une émotion est forte, plus fort sera le schéma mémorisé. Certaines personnes, en plus de lire l'aura des autres, sont capables de lire les annales de l'Akasha, c'est-à-dire qu'elles ont accès à toutes les informations, toutes les données, les causes des êtres vivants et du monde.

L'être subtil qui transmet à un voyant la vision de l'avenir du monde puise les images dans cette chronique. C'est un instantané des données collectives du monde, au moment où il est transmis. Le voyant voit les effets éventuels sur les êtres, selon les causes qui les auront engendrées s'ils ne changent pas de cap. Les êtres ascensionnés nous montrent, par l'entremise des prophètes, ce que nous avons créé jusqu'à maintenant, afin de nous rendre conscients des effets de nos actes. La Terre est comparable à un terrain de jeu aimanté à deux pôles, sur lequel les âmes se développent, par une multitude d'expériences – une forme d'école de vie. Avec l'aide d'êtres évolués, ascensionnés, vivant en dehors de l'espace temporel et jouissant d'une vue d'ensemble, les voyants nous mettent en garde par leurs visions, car nous agissons apparemment de façon destructive et entêtée avec nos forces créatives. C'est le double sens d'une prophétie : elle nous met en garde et nous montre l'avenir. Si la mise en garde est bien comprise et provoque un changement, la prédiction n'est plus utile. Si la personne prend conscience de ses actes et adapte son comportement, elle crée de nouvelles conditions, qui modifient les données dans les annales akashiques. Elle verra apparaître de nouveaux effets, la prédiction aura rempli son rôle et ne se matérialisera pas. Ainsi perçu, le futur est un schéma qui se modifie sans cesse. L'avenir n'est pas une destinée arbitraire, planifiée par un dieu masculin et inchangeable. L'avenir est la conséquence des conditions que nous créons !

Il y a en dehors de ces différents voyants des enfants qui ont des dons de télékinésie. Vous connaissez Uri Geller, qui plie des fourchettes. Il se sert de ses dons à d'autres fins maintenant, en prospectant des gisements de pétrole, de diamant, de charbon et d'or, ce qui a fait de lui un homme très riche. Ses dons furent validés par plusieurs universités et instituts de recherche. Il n'est pas l'unique individu à posséder ce don, chacun de nous peut faire de même. C'est une affaire de concentration, de foi et d'entraînement. J'ai remarqué que les enfants sont capables de faire des « miracles », de déplacer des objets assez facilement, car ils sont persuadés qu'ils le peuvent, et leur mental n'est pas encore trop étriqué ou borné comme celui des adultes, qui pensent que c'est impossible.

J'ai pu faire des expériences avec trois enfants d'Hawaï. Imitant leur mère, qui leur avait montré comment faire, je les ai vus plier des cuillers, devant moi. J'ai aussi constaté que des adultes en sont capables, lors d'une soirée avec un groupe de thérapeutes et de magnétiseurs russes, des hommes-aimants. Deux d'entre eux firent un nœud dans un couteau, pour chagriner le serveur. Un autre se posa une fourchette sur le front, où elle resta collée. Un troisième déplaça le plat par sa seule force mentale, et mit la cuiller sur sa poitrine, où elle est resta collée. Un repas tout à fait banal, en fin de compte, pour ces personnes !

J'ai souvent vu des enfants déplacer des objets par leur force mentale, mais je n'ai vu qu'une fille de treize ans, Tatjana, d'Ouzbékistan, faire voler un stylo. Elle travaillait depuis quelques années pour le KGB, qui se servait de ses dons à des fins d'espionnage. Lors de notre rencontre en Tchéquie, elle m'expliqua qu'il existait beaucoup d'autres enfants comme elle, encore plus jeunes. Il y avait des centres spéciaux, des internats pour eux, où ils recevraient une formation en parapsychologie, en plus de leur formation scolaire.

Tout est possible. Le seul inconvénient pour le consommateur actuel est qu'il ne croit pas aux miracles, qu'il ne croit plus en lui-même, enfin, qu'il n'a pas réellement confiance en lui. Il a confiance en son assureur, en son banquier, en son président… Il doit bien y en avoir un d'entre eux qui sait où il va… Notre système politique ou les religions ne nous apprennent pas à penser par nous-mêmes.

Ceux qui plient des fourchettes, font flotter des verres dans l'air ou guérissent des plaies ouvertes sont dangereux pour la société. Les bases de la science et de la religion sont vite ébranlées. Les gens ne doivent pas être trop autonomes, ils n'auraient plus envie d'aller travailler, ils feraient comme Uri Geller : ils iraient chercher de l'or, pour devenir riches. « Ce que je fais est réel ! C'est pour cela que certains préféreraient que je sois silencieux ! » affirme Uri.

Un autre cas me vient à l'esprit, celui de Drunvalo Melchizedek. Cet

Américain enseigne une technique pour activer son corps de lumière, la Merkaba. En combinant la méditation, la connaissance et les émotions, on devient invisible, on se dématérialise et on se rematérialise en un autre lieu. Il m'a raconté l'histoire suivante : un jeune homme perd une jambe après un accident de voiture. Quelques semaines plus tard, ses parents et les médecins constatent que la jambe commence à repousser. Tout le monde est ébahi. Personne ne peut expliquer le phénomène, qui a même été filmé. Quand Drunvalo entend parler de cette histoire, les doigts de pied étaient en train de repousser. Quel secret se cache derrière ?

Peu à peu, les parents se rappellent que l'enfant avait beaucoup joué avec les lézards. Nous savons tous que leur queue coupée repousse. Comme personne ne lui avait dit que ce n'était pas le cas chez les hommes, le garçon pensait intuitivement que c'était pareil pour lui. C'est l'exemple qui prouve que la force mentale et l'imagination peuvent engendrer des miracles. Celui-là en est-il un ? Est-il normal que la jambe repousse ? Est-ce notre mental borné qui l'empêche ?

J'ai rencontré en Nouvelle-Zélande une institutrice qui m'a relaté une histoire similaire. Une petite fille s'était coupé la moitié du doigt, en bricolant avec des ciseaux. Quand elle sortit de l'hôpital et revint à l'école quelque temps après, la maîtresse la prit à part et lui dit que, si elle ne le disait à personne, son doigt repousserait. Elle lui fit jurer de ne le dire à personne, que c'était son secret à elle. Et que se passa-t-il ? En deux ans, le doigt repoussa. Pourquoi la maîtresse avait-elle imposé le secret à son élève ?

Parce que la réaction des autres aurait ébranlé sa conviction et aurait sans doute détruit sa confiance. À force d'entendre qu'il était impossible qu'un doigt repousse, la fillette aurait fini par y croire. La conviction intime est la condition préalable indispensable pour que quelque chose fonctionne. Si nous ne sommes pas convaincus à 100 %, s'il y a le moindre doute, les conséquences sont souvent fatales. La force de la foi peut s'inverser en force négative. Beaucoup de gens tombent malades parce qu'ils ont peur de tomber malades, d'autres sont sûrs d'attraper le cancer parce que leur frère l'a eu...

Revenons à notre jeune Harald, le fils de l'homme politique, qui veut nous parler de l'au-delà, du message qu'il reçut. Quand un jour il perdit un ami très cher, après un accident de voiture, celui-ci lui apparut quelques semaines plus tard et lui dit : « Quand l'âme quitte le corps, après un accident ou un meurtre ou de façon naturelle, par vieillesse, elle passe dans une dimension subtile. Pour celui qui a vécu une existence honnête et pleine d'amour, c'est un endroit agréable, où il retrouve les âmes de ses amis, des membres de sa famille qui ont déjà fait le passage. Ici aussi il y a des jardins, des maisons, des prés, et le soleil qui ne se couche pas. On n'est jamais fatigué, on peut lire, étudier, dialoguer ou faire ce que le cœur désire [...]. Ceux qui ont vécu une vie pleine de haine, d'envie, de doutes, d'égocentrisme ou de crimes, sont accueillis par des âmes sœurs, qui ont vécu le même genre de vie ; c'est ce que nous appelons communément l'enfer. Les âmes reviennent ensuite s'incarner dans de nouveaux organismes, pour faire mieux dans une nouvelle vie. Elles peuvent se former et se développer dans les mondes subtils, pour atteindre la lumière. Celui qui demande de l'aide la reçoit instantanément. Il y a beaucoup d'êtres de lumière qui s'occupent de ces âmes et les conseillent sur leur voie future.

Il y a plusieurs facteurs qui décident du temps que les âmes passent là, avant de se réincarner. Les enfants se réincarnent rapidement. Plus vite elle quitte un corps, plus vite l'âme se réincarnera. Les adultes restent plus longtemps, quelques semaines, quelque mois, quelques années ou décennies ; le temps n'existe pas vraiment. Dans les mondes subtils, les choses ont changé. Sur terre, il y a de grands changements à venir, beaucoup d'âmes veulent y prendre part, en vue de progresser. Il y a un nombre d'organismes limité sur terre, et beaucoup d'âmes qui viennent d'autres planètes veulent s'y incarner. On pourrait dire qu'il y a une liste d'attente, mais comme tout a changé, certaines âmes n'attendent pas une naissance, elles choisissent un corps, dont l'âme a terminé son développement; elles font une permutation. Une âme peut économiser beaucoup de temps, une autre passe par la naissance. Celle-là se cherchera une famille avec l'aide de son ange gardien, qui correspondra au plan de vie qu'elle a choisi pour une nouvelle incarnation. »

Certains pensent que l'au-delà se trouve dans le ciel, derrière notre système solaire, ou peut-être à l'extérieur de notre galaxie, mais c'est aussi erroné que de croire que Dieu est un vieil homme avec une barbe blanche. L'au-delà se trouve au milieu de nous, mais nous n'en sommes pas conscients, car la fréquence de ce monde est plus subtile, plus élevée, ce qui empêche le citoyen moyen d'en prendre conscience. Il n'y a qu'un voile fin qui sépare la vie ici-bas de l'au-delà…

C'est le voyant qui peut voir le corps de lumière, le champ d'énergie lumineux, l'aura. Pourquoi ? Parce qu'il est sensible aux fréquences plus élevées. L'œil agit comme l'oreille humaine, qui n'entend que certaines fréquences. Les sifflets pour chien émettent des sons que les hommes ne perçoivent pas, mais certains individus les entendent. Si vous prétendez entendre les sons du sifflet pour chien du voisin, on vous prendra pour un fou, mais vous savez ce que vous entendez. C'est la même chose pour l'au-delà ou les esprits de la nature. Ils se trouvent dans un monde intermédiaire, à une fréquence vibratoire supérieure à celles de notre monde matériel, mais inférieure aux vibrations de l'au-delà. C'est pour cela que beaucoup d'enfants à l'esprit ouvert, ayant gardé les vibrations élevées apportées de l'au-delà, sont en mesure de voir les esprits de la nature. C'est un peu comme les agriculteurs et ceux qui vivent près de la nature, éloignés du monde matériel et intellectuel.

La parapsychologie nous enseigne que les animaux, surtout les chiens et les chats, réagissent aux personnes décédées : ils aboient ou commencent à s'agiter. Les animaux perçoivent les mondes subtils. La science nous explique aussi que la mort n'existe pas. Nous sommes faits d'énergie et l'énergie ne meurt pas. Elle prend d'autres formes, comme les glaçons qui se transforment en se réchauffant : ils se changent en eau. Les organismes font de même. Notre corps physique vibre à une certaine fréquence. L'âme a une fréquence de vibration plus élevée où le temps s'écoule de façon différente. Nous pouvons comparer l'organisme à un glaçon, l'âme à l'eau et l'esprit à la vapeur d'eau : faits de la même matière, ils ont une fréquence vibratoire de molécules qui varie.

Les concepts d'espace et de temps n'existent pas dans l'au-delà. Pour nous représenter l'inexistence du temps, il faut imaginer le monde physique comme un disque ou une boule, sur lesquels tout instant et tout espace sont simultanés : notre âme peut choisir où et à quel moment elle fait son entrée. Une seconde dans l'au-delà peut durer un siècle, un millénaire ou une minute sur terre. Tout dépend du moment où nous voulons nous incarner. Nous pouvons choisir de nous incarner en 6012 de l'ère moderne ou en l'an 100 av. J.-C., selon l'expérience qui nous intéresse. Dans l'au-delà, nous ne sommes ni vieux ni jeunes, nous nous sentons comme à la mi-trentaine, dans la fleur de l'âge.

Abordons maintenant la question des forces obscures : au cours de mes recherches sur les villes souterraines en Amérique centrale, j'ai rencontré une famille vivant dans une colonie allemande, dont leur remarquable fils, Arian, grand d'1,90 mètre à seize ans. Il a les yeux les plus bleus que j'aie jamais vus et les cheveux dorés. Toutes les femmes de la région en sont amoureuses… Arian est capable de lire l'aura, parle avec les personnes décédées et les extraterrestres, guérit les gens par l'imposition des mains. Il consulte les runes tous les jours et entre en contact avec les esprits. Il m'a fait une démonstration, au milieu du salon de ses parents. Il s'est mis dans différentes positions. Celui qui connaît les exercices avec les runes sait la force qu'elles peuvent exercer. Il me dit que quatre géants allaient apparaître à chaque coin de la pièce, quand il se mettrait pendant une minute dans la position de la rune Algiz, les bras dans les airs, écartés.

Il décrit ces êtres : ils ressemblent à des dieux nordiques, tels Thor ou Odin, avec de longs cheveux blonds et une robe blanche. Ils le protègent et la pièce entière, dans laquelle il procède à des guérisons ou chasse les démons. Arian m'explique aussi que les indigènes pratiquent le vaudou, par lequel ils communient avec des êtres inférieurs, et qu'ils ne doivent pas être surpris de capter des énergies démoniaques. Il leur aurait souvent dit d'être vigilants et de rester à distance, mais la plupart du temps ils écoutent seulement quand ils sont pris au piège et viennent le voir pour se défaire des démons. Arian n'en a pas peur, il en rit. Il dit que les êtres de lumière qui le protègent ne permettent pas que d'autres entités l'approchent, malgré leur grande puissance. Ses dons de voyance étant connus, les gens de la région font appel à lui lorsqu'ils croient avoir des problèmes de fantôme. Il se rend alors à leur domicile. Il distingue les morts conscients d'avoir quitté leur corps, les apparitions de fantômes non conscients d'être morts et ne voulant de mal à personne, et les démons malveillants conscients d'être des fléaux. Arian nous l'explique en détail : « La plupart des âmes des personnes décédées sont récupérées par leur ange gardien : elles contemplent leur vie passée et choisissent ensuite de se réincarner ou de rester dans le monde des esprits. Il y a des morts conscients de leur condition qui se trouvent dans le monde des esprits. Ils apparaissent à des gens comme moi pour différentes raisons. Quand ils viennent me voir, ils arrivent d'une sphère spirituelle, d'une fréquence supérieure, et j'ai du mal à les percevoir. Ces âmes viennent le plus souvent juste après leur mort, quand leurs émotions et le souvenir de leur famille et de leurs amis sont encore forts et qu'ils expriment le souhait de les revoir. Elles me parlent et je traduis leurs propos à leurs proches qui sont présents. Ces âmes ne sont pas fixées à un endroit, elles peuvent accompagner les personnes partout, au cimetière ou en vacances, si elles le veulent. Avec le temps, les émotions disparaissent, les âmes s'élèvent à des fréquences plus élevées. Là, généralement, je ne peux plus les voir.

Les apparitions de fantômes sont des âmes non conscientes d'être mortes. Elles apparaissent à différentes personnes. Pour divers motifs, elles refusent d'accepter leur mort et de passer dans l'au-delà. Elles restent dans le monde intermédiaire, et parfois elles ne peuvent plus voir leur ange gardien. Elles sont souvent confuses, sont convaincues de ne pas être décédées, et se croient en vie sur terre, comme nous. Quand on les voit apparaître, souvent c'est à des endroits où leur âme avait un lien émotionnel très fort de leur vivant : leur maison, leur château, le lieu où elles sont mortes. Elles sont encore près de la Terre. Parfois, elles restent très attachées à leur partenaire, à leurs enfants, par jalousie ou par incapacité de s'en séparer.

Ce sont les âmes que je peux percevoir le plus facilement, car elles s'accrochent à leur dernière incarnation, et elles sont plus près du monde matériel. C'est cette raison qui permet aux gens normaux de les voir. Ceux qui les ont vus disent avoir vu un esprit, un fantôme.

Comme elles pensent continuer à vivre une vie normale, elles veulent attirer l'attention, elles nous voient, mais nous ne les voyons pas. J'ai eu des discussions hallucinantes avec des âmes qui ne voulaient pas accepter leur état. Elles se mettent en colère quand elles parlent à leur partenaire qui ne peut les voir et les ignore. C'était quelque chose [...]. Souvent je riais, ce qui les mettait encore plus en colère. Je leur parlais ensuite longuement, je leur montrais leur certificat de décès, je les accompagnais à leur tombe, et peu à peu elles acceptaient leur état, elles comprenaient qu'elles n'avaient plus rien à faire dans leur maison ou leur village [...]. »

À propos des démons et des êtres obscurs, il nous dit ceci : « Quand le Créateur créa la lumière, l'obscurité apparut. Elle n'est pas méchante ou mauvaise. L'obscurité est l'endroit où il n'y a pas de lumière. La lumière est amour, et l'obscurité, le domaine où il n'y a pas d'amour. Le Créateur créa tous les êtres à partir de la lumière. Il ne créa pas le mal, ni ce qui est mauvais, ni le diable. Certains êtres créés décident de rejeter la lumière, d'élire comme domicile un endroit sans lumière et s'y sentent bien. C'est leur choix. La lumière et le Créateur ne se détournent de personne, mais ils ne retiennent personne non plus. Le Créateur savait qu'en créant la lumière, il créait la dualité, la polarité. Et celle-ci donne aux individus la liberté de choisir entre la lumière et l'obscurité, entre les anges et les démons, entre l'amour et la haine. »

Nous pouvons nous représenter l'au-delà, le monde des esprits, comme un immeuble dans lequel planent les âmes, les guides spirituels et les anges gardiens. Pour en avoir une idée encore plus précise, imaginons un immeuble de verre, transparent. Il n'y a qu'une source de lumière, placée tout en haut, sur le toit. Le rez-de-chaussée est donc, dans l'au-delà, l'endroit où il y a le moins de lumière, qu'on peut définir comme « l'enfer », lieu de séjour des criminels, des profiteurs, etc. Cependant, il fait partie de l'immeuble, il n'en est pas séparé. Et ce n'est pas le propriétaire qui choisit l'endroit où se tiennent les âmes, c'est la fréquence de résonance des locataires qui les pousse à préférer les endroits sombres.

Une anecdote au sujet de Dieu relate qu'Il se serait adressé aux archanges, quand Il constata que de plus en plus d'êtres se détournaient de la lumière, demandant lequel d'entre eux irait chercher les âmes dans l'obscurité. Son archange le plus beau, le plus magnifique se manifesta et lui répondit : « Père, j'irai là où c'est le plus sombre porter ta lumière, afin qu'ils se rappellent qui ils sont. » Cet archange était Lucifer, le porteur de lumière.

Ce n'est qu'une anecdote. Lucifer était jadis, chez les Romains, le nom de l'étoile du matin, qui annonçait la lumière du jour. Y a-t-il un fond de vérité ? Les enfants médiums sont unanimes sur ce point : le Créateur n'a pas créé le diable pour nuire aux humains. Comme beaucoup d'entre nous choisirent naguère le chemin de l'obscurité, les murmures à nos oreilles viennent de deux côtés en nous : l'aspect lumineux et l'aspect sombre. Tantôt un ange nous murmure à l'oreille qu'il veut nous aider, tantôt un démon veut nous maintenir dans l'obscurité.

C'est ce que Jésus veut exprimer quand il dit : « Le ciel et l'enfer sont en nous. » C'est à nous de choisir à quelle fin nous utilisons les forces qui nous habitent. C'est plus facile pour la force obscure de nous murmurer des suggestions quand nous ne sommes pas vraiment nous-mêmes, dans l'ivresse de l'alcool, des drogues, de la vitesse, dans le fiel de l'agressivité, de la haine ou de la dépression…

Arian continue : « Les démons, les êtres sans lumière, s'emparent des personnes, mais pas sur ordre des princes des ténèbres. Ils ont besoin d'énergie pour vivre, ils la prennent chez les personnes sombres dans leurs pensées, leurs émotions ou leurs actes, dénuées d'amour et de lumière, aux prises pour ces raisons avec une aura défectueuse, trouée. Il y a aussi des personnes qui ont du succès dans les affaires, en politique ou dans la religion, et qui se font remarquer par leur manque d'égard, leur froideur ou leur manque de scrupules. Elles ont beaucoup d'aspects sombres en elles. Je suis fermement convaincu que des incarnations du mal propagent le mal sur terre. Nous en voyons tous les jours à la télévision, des enfants qui prennent les armes, qui torturent des animaux ou des êtres sans défense. Nous rencontrons de telles personnes dans notre vie. Elles parlent d'amour et de spiritualité, vous font de grands sourires, mais ce n'est qu'un jeu, leurs actes en témoignent. On cherche le bien chez ces personnes, mais le plus sage serait de s'en éloigner, car on ne peut sauver personne. Chacun ne peut sauver que lui-même, si on peut parler de délivrance.

Les ténèbres nous attirent, nous appâtent continuellement, pour nous mettre de leur côté, ce qui ne marche pas vraiment ; on ne peut pas supprimer la lumière comme cela. On peut l'obscurcir, momentanément. Les êtres sombres essaient de profiter de l'énergie de lumière, et en même temps de briser émotionnellement les êtres de lumière. Les forces obscures ne veulent pas convertir, elles cherchent à détruire [...] Il n'y a pas de diables, mais des démons puissants à la tête d'une armée de démons. Ils ne sont pas les adversaires de la lumière ou du processus de création. »

C'est une constatation violente : il existe bel et bien des personnes sombres, méchantes. Pour quelle raison donne-t-on des drogues à des enfants, les force-t-on à se prostituer, les maltraite-t-on, les vend-on, les force-t-on à tourner des films pornographiques ? Qui a intérêt à produire des films et des jeux vidéo violents ? Il n'y a qu'une seule raison valable : le manque d'amour, le manque de lumière, l'obscurité. Aucun homme, qui ressent ne serait-ce qu'une once d'amour, serait capable de faire ces choses-là ; il s'agit donc des autres. Ce sont des personnes sans conscience. Il serait insensé de vouloir les convertir et idiot de les combattre, puisque tout ce qui est envoyé, revient avec l'énergie du boomerang.

La meilleure chose à faire, quand on rencontre une personne habitée d'une telle aura, est de l'éviter, de faire un grand détour. Cela peut paraître dur et dénué d'amour, mais croyez-moi, je parle de ce que j'ai vécu. Jésus déclara qu'il ne fallait pas jeter ses perles aux pourceaux. Dans ce cas, il s'agit de « porcs », car il faut absolument éviter ceux qui se comportent de cette façon. Jésus nous demande seulement de prier pour eux. Il faut être prudent avant de juger ou de condamner. Ce n'est pas parce que quelqu'un nous a fait du mal qu'il est de l'*autre côté*. Il y a vraiment des gens qui sont fiers de faire souffrir les autres, il y en a d'autres qui ne feraient pas de mal à une mouche.

Pourquoi les bonnes énergies sont-elles plus puissantes ?

Je vous explique la puissance de la bonne énergie à l'aide de l'exemple suivant. Imaginez-vous dans une pièce, en plein jour. Aucune ombre ne vient y perturber la lumière. Même quand il fait nuit dehors, il y a toujours un peu de lumière à l'intérieur de la pièce. Prenons l'exemple inverse, nous sommes dans une pièce noire. Il suffit d'un petit rayon de lumière pour chasser l'obscurité. La lumière chasse l'obscurité, mais l'obscurité ne chasse pas la lumière. L'obscurité n'existe pas réellement, elle n'est qu'absence de lumière. La lumière est toujours plus forte ! Par rapport aux énergies sombres, cela signifie que la joie et le rire chassent les mauvaises énergies. En d'autres termes : la lumière, l'amour, la joie sont attirés quand il y a un vide à combler (par manque de lumière, d'amour et de joie).

Comment peut-on être possédé ?

Comme nous l'a dit Arian, les âmes sombres, autrement dit les démons, prennent l'énergie dont elles ont besoin pour vivre, auprès de personnes avec qui elles peuvent entrer en résonance – sombres en pensées, en émotions ou en acte, sans lumière et sans amour. Aucun démon, aucune forme d'énergie obscure n'attaque quelqu'un parce qu'il n'a rien de mieux à faire. Par contre, si une personne dégage une aura trouée ou déficiente (l'aura est comme l'énergie protectrice de notre âme), une entité démoniaque sautera immédiatement dessus et cherchera à s'y fixer. On parle alors de possession. Les démons puissants nous font peur, car elle est une des émotions les plus puissantes, c'est de l'énergie pour les êtres sans lumière. Dans ses livres, mon père parle de vampirisme énergétique.

La *possession* signifie dans ce cas qu'un être étranger, ou un démon, pénètre dans notre conscience et s'y accroche. Il y a, dans notre entourage, des êtres comme cela, qui attendent un moment de faiblesse émotive. Cela fait partie de la vie. Si nous nous mettons à découvert, en résonance avec un être sombre, nous commençons à nous conduire comme lui : nous devenons agressifs, pleins de haine, énervés, fâchés, querelleurs, dépressifs et angoissés. Il a gagné, selon la loi qui dit : *Qui se ressemble, s'assemble*. Ce n'est plus la faute du démon, mais de la personne possédée qui l'a laissé entrer, consciemment ou inconsciemment.

Un enfant médium me raconta ce qui se passe dans les discothèques et parmi les consommateurs de drogues. C'est incroyable… Il ne faut pas oublier dans cette liste les films d'horreur. Il est arrivé régulièrement que des acteurs trouvent la mort dans des productions hollywoodiennes. L'exemple le plus connu est le film *Poltergeist* (*I, II et III*), marqué par plus d'une mort. Ce n'est pas un hasard, mais un cas de résonance : qui se ressemble s'assemble. Si nous tournons un film sur des vampires, des démons ou des esprits frappeurs (poltergeist), il ne faut pas nous étonner d'attirer des êtres de ce genre. Des films et les émotions qu'ils déclenchent peuvent être à l'origine de phénomènes de possession. Béla Lugosi, un acteur qui joua le comte Dracula au cinéma, passa les dernières années de sa vie à dormir dans un cercueil. Il ne s'identifia pas seulement à son rôle, il fut sans doute possédé par un être étranger appréciant cette habitude.

Voilà. Et ce sont ces forces sombres qui inspirent nos « amis » illuminés et leur soufflent l'idée de nous implanter des puces sous la peau, de mélanger les races pour en faire une bouillie, de tout surveiller et contrôler, de décimer une partie de la population mondiale. Ces « êtres » inspirèrent Albert Pike et inspirent les Illuminati, les puissants de ce monde, qui contrôlent les hommes politiques et les poussent à poser des gestes qui nous empêchent de dormir.

Pourtant, tout n'est pas sans espoir. Je voudrais récapituler ce qu'il faut savoir des mondes subtils, de l'au-delà, car c'est fondamental pour comprendre la nouvelle vision du monde que je m'apprête à vous expliquer : il existe, hors de notre monde matériel, un monde subtil, l'au-delà d'où viennent les âmes et tout ce qui est vivant. Des êtres subtils peuplent ce monde. On peut les partager en deux catégories : ceux qui ne s'incarneront plus, car ils vibrent à une fréquence très élevée et sont proches des dieux, et ceux qui s'incarnent sur terre pour accumuler des expériences. L'âme qui habite un corps retourne dans ce monde après la mort. Donc, en réalité, la mort n'existe pas.

La base de toute création physique ou spirituelle est la loi de cause à effet, selon laquelle nous récoltons ce que nous avons semé. Nous récoltons donc la haine, la souffrance, l'amour, le succès ou l'échec. Si nous avons fait du mal à quelqu'un, un jour nous ressentirons, dans cette vie ou dans une autre, ce que nous lui avons fait subir. Si nous sommes satisfaits de notre vécu dans le monde physique, nous resterons dans le monde subtil pour y effectuer de nouvelles expériences. La force primaire qui régit tout ce qui existe, qu'on appelait auparavant le « Créateur » ou « Dieu », est l'amour absolu, la lumière absolue. Tous les êtres créés étaient à l'origine dans la lumière ; nous aussi, par conséquent. Certains s'en sont éloignés et se trouvent maintenant dans les ténèbres, consciemment ou inconsciemment.

Il existe des êtres sombres, les démons, qui viennent se fixer sur ceux qui les ont « invités », ou les ont laissé faire, parce qu'il leur manque la lumière nécessaire pour vivre. Les trous dans le champ énergétique, l'aura, sont des points d'ancrage pour les êtres obscurs qui pompent l'énergie vitale dont ils ont besoin pour exister. Les personnes visitées ou hantées sont elles-mêmes responsables des trous d'énergie, par leur absorption de drogues, d'alcool, par leurs émotions négatives, la haine, la colère, la dépression, l'apitoiement…

Les enseignements gnostiques parlent de lumière et d'ombre en nous, sans quoi la lumière et les ténèbres extérieures ne pourraient résonner en nous. Les êtres sombres n'attaquent pas de l'extérieur, ils attendent d'être « invités », selon la loi de *qui se ressemble s'assemble.*

Il y a des royaumes intermédiaires ni physiques ni spirituels, le monde des esprits de la nature. Il y a des anges, des anges gardiens, des maîtres spirituels. Ces êtres encadrent et guident les âmes incarnées dans le monde matériel. Ils appartiennent à notre famille spirituelle et nous conseillent avant que nous entamions notre vie physique. Ce sont eux qui nous accompagnent lorsque nous quittons le monde physique. Avec eux, nous contemplons notre vie passée, afin de savoir si nous en sommes satisfaits ou devons y retourner pour enrichir ou approfondir nos expériences.

Les personnes décédées ne sont pas « mortes », elles se sentent bien dans le monde subtil. Parfois, elles entrent en contact avec nous, ou nous pouvons entrer en contact avec elles, par l'intermédiaire d'un médium, pas par amusement ou curiosité, mais quand c'est absolument nécessaire.

Nous recevons des messages du monde subtil dans notre cœur ou par intuition, par notre voix intérieure, que certains appellent la conscience ou l'instinct. La communication professionnelle avec le monde subtil se fait par l'intermédiaire des médiums. Si vous êtes des croyants convaincus, vous savez pourquoi la médiumnité s'intensifie actuellement, surtout chez les enfants :

« Dans les derniers jours, dit Dieu,
Je répandrai de mon Esprit sur toute chair ;
Vos fils et vos filles prophétiseront,
Vos jeunes gens auront des visions,
Et vos vieillards auront des songes.
Oui, sur mes serviteurs et sur mes servantes,
Dans ces jours-là, je répandrai de mon Esprit ;
Et ils prophétiseront. » (Actes 2,17-18)

Avant de vous dévoiler le destin qui attend le Nouvel Ordre Mondial, je voudrais aborder un autre thème. Au début de notre voyage, nous sommes allés au Tibet, où nous avons contemplé les êtres qui se maintiennent en état de *samâdhi*. Franchissons la frontière : nous arrivons en Chine, où nous attend un phénomène complètement fou. Les Chinois, que les Tibétains appellent les « communistes sans Dieu », ont parmi eux des personnes très intéressantes, qui maîtrisent la force mentale de façon étonnante. Ce sont...

14. LES ENFANTS SUPERPSYCHIQUES DE CHINE

De qui s'agit-il ? En 1979, on découvre en Chine un garçon de douze ans, Tang Yu, dont le quotidien *Sichuan Daily* raconte qu'il a la faculté de voir… avec ses oreilles, comme d'autres voient avec leurs yeux, mais mieux. Le journaliste Zhang Naiming le teste ainsi : il lui met une feuille de papier pliée en six dans la main, sur laquelle il écrit quatre caractères, à l'encre bleue. Tang Yu la colle contre son oreille et nomme exactement ce qui est écrit. Ensuite, Zhang Naiming écrit des poèmes sur une feuille, qu'il plie de la même façon, et Tang Yu peut lire l'intégralité du texte.

Ce n'est que le début d'une histoire extraordinaire. Après la parution des articles du journal, qui stupéfient les Chinois, des parents d'enfants possédant des dons similaires se manifestent. Le gouvernement chinois prétend que des milliers d'enfants peuvent lire les yeux bandés, pas seulement avec leurs oreilles, mais avec leur langue, leur nez, leurs aisselles, leurs mains ou leurs pieds. Chaque enfant a un don particulier. Plusieurs journalistes et spécialistes des domaines de l'éducation, des sciences et de la médecine testent deux sœurs affichant ces dons. Les deux affirment qu'une fois les écrits posés sur leurs oreilles ou leur nez, ou même sous leurs aisselles, les mots et les images leur apparaissent en esprit, mais pour un court instant seulement, car tout disparaît rapidement. Ils ne contrôlent pas le moment de leur apparition et doivent parfois attendre quelques minutes, même quelques heures, où elles apparaissent instantanément. Aiguillonnées par les articles des journaux, d'autres personnes s'emparent de ce phénomène et constatent qu'il n'est pas récent. Il est découvert que, pendant la Deuxième Guerre mondiale, des hommes travaillant sur des stations radars étaient en mesure d'entendre des signaux parmi les fréquences des micro-ondes. En 1964, on trouve un jeune homme capable de voir des objets à travers un mur. Le périodique *Licht Forum* publie un article sur les enfants médiums chinois : « En 1984, les autorités chinoises découvrirent un garçon qui avait des dons de médium dépassant tout ce qu'on connaissait jusque-là. On testa ses connaissances : il répondit correctement à toutes les questions. Puis on trouva un autre enfant, plus tard plusieurs centaines d'autres ; quelques milliers d'enfants furent testés en tout. Le magazine américain *Omni* entreprit une étude, sur invitation du gouvernement chinois. Les journalistes américains pensaient qu'il s'agissait d'une escroquerie et furent très prudents. Les autorités leur présentèrent une centaine d'enfants aux fins d'études.

Les journalistes mirent au point une série de tests. Ils prirent une page d'un livre quelconque, qu'ils déchirèrent, mirent en boule et posèrent sous l'aisselle des enfants. Ceux-ci lisaient chaque mot, sans faire d'erreur. Après avoir testé un grand nombre d'enfants, les journalistes reconnurent leurs dons extraordinaires, auxquels ils ne pouvaient trouver aucune explication convaincante. Leur étude fut publiée dans l'édition de janvier 1985. Entre temps, on découvrit des enfants ayant ce genre de dons dans d'autres pays : en Russie, au Japon, au Canada, en Europe et aux États-Unis. »

Le magazine *Nature* publia également des articles sur ces enfants, la rédaction étant persuadée de l'authenticité des événements. Paul Dong et Thomas Raffill publièrent un livre passionnant à ce sujet, *China's Super Psychics*, dans lequel j'ai puisé un grand nombre d'informations. Ils recensent ainsi les capacités des garçons et des filles à la suite de nombreux tests :

• lire et reconnaître les couleurs par les oreilles, les mains, les aisselles, le front, les paumes de la main, les pieds, le nez ;

• déplacer des objets ou couper des branches d'arbre par la force mentale ;

• voir à travers le corps humain, les murs, comme des rayons X ;

• résoudre des calculs mentaux plus vite qu'une calculatrice ;

• agrandir des objets en les regardant, les transporter par la force mentale ;

• ouvrir des serrures par la force mentale ;

• reconnaître des mots et des images sur des feuilles de papier froissées, en boule.

Ces phénomènes ne se limitent pas à la Chine, ils se produisent dans le monde entier. À Mexico, on retraça plus d'un millier d'enfants doués de facultés similaires. Il semble que les dons des enfants chinois aient été transmis à ceux du Mexique. Quand les autorités chinoises commencèrent à enquêter sur le phénomène, elles se rendirent compte que ce n'était que la pointe de l'iceberg. Paul Dong raconte l'épisode suivant : au cours d'une réunion, on distribua à un millier de personnes des boutons de rose. Quand tous les invités rejoignirent leur siège, une jeune Chinoise âgée de six ans monta sur la scène et regarda le public. Elle commença à onduler avec les bras, les centaines de boutons de rose s'ouvrirent et se transformèrent en de magnifiques roses.

Paul Dong parle d'une autre manifestation, à laquelle participèrent plus de cinq mille enfants chinois. L'un d'eux était assis devant un flacon hermétiquement fermé et scellé contenant des pilules. La vidéo fut enclenchée et l'enfant fit un signe indiquant qu'il commençait l'expérience. Les spectateurs étaient tendus, quand soudain les pilules commencèrent à se mouvoir sans que l'enfant les touche, seule sa force mentale permettant qu'elles traversent le verre du flacon pour s'immobiliser sur la table. L'enfant renouvela l'expérience avec des pièces de monnaie, qui traversèrent la paroi de verre et s'immobilisèrent sur la table. On observa d'autres phénomènes en Chine, tous validés par les autorités chinoises. Elles pensaient évidemment qu'il s'agissait d'une manipulation à la David Copperfield, mais le nombre d'enfants ne cessait d'augmenter. Quand le livre de Paul Dong parut en 1997, on avait déjà recensé plus de 100 000 enfants aux dons extraordinaires. Il n'était plus possible de nier le phénomène et les autorités chinoises, conscientes du potentiel que cela représentait pour la Chine, décidèrent d'ouvrir des écoles spécialisées et des centres d'entraînement, dans le but de soutenir et de développer les dons de ces enfants. Ils sont envoyés dans ces centres dès qu'un don de ce type est décelé. On constata que d'autres enfants, qui n'avaient pas de dons au départ, commencèrent à développer des facultés de médiumnité en présence de ces enfants.

Je me suis évidemment souvenu d'Uri Geller, qui, dans son livre *Ma Vie est fantastique,* décrit comment il est entré en contact avec des extraterrestres, qui l'aidèrent à développer ses dons. En 1973, il participa à des émissions de radio et de télévision, au cours desquelles il plia des cuillers et d'autres objets par la seule force de sa concentration. Il demandait aux spectateurs de faire l'expérience chez eux, de poser des cuillers ou des couteaux sur une table, et de voir si le phénomène se transmettait. Et à la surprise générale, le phénomène se reproduisit, et des milliers de fois. Des fourchettes, des clés, des clous, des colliers, des bracelets commencèrent à se plier, des pendules arrêtées se remirent en route. On remarqua que beaucoup d'enfants ayant suivi les émissions se mettaient à tordre des objets.

79. Sheng Kegong, surnommé « Supercomputer », âgé de treize ans, calcula en vingt secondes 625^9 sans aide extérieure.

80. Des dirigeants d'un grand groupe de pétrole américain observent une jeune fille qui fait éclore une rose par la force de sa concentration (1992). Sa voisine utilise son don de télékinésie pour faire traverser une paroi de verre à des pilules.

L'enfant chinois le plus célèbre a aujourd'hui trente ans, il s'appelle Zhang Baosheng. Tout le monde le connaît en Chine, il apparaît souvent à la télévision et se produit dans les grandes manifestations, où l'on invite des dignitaires étrangers. Les autorités mirent une voiture et deux gardes du corps à sa disposition.

Il est capable de faire traverser des parois de verre à des objets. Le professeur Song Kong Zhi le soumit à de nombreux tests et confirma qu'il est capable de faire traverser des murs de bois ou de pierre à des clés, des chaussures, des bouillottes ou d'autres objets. Un jour, des fonctionnaires l'enfermèrent dans une pièce, ils le retrouvèrent chez lui, dans sa maison. À partir de là, il commença à travailler pour le ministère de la Défense. Que pensez-vous du fait qu'aujourd'hui on ne crucifierait plus Jésus, qu'on lui donnerait une bourse, par exemple, pour développer ses dons ? À l'inverse des pays européens, on ne se moque pas de ces enfants en Chine. Ils sont la fierté du pays et intégrés dans des projets militaires secrets ou de recherche scientifique. Zhang reproduisit l'expérience des pilules qui traversent le flacon de verre devant les caméras hautement sophistiquées et très rapides (400 images/s) de l'agence spatiale chinoise. Les images montrent les pilules en train de traverser la paroi de verre.

Zhang s'amuse à faire passer des pièces de monnaie de la poche de son chauffeur à celle de son garde du corps, il peut déplacer une pomme à un kilomètre de distance et enflammer à distance des vêtements que quelqu'un vient de retirer. Paul Dong parle également d'une jeune fille, Yao Dong, qui a les mêmes dons de faire traverser des parois à des objets, d'enflammer des vêtements à distance et de plier des cuillers. Ces dons peuvent être utilisés à d'autres fins : en 1994, la jeune fille put identifier des champs de pétrole pour la Bohai Oil Company of China en présence de chercheurs.

Je dois vous parler aussi des calculateurs prodiges, comme Sheng Kegong, un jeune de treize ans, qui fait des calculs mentaux extraordinaires, à 26 chiffres, en vingt secondes, comme 625^9 (14 551 915 228 366 851 806 640 625). Il fit ce calcul à l'Agricultural Bank of China, devant l'ensemble des employés. Au mois de septembre 1997, on organisa des championnats d'abaque dans la province chinoise du Shanxi, au nord-est de la Chine. L'abaque est un compteur à boules chinois, qui facilite les calculs numériques. Deux mille joueurs étaient inscrits dans plusieurs catégories : calculs à plusieurs décimales, calculs de fractions, de racines carrées. Shang gagna la compétition, en trouvant la solution de $639 \times 33 + 3 \div 884\ 736$ plus rapidement que tous les abaques et les calculatrices, en 3,4 secondes. Au cours d'une autre compétition, il donna la solution de $4\ 789\ 239\ 975 \div 45$ en 1,6 seconde (106 427 555) et $35 \times 45 \times 25$ en 1,8 seconde (39 375).

81. Les forces puissantes de télékinésie ne datent pas d'aujourd'hui. En 1852, le Britannique Daniel Dunglas Home commença à manifester des dons et se produisit en public pendant quarante ans, devant Napoléon III, Mark Twain et des reporters du *Hartford Times*, entre autres.
Il pouvait mettre des objets en lévitation, des tables et des chaises, il lévitait lui-même jusqu'au plafond et planait ensuite dans l'air.

Comme nous pouvons le constater, des événements miraculeux se déroulent devant nous. Les enfants vont changer le monde, sinon personne ne le pourra. Par leurs dons extraordinaires, ils obligeront la science et le monde à évoluer. Et comme il existe des écoles pour ces enfants en Chine, il y en aura un jour dans le monde occidental et en France. Consultez le livre de Paul Dong, si le sujet vous intéresse particulièrement. Il parle d'enfants qui peuvent arrêter des voitures, qui traversent des murs et peuvent modifier des couleurs ou des structures moléculaires. Il parle également d'enfants qui ont des dons de télékinésie et peuvent léviter.

82. Sur une série de photos publiées dans *The Illustrated London News* du 6 juin 1936, on peut voir le yogi en lévitation. Le reporter P. T. Plunkett photographia l'événement sous différentes perspectives, en présence de 150 personnes.

En prenant un peu de recul, nous pouvons tirer deux conclusions de ces « nouveautés de la Terre » : en dehors du don de calcul mental, ces enfants ont celui de se dématérialiser et se rematérialiser, comme certains initiés au fil des siècles. D'abord, Jésus changeait l'eau en vin et il donna à manger à plus de cinq mille personnes venues l'écouter.

Il y eut le *Projet Montauk* (du nom d'un site à l'extrémité nord de Long Island, New York), au cours duquel on procéda à des expériences avec le temps et la dématérialisation. À l'aide d'un amplificateur, on réussit à amplifier les pensées d'une personne (Duncan Cameron), jusqu'à ce qu'elles deviennent réalité. Cameron imaginait une canette de bière, et à l'aide d'une technologie appropriée, la canette apparut. On fit plus tard des expériences où il imaginait des êtres vivants, mais les résultats se révélèrent chaotiques.

Entre temps, j'ai appris par une personne que je connais bien, dont le beau-père travailla sur un projet secret à Alma Ata au Kazakhstan, que cette technologie existe aussi là-bas. On matérialisa un chien, puis un homme, sous ses yeux ; on pouvait leur parler, ils pouvaient bouger. Au bout de quelques jours, l'homme disparut, comme s'il s'était dilué.

Ces enfants vont changer le monde, les messages indirects des « miracles divins » sont plus profonds. Ils sont la preuve vivante de ce que Jésus avait annoncé : « Ce que je fais, vous pouvez le faire. »

Conclusion : les hommes d'aujourd'hui devraient reconnaître leur origine divine, leur ressemblance avec Dieu, leur moi supérieur, leur acceptation de « je suis la Présence », comme autrefois on l'exigeait. Les jeunes nous montrent que ces miracles ne sont pas la chasse gardée des « saints » que les théologiens couronnent d'une auréole, mais qu'ils peuvent aussi surgir de sociétés athées et communistes. Jésus, le clairvoyant, disait déjà : « Si vous n'êtes pas comme des enfants [...]. »

Maintenant, il est temps de répondre à la question du prochain chapitre…

15. CRAIGNEZ-VOUS LE NOUVEL ORDRE MONDIAL ?

Oui ? Je l'imagine volontiers, et vous voulez savoir comment continuer votre vie maintenant ? Si le monde est sous surveillance et que les Illuminati atteignent leur objectif, quel est encore le sens de notre vie et à quoi bon continuer de travailler, de procréer ? En effet, tout va de mal en pis. Voici ce que j'ai suggéré dans la postface du tome 2 de l'ouvrage de Stefan Erdmann, *Les banques, le pain et les bombes*. Malgré les représailles consécutives à l'interdiction de mes deux premiers livres, j'ai pu faire un grand nombre d'expériences positives, que je voudrais vous communiquer. On m'a souvent demandé comment je pouvais continuer à mener une vie de famille normale en tenant compte de la somme d'informations que j'ai pu accumuler. Mes publications m'ont permis d'établir des contacts, de vivre des expériences et de constater de visu des choses qui ont changé ma vie dans un sens positif, que j'ai du mal à transcrire en mots.

Je voudrais mentionner quatre points, qui montrent que la situation est loin d'être désespérée : deux viennent du monde extérieur, exotérique ; les deux autres viennent du monde intérieur, ésotérique.

Au risque de me répéter, j'ai vu de mes yeux il y a plus de dix ans en Nouvelle-Zélande une petite machine, un moteur magnétique, qui alimentait en électricité une maison isolée dans la forêt. Des années plus tard, après l'interdiction d'un de mes livres, je pus rencontrer un homme qui me permit d'expérimenter une technologie que je considérais, même en la voyant fonctionner, comme de la pure science-fiction. Il existe des engins volants qui utilisent les forces électromagnétiques présentes dans l'univers, comme le fait la Terre, au lieu de brûler un quelconque carburant. Ces engins sillonnent l'univers à une vitesse de 2 000 kilomètres à l'heure, sans moteur à explosion. J'ai vu également, avec beaucoup d'autres témoins, un homme âgé contrôler les nuages dans le ciel et les pousser, afin de générer de nouvelles formations, et beaucoup d'autres choses.

Venons-en au deuxième point du monde extérieur – la politique. Je suis sincère quand je vous dis que le Nouvel Ordre Mondial est en train de devenir une réalité. Attention, cependant, n'ayez aucune crainte ! Parce qu'il ne sera pas important, comme l'euro. Pourquoi ? Les maîtres du monde terrestre sont sûrs d'atteindre leur objectif, mais nous pouvons également être certains de leurs divergences importantes. Nous pouvons le déceler dans une déclaration de Mikhaïl Gorbatchev datant de mars 1999, juste avant l'intervention de l'Otan au Kosovo, avec les États-Unis, contre la Serbie (6 avril 1999) : « L'Occident trompe la Russie. Nous étions tous d'accord sur le Nouvel Ordre Mondial, qui prévoyait de mettre les États-Unis d'Europe, de l'Atlantique à l'Oural, sous le contrôle de la Russie. La Russie n'oubliera pas cette trahison. »

Ce qui signifie qu'ils se trahissent entre eux, comme bon leur semble... Ils ne sont pas seulement arrogants et souverains, ils sont surtout gonflés d'orgueil. Quand James P. Warburg déclare « nous en viendrons à un gouvernement mondial, qu'ils le veuillent ou non, par soumission ou par acceptation », nous avons la preuve que nos amis illuminés n'ont aucun doute sur la réalité de leurs prédictions. Mais nous savons également que l'orgueil précède la chute...

Je vais vous expliquer ce que ces messieurs sous-estiment. Qu'est-ce qui caractérise ce Nouvel Ordre Mondial ?

- La disparition de l'argent liquide pour les transactions ;
- la mise sous fichier des individus (*scan* de l'iris) ;
- le remplacement du courrier papier par le courrier électronique (courriels et SMS) ;
- la surveillance totale par caméras vidéo ;
- bientôt le tatouage au laser, l'implant (micropuce sous la peau) ;
- la détection d'un individu par satellite...

Vous voyez où je veux en venir ? Pour atteindre ce Nouvel Ordre Mondial, il faut la combinaison de deux facteurs : les ordinateurs avec Internet et les satellites. De quoi ces machines ont-elles besoin pour fonctionner ? De courant électrique. Et que se passe-t-il si un pirate informatique parvient à introduire un virus qui anéantit le réseau de surveillance de l'intérieur ? Surtout quand il s'agit de quelqu'un qui connaît la programmation des systèmes des Illuminati et les points faibles, ou qui en a même installé ! Et que se passe-t-il s'il existe une arme électromagnétique capable de paralyser la distribution électrique, assez puissante pour mettre hors service les satellites et interrompre les communications à tout jamais ? Et si toutes les mémoires des ordinateurs étaient effacées par des éclairs électroniques ?

Et que se passerait-il si nous étions confrontés à des ouragans et des vents de quatre cents kilomètres à l'heure (comme je l'ai décrit dans mon *Livre 3 – La troisième guerre mondiale)* ? Aucune tour de transmission ne résisterait. Certains voyants parlent d'impacts d'astéroïdes, qui feraient le ménage parmi les satellites...

Il ne faut pas sous-estimer non plus la diminution d'intensité du champ magnétique terrestre, ce qui va, avec le temps, perturber le courant alternatif et l'électronique. Là, vous comprenez mieux où je veux en venir ? Abordons maintenant l'aspect ésotérique du *jeu*, du jeu de la vie terrestre dans la dualité : grâce à mon travail avec des enfants médiums, j'ai fait la rencontre de petits « anges », qui changent le monde par leur présence et leur état d'être. J'ai pu voir de mes yeux de jeunes enfants plier des objets métalliques ou en faire planer, et d'autres capables de discerner dans les champs d'énergie des personnes des maladies ou des événements passés, ainsi que des adolescents qui lisent dans mes pensées et me racontent mon passé, et – cela devient passionnant – en mesure de prévoir des événements de ma vie privée ou mondiaux, comme l'attaque du 11 septembre 2001. Évidemment, ils en voient aussi d'autres qui arriveront...

Un de ces enfants fut capable de voir la matrice originelle, le programme informatique de la vie dans lequel nous évoluons. Ce que j'appelle la matrice originelle correspond au plan de la Création des chrétiens, au code biblique des juifs et aux termes de *Kismet* et d'*Inch'Allah* des musulmans.

Un autre enfant sait consulter le Livre de la vie, un peu comme les lecteurs du *Nadi Granth* (collection de manuscrits indiens sur feuilles de palmiers), dans lequel sont inscrites les existences de tous les hommes, celles des Illuminati incluses.

Où veux-je en venir ? Il y a des choses qui font très peur aux Illuminati. Ce sont des facteurs qui perturbent fortement leur concept, parce qu'ils ne se font plus confiance entre eux, comme l'atteste le discours de M. Gorbatchev. Ce sont les enfants que les Illuminati essaient de pervertir en augmentant la diffusion d'émissions stupides à la télévision, la montée de la violence gratuite, la diffusion effrénée de films pornographiques, mais cela ne marche pas. On peut certainement polluer et ramollir le cerveau de ces jeunes enfants, ou le paralyser avec du Ritalin, mais pour un temps seulement. Il ne faut pas beaucoup de ces enfants pour régénérer la société. Comme vous le savez, ils sont très peu à vouloir bâillonner l'humanité et lui imposer leurs directives. Mais qu'arrive-t-il avec les millions de « moutons » qui contribuent à l'avènement du Nouvel Ordre Mondial ? Ils se retourneront plus vite que ne le souhaitent les Illuminati. Ce sont des pères et des mères de famille qui changeront leur fusil d'épaule, du jour au lendemain, quand ils verront leurs enfants menacés.

Là, les choses leur vont droit au cœur, et le cœur est divin, c'est le seul organe que ne peut détruire un cancer. Nous venons de faire la connaissance des enfants superpsychiques chinois. Que se passera-t-il s'ils décident de s'associer pour agir contre les forces des Illuminati ? Et qu'adviendra-t-il s'ils décident de mettre hors circuit un ou plusieurs des ordinateurs géants par leurs énergies de télékinésie ? Comprenez-vous pourquoi j'ai été long dans la description de ces enfants ? Soyez sûrs qu'ils lisent mes livres et, lors de nos rencontres, j'ai pu vérifier que ces petits magiciens pensent positivement, et se posent les bonnes questions sur la façon de servir en utilisant leurs dons exceptionnels.

L'augmentation de la fréquence vibratoire du système solaire est un autre facteur qui entre en jeu et perturbe les Illuminati. Notre système tourne autour du centre de notre galaxie sur une orbite elliptique, dans un cycle de 25 920 années. Le cycle se subdivise en douze périodes de 2 160 années. Notre système solaire se rapproche en ce moment du centre de la galaxie, ce qui fait que nous recevons une plus grande quantité d'énergie. Quand notre système solaire s'éloigne du Soleil central primaire, la fréquence de vibration de la lumière divine ralentit, les hommes tombent dans le sommeil, il fait plus sombre. Quand nous revenons vers le centre, nous vivons une forme de renaissance, de nouvel éveil.

Selon les dernières découvertes, l'ellipse décrite par notre système solaire n'est pas fermée, elle ressemble plus à une spirale. Le point d'inflexion entre l'éveil et l'endormissement progressif est accompagné de modifications importantes : changements des états de conscience des organismes vivants, modification des pôles magnétiques de notre planète. Nous sommes au tournant qui nous ramène vers le centre de la galaxie. Du point de vue astronomique nous avons atteint l'aphélie, le point de l'orbite le plus éloigné du Soleil central. Du point de vue astrologique, nous sommes à la fin de l'ère « endormie » des Poissons, nous prenons un grand virage, et entrons de plain-pied dans l'ère du Verseau, le nouvel âge, pour nous éveiller ou être réveillés. Le virage en question peut être considéré comme l'apogée du cycle de l'évolution des âmes. Cet âge d'or est comme le dimanche d'une semaine terrestre, le septième jour de l'histoire de la Création, le jour de repos dans le combat de cette évolution, qui durera 2 160 années. Dans les anciens *Veda*, on appelle cette période l'inspiration et l'expiration du souffle du Brahman ; elle nous rappelle la loi de la périodicité, formulée dans l'Antiquité, qui conditionne l'alternance entre le flux et le reflux, la marée haute et la marée basse, le jour et la nuit, la vie et la mort.

83. Encore et encore, notre système solaire voyage dans
un mouvement elliptique à partir du centre de la galaxie
(le Soleil central originel), indiqué sur la droite.

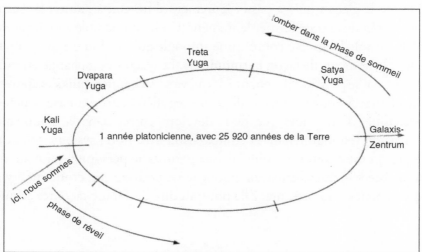

L'image ci-dessus nous montre le cycle elliptique de notre système solaire : à droite, il y a le Soleil central primaire, qui se trouve au centre de la galaxie. Le sommet gauche, qui correspond au Kali Yuga (« âge de Kali »), est le point le plus éloigné du Soleil central. Le sommet droit est le point le plus rapproché du Soleil central. Le Kali Yuga est le quatrième âge de la cosmogonie hindoue, l'âge actuel ; on le considère comme un âge sombre, notre Soleil étant pendant une période de 2 160 années très loin de la source de lumière.

Ce qui se passe avec notre système solaire, à l'heure actuelle, est facilement compréhensible. Je vous l'illustre pour que vous le graviez dans votre mémoire. Observons encore la figure 86 et imaginons une bougie (symbole de lumière et d'énergie) à la place du Soleil central et un glaçon pour représenter notre système solaire. Le glaçon se déplace sur une orbite elliptique entre le point le plus éloigné, le plus froid, et le point le plus proche, le plus chaud. En se rapprochant du point chaud, la densité du glaçon diminue ; à un certain moment, à 0° Celsius, il passe de glace à l'état liquide, il commence à fondre. Beaucoup de personnes intéressées par la spiritualité et les écrits religieux parlent d'une nouvelle ère qui doit apparaître : l'âge d'or, le royaume de paix. D'autres évoquent un changement vers la quatrième dimension. Cette hypothèse est sans doute la meilleure de toutes, parce qu'elle traduit le mieux la situation qui pourrait prévaloir.

Nous allons atteindre un nouveau palier de l'existence matérielle. Comme le glaçon qui va passer lentement d'un état à l'autre, la Terre est en train de se transformer lentement. C'est comparable à un lever de soleil. Le Soleil n'est pas comme une ampoule qu'on allume d'un coup, il se lève lentement, de façon harmonieuse. Le glaçon s'est changé en eau. Que va-t-il se passer maintenant ? L'eau va se réchauffer, puis s'évaporer. Elle change à nouveau d'état, de façon régulière, harmonieuse, à peine perceptible. C'est alors que nous devrions entrer dans la cinquième dimension (en maintenant la comparaison avec notre système solaire). Le glaçon est devenu invisible, il a disparu. Une personne qui n'aurait pas assisté à la transformation graduelle ne pourrait pas croire qu'il y a de la vapeur d'eau présente. Elle pourrait dire : « Tu me racontes ce que tu veux, je ne vois rien, je ne peux pas croire à quelque chose que je ne vois pas. »

La vapeur est toujours présente, elle va se retransformer en eau et en glace au cours de son cheminement sur l'orbite autour du Soleil central. Si on transpose cela sur notre Terre et dans notre système solaire, nous nous rapprochons du côté de la lumière. Les idées rigidifiées commencent à se dissoudre, le mouvement s'accentue, jusqu'à ce que nous changions d'état, de dimension. La transition est progressive, à peine perceptible, silencieuse. Les Terriens la remarquent à peine. Ce n'est pas cela qui va nous rendre invisibles. Les molécules d'eau ne disparaissent pas, elles s'éloignent les unes des autres, la densité diminue. Nous ne remarquons pas ce changement, mais un observateur extérieur nous verrait disparaître peu à peu.

Voici ce qu'écrit mon père dans son livre, *Jésus 2000 – Le royaume de paix est proche* : « La révolution de forme elliptique de notre système solaire dure 25 920 années. Au bout de 13 000 années terrestres, il traverse la ceinture de Manassis, qui mesure un éon, d'environ 2 160 années. Pour la plupart des religions, c'est l'âge d'or, le paradis qu'ils attendent ou, comme disait Jésus, le royaume de paix, avec une fréquence vibratoire plus élevée. La dernière partie de cette ère est connue depuis longtemps, c'est l'âge sombre, le Kali Yuga, qui débute en 3012 av. J.-C. La deuxième partie de cette période de 5 200 ans est le début du compte à rebours, jusqu'au jour J, qui se situe au changement de notre millénaire. Au cours de cette période sont apparus des créateurs de religion, Krishna, Zarathoustra, Bouddha, Jésus, Mani et Mahomet, les plus connus, dont la mission était de préparer l'humanité au développement et à l'élévation de la conscience pour le nouveau millénaire. L'ère du Verseau, qui se manifeste peu à peu, est d'une extrême importance pour l'évolution de l'humanité ; on lui attribue un changement de dimension, une mutation de conscience. »

Mon père approfondit le sujet dans un autre livre, *Bis zum Jahr 2012 (D'ici à 2012 – L'élévation de l'humanité)*. Pour les Illuminati déstabilisés, il y a là un vrai souci. Le rapprochement du Soleil central va augmenter les effets de l'activité du Soleil. Les vents solaires peuvent provoquer une hausse du taux de suicide, des tremblements de terre et de catastrophes naturelles, des pannes d'électricité. Il y aura également plus d'inventions, plus de rebelles, grâce à l'élévation du niveau de conscience. Comme tout est cyclique, tout a besoin de temps. Les Illuminati travaillent depuis longtemps à la réalisation de leur objectif, mais de l'autre côté, la Lumière aussi.

Une femme ne peut tomber enceinte que si elle est mûre pour accepter l'apparition d'une autre âme. Le surfeur et le parapentiste doivent également attendre le bon moment, la bonne vague. L'humanité a atteint l'apogée de son développement, elle doit faire un choix maintenant. La plupart des hommes ont oublié qu'ils ont déjà été libres et qu'on leur a pris leur liberté. Les puissances supérieures tolèrent les Illuminati, car ils nous permettent de comprendre que nous sommes en réalité des êtres divins, qui doivent assumer la responsabilité de leurs actes, de leurs pensées et de leurs émotions. Les Illuminati (comme c'est aussi notre cas…) sont des acteurs dans le grand jeu, ils disparaîtront après avoir complété leur processus d'éducation de l'humanité… Il est évident qu'ils ne seront pas complètement d'accord.

Nous n'avons donc ni à les redouter ni à les combattre. Le Nouvel Ordre Mondial est un géant aux pieds d'argile. S'il y a une panne d'électricité, plus aucun ordinateur ne peut fonctionner, il n'y a plus d'échanges à Wall Street, plus de communications avec les satellites, plus de surveillance, plus d'ogives atomiques, etc. Il n'est pas important de savoir si cette panne sera provoquée par un pirate informatique, une arme électromagnétique, des enfants qui font de la télékinésie, ou l'augmentation des rayons solaires.

SOYEZ ASSURÉS QUE LE NOUVEL ORDRE MONDIAL NE DURERA PAS LONGTEMPS !

C'est sur ces paroles que je conclus ce sujet « négatif », avant de vous faire rêver à nouveau. Rêvez votre rêve, pas celui des Illuminati. Soyez audacieux, ayez des désirs ; ils se réaliseront, car vous êtes un être divin et le créateur de votre destinée. Nous sommes tous les créateurs d'un nouveau monde, qui commence par nos pensées. Nous voici rendus à notre sujet principal, à nos pensées, la force de notre esprit qui détermine la matière !

16. LE POUVOIR DES ENFANTS

Si nous croyons ce que nous disent les enfants, beaucoup d'entre eux sont de vieilles âmes atlantes réincarnées. Comme nous le savons d'Ernest Muldashev, les êtres les plus évolués qui vivent en *samâdhi* dans des grottes sont des Atlantes, avec des facultés psychiques très développées. Ainsi, la boucle est bouclée, les enfants médiums ont un pouvoir de télékinésie extraordinaire, et il est probable que ces âmes atlantes se réincarnent maintenant. Comme vous allez le découvrir, j'entretiens depuis l'enfance une relation avec le comte de Saint-Germain. Je lui ai posé des questions sur ces enfants médiums et il m'a appris qu'un grand nombre de ces âmes vivantes à la disparition de l'Atlantide – et il y en avait des milliers – se réincarnent maintenant, pour réparer et racheter le passé, selon la loi du karma, et pour donner une nouvelle impulsion à notre époque. Cela me paraît une explication raisonnable.

Parmi ces âmes qui s'incarnent, on en trouve également, que vous le croyiez ou non, qui le font pour la première fois. Parmi ces âmes neuves, il y a des êtres spirituels, comme les anges, qui n'ont jamais connu la dimension matérielle, et des êtres qui ne connaissent pas notre planète, des extraterrestres, pour ainsi dire. Il existe un grand nombre de livres qui traitent de ce sujet, et qui permettent à ceux qui s'y intéressent d'en savoir plus. J'ai moi-même contribué à ce sujet. On trouve parmi ces âmes des êtres qui participèrent au développement de notre planète il y a des milliers d'années, et veulent contribuer à une forme de purification. Il y a des êtres qui désirent apporter la lumière, et d'autres qui sont là par pure curiosité.

Flavio, dont nous venons de parler, se considère lui-même comme une âme neuve : « À l'heure actuelle naissent des enfants nouveaux ; ce sont des êtres humains différents, même si leur apparence est la même. Je suis l'un d'eux, un des premiers. L'humanité se transforme, la relation avec les choses de l'esprit est plus ouverte. Les hommes vont changer, beaucoup de gens croient en Dieu, mais ils ne le ressentent pas vraiment ! D'autres ne croient pas, parce qu'ils n'acceptent pas ce que leur disent les religions, mais ils sentent qu'ils sont partie prenante de la vie, et que la vie vient de Dieu. Si tous les hommes se souviennent qu'ils sont une partie de la divinité, la planète ne sera bientôt plus la même. »

Arian, à qui j'avais demandé qui étaient ces enfants nouveaux s'incarnant maintenant, m'a répondu de façon très directe : « Tu sais bien qu'on ne peut pas répondre facilement à cette question. Nous venons de tous les coins de l'Univers, pour être présents au moment du grand bouleversement qui secoue cette planète ; quelques-uns viennent de formes d'êtres plus élevées, de dimensions supérieures et du futur, pour ainsi dire. Cette planète est sur le point d'accepter un plan de vie supérieur, dans lequel la vie terrestre se déroule d'une façon différente. C'est surtout la collaboration avec ceux que nous appelons les extraterrestres qui ne se fera plus de façon secrète, mais ouvertement, et tout sera différent. Les religions vont disparaître, surtout celles qui sont fanatiques, et avec elles la plupart des guerres. Autrement dit, les gens ne se laisseront plus manipuler, car leurs facultés grandissantes de médium leur permettront d'avoir un lien direct avec le divin. L'histoire de l'origine et du développement de l'humanité ainsi que des différents peuples de l'Univers qui colonisèrent cette planète sera réécrite. Dans les affaires financières, l'intérêt et les intérêts composés disparaîtront, ce qui modifiera fortement les rapports de force, et la technologie évoluera.

Les êtres humains seront confrontés à de grandes épreuves, beaucoup y laisseront la vie. Il y aura une grande purification et la planète brillera à nouveau, comme après le nettoyage de printemps. Beaucoup d'enfants sont animés de vieilles âmes puissantes qui agiront par leur présence. Il y aura des âmes jeunes, comme moi, venant d'une planète où il n'y a qu'un peuple, qui est très avancé en technologie et ne connaît pas la maladie. Comme je l'ai dit, je suis nouveau sur cette Terre, c'est la première fois que je me retrouve dans un corps humain. Mon peuple, là où je me suis incarné à plusieurs reprises avant de venir sur la Terre, est déjà venu sur cette planète. Il y a plusieurs milliers d'années, des vaisseaux spatiaux vinrent coloniser la Terre. Nos cosmonautes étaient considérés comme des dieux par les humains, ils participèrent activement à votre développement. Ils eurent des enfants avec des Terriens, ils en créèrent d'autres artificiellement.

La majorité des cosmonautes étaient des scientifiques voulant observer et analyser la Terre et ses êtres vivants. Des expériences furent menées, comme vous le faites avec les animaux. Ces liens génétiques nous ont poussés à revenir, nous avons travaillé avec ton peuple [NdÉ : l'auteur est allemand]. Tu en parles beaucoup dans tes livres. Comme c'est la première fois que je viens sur la Terre, je me suis incarné dans une famille allemande d'Amérique centrale, c'est-à-dire dans un environnement de personnes ayant un contact physique avec mon peuple et échangeant des technologies avancées. Ici, je me sens épanoui en tant qu'être humain et suis bien vu grâce à mes capacités. Je ne suis qu'un des cent premiers à être venus, une centaine d'autres suivirent, puis deux cents, maintenant nous sommes plus de mille issus de notre planète et à vivre sur cette terre. La plupart d'entre nous résidons en Allemagne, il s'y passera quelque chose de grand, mais les gens devront d'abord s'éveiller et se libérer de leurs entraves mentales. Et ils seront libres.

Sur la Terre, il y a aussi des peuples d'autres planètes, avec lesquels nous fûmes déjà en guerre par le passé. Là, nous poursuivons le même objectif, la purification des erreurs passées. Tu sais bien que notre apparence est la même, car vous êtes nos descendants, mais il existe des peuples dans l'Univers qui ne nous ressemblent pas. Cela ne doit pas vous faire peur. Les chats ne sont pas comme vous et pourtant vous leur faites des câlins. Beaucoup d'âmes, qui s'étaient incarnées dans ces extraterrestres d'apparence différente, sont maintenant des enfants humains. C'est par leurs yeux et leur comportement que l'on verra qu'ils ne sont pas d'ici.

On ne compte plus les âmes et les êtres qui viennent des dimensions supérieures et sont maintenant des enfants. Ils font partie d'un projet gigantesque, auquel participe le monde spirituel. Si seulement les hommes pouvaient voir ces êtres de lumière, ils jetteraient leur poste de télévision par la fenêtre ainsi que plein d'autres choses ! C'est tellement passionnant, magique même. Ces êtres de lumière apparaissent dans tous les pays, même pauvres. Ils ont besoin de cette lumière qu'apportent les enfants. Et même si beaucoup d'entre eux ne survivent pas, la lumière se manifeste, elle est ancrée. Les vieilles âmes puissantes qui se réincarnent viennent pour reprendre leurs anciennes structures et les anciens schémas qu'elles créèrent dans une vie antérieure, et elles les feront disparaître. C'est leur mission. Elles sont à l'origine de ces structures de pouvoir, elles sont capables de les faire disparaître. C'est leur droit.

Cette combinaison d'âmes anciennes et d'âmes neuves libérera le karma de cette planète. Tout ce qui a été étouffé, les mensonges de l'histoire, les crimes qui ont été commis, seront avoués, les menteurs seront punis. Nous allons récolter ce qui a été semé pendant des millénaires. Et c'est nous, les enfants nouveaux, notre énergie de lumière, qui allons déclencher les grands changements sur terre, dans les deux sens. Nous repoussons les ténèbres, mais elles se défendent. Nous sommes les déclencheurs de karma, la force qui apporte le bien, et qui détruit par la même occasion. Ce qui est ancien est détruit, pour permettre à la nouveauté d'apparaître. Et nous n'avons pas peur. Nous ne craignons pas la mort, nous ne craignons pas la vie. Beaucoup de gens au gouvernement et dans les grandes sociétés ont peur de nous.

C'est quand même drôle de voir ces gens si puissants avoir peur d'enfants ! Par nos facultés, qui étaient jadis courantes parmi les hommes, et qui le redeviendront, chacun de nous porte en lui le potentiel de ces forces de médium, nous allons changer les conditions de vie. Nous ne nous conformerons pas. En revanche, certains seront contraints par leurs parents, leurs enseignants, leur environnement, mais plus pour longtemps. Nous serons de plus en plus nombreux, et bientôt on ne réprimera plus les connaissances que nous apportons. Nous n'avons pas que des forces intérieures, nous avons la technologie qui changera le monde ; tu sais bien de quoi je parle : ces disques volants. »

Caramba ! Ce jeune homme a le feu ! S'il en existe d'autres comme lui… bonjour le nouvel âge ! Il n'est pas nouveau de voir que des parents ont peur des enfants. Hérode et d'autres avaient fait le ménage par crainte des nouvelles générations. Et qu'advient-il de Kaspar Hauser ?

Prenons congé de ces enfants, car le moment est venu de vous révéler la raison première de ce livre…

17. LE COMTE DE SAINT-GERMAIN ET MOI

Votre plus grand engagement est d'acquérir
pour vous-même la maîtrise et la liberté !
Vous serez en mesure de prodiguer la lumière,
sans vous laisser influencer par les créations humaines,
parmi lesquelles vous évoluerez.
Saint-Germain

Venons-en à celui qui me paraît l'homme le plus intéressant et le plus mystérieux depuis deux mille ans. Il y a environ deux milliards de chrétiens qui connaissent l'histoire de Jésus et croient en ses miracles. Il y en a autant qui croient en Mahomet, Bouddha, Krishna et Moïse. Le seul problème est que ces hommes qui firent des miracles vécurent il y a plus de mille ans. Les témoins oculaires étaient souvent illettrés, ils ne savaient pas écrire, et leur histoire ne fut écrite pour la plupart d'entre eux que bien après leur mort, ce qui pose des questions sur la véracité de ces témoignages. Ce n'est donc pas étonnant que la jeunesse, éduquée dans un esprit plus critique, ait un regard sceptique vis-à-vis de ces religions. C'est ce qui rend le comte de Saint Germain intéressant. Son existence est prouvée et ses apparitions et miracles sont confirmés par les plus hauts personnages, les princes et les rois. Il vécut au moins deux cents ans, ne vieillissait pas et était immensément riche. Nous disposons de portraits réalisés par des témoins oculaires, et de détails sur sa vie et son œuvre.

Vous vous demandez ce qu'il vient faire là. Vais-je vous révéler son secret ? Malheureusement, je n'en suis pas capable, mais je peux vous parler de mes rencontres avec lui et de ce qu'il m'a appris au cours des trois dernières décennies. En effet, il m'accompagne depuis l'enfance. Mon père cautionnait et appuyait un médium, par l'écriture, par qui se manifestaient des êtres de dimension supérieure. Il était du nord de l'Allemagne et mon père l'avait fait venir chez lui dans le sud. Il était le canal par lequel le comte pouvait communiquer. Quand j'avais dix ans, je recevais régulièrement des nouvelles de lui, par des lettres que me transmettait le médium. L'histoire est trop longue pour en décrire tous les détails, mais le comte est apparu sans cesse dans ma vie, pour me donner des conseils, parfaire mon développement et accéder à mon potentiel psychique. Et à trente-sept ans, en regardant en arrière, s'il y avait une phrase pour résumer au mieux ma vie, ce serait une des citations du comte : *L'esprit domine la matière.*

Les pyramides d'Égypte ont également une influence prépondérante dans mon existence. En 2003, je m'y rends à nouveau, accompagné de Stefan Erdmann, un des chercheurs les plus connus du plateau de Gizeh, et sans doute la personne ayant passé le plus de nuits dans la Grande Pyramide. J'ai pu séjourner un long moment dans les chambres funéraires du roi et de la reine, et suis resté une heure au sommet de la grande pyramide lors d'une nuit, ce qui me permit d'accéder à de nouvelles connaissances.

L'étude des pyramides suffit à provoquer un changement de vision du monde, car nous bombardés de géométrie sacrée, confrontés à des forces subtiles (les lames de rasoir s'aiguisent toutes seules, la momification se déclenche par elle-même), qui nous initient. Et lorsqu'on commence à appliquer la géométrie sacrée, on découvre un savoir caché qui mène invariablement à des indications de l'espace, à Sirius plus précisément.

84. Jan van Helsing devant l'entrée de la grande pyramide de Gizeh.
Un grand nombre de personnes ayant pu séjourner seules dans les chambres funéraires du roi et de la reine parlent d'initiations qu'elles auraient vécues.

85. Deux amis : Fergany El Komaty, « l'homme de la pyramide », avec Jan van Helsing, devant la grande pyramide à degrés de Sakkarah (du roi Djoser).

La géométrie fantastique et les liens avec l'Univers ont été souvent analysés, de Charles Berlitz à Erich von Däniken, mais je n'en parlerai pas ici. Il est beaucoup plus intéressant de savoir que j'ai rencontré une femme américaine, à l'automne 1991, qui était une rose-croix de haut niveau. Nous devînmes amis au fil des ans et elle me révéla que son maître personnel, un des hauts gradés de la Rose-Croix en Amérique, était un archéologue parmi les plus connus de l'Égypte (j'ai promis de ne pas révéler son nom). Il faisait des recherches depuis plus de onze ans quand il découvrit une chambre secrète. Son maître me divulgua ses trois découvertes essentielles des années 1980 :

1. Des écrits confirmant la véracité de ce que dit la Bible, dans la Genèse, sur les fils de Dieu, les Anunnaki.

2. Un cristal géant qui a mémorisé, sauvegardé des données, comme le fait un ordinateur de nos jours.

3. Un appareil mécanique qu'il ne voulait pas décrire plus précisément.

Malheureusement, je ne pus en savoir plus, mais cela recouvrait ce que j'avais pu apprendre au cours de mes recherches et publié dans divers livres. Revenons au comte de Saint-Germain, qui disait : *Il faut avoir* étudié *dans les pyramides, comme je l'ai fait !* On peut en déduire qu'il eut accès aux textes atlantes des Templiers, car il connaissait la géométrie sacrée et les lois cosmiques, les bases du savoir qui l'avait rendu célèbre. Sa remarque laisse entendre qu'en Atlantide, tout convergeait (*J'ai plusieurs noms, j'ai visité leur monde avant la catastrophe des Atlantes, que vous appelez le Déluge !*).

C'est surtout cette phrase qui me fait sourire : *Les grandes découvertes se manifestent en voyageant !* Depuis ma tendre enfance, j'ai voyagé par monts et par vaux, d'abord avec mes parents et mes frères et sœurs, puis seul. Et tout ce que j'ai appris ne vient pas d'Internet, mais, comme le disait le comte, c'est la vie et le contact avec les autres qui nous dévoilent les plus grands secrets. Ce n'est que par les yeux, le miroir de l'âme, que s'ouvre la porte vers l'autre, à qui nous pourrons éventuellement nous confier.

Le comte de Saint-Germain fut omniprésent dans ma vie, mais ce n'est qu'en 1992 que les choses démarrèrent vraiment. Je me trouvais dans les montagnes Rocheuses, dans le Colorado, avec un général américain à la retraite (il avait été le plus jeune général de l'armée américaine et avait longtemps travaillé à la Maison-Blanche), quand le comte s'adressa à moi. Il me demanda de me retirer pendant trois jours, de ne parler à personne et de constituer mon projet de vie.

86. Jan et son ami René devant le parc national Torres del Paine, au Chili, en 2002.

87. Jan au sanctuaire historique de Machu Picchu.

88. Jan au lac Titicaca, en Bolivie, en 1999.

Quelques jours plus tard, à mon domicile de Sedona, en Arizona, je me mis au travail et rédigeai mon projet de vie. Je manifestai mon destin, qui commença à se réaliser deux ans plus tard (je vous expliquerai plus loin comment manifester son destin).

Je fais une remarque en passant : pendant que j'écris ce chapitre sur le comte, je reçois un appel de ma grand-mère, qui m'invite à boire une tasse de thé. Je sors de la maison et regarde dans la boîte aux lettres ; que vois-je ? Une lettre de la maison d'édition Saint-Germain, dont j'ai reçu un courrier pour la dernière fois il y a un an. C'est un signe de confirmation. Tout le monde reçoit des signes chaque jour, mais les gens n'y prennent pas garde et, s'ils le font, ils ne savent pas les interpréter.

Au cours de ces années, j'ai souvent eu l'occasion de poser des questions au comte. J'ai la faculté de le faire mentalement, et de recevoir instantanément une réponse. Ce peut être sous forme d'image, d'une suite d'images ou même d'une question contraire. C'est à chaque fois différent. Dans la plupart des cas, c'est mon ange gardien qui me répond. Parfois, cela dépend de ma situation, c'est un de mes grands-pères ou un inconnu. C'est aux fruits que je reconnais de qui il s'agit, c'est-à-dire à la qualité et à l'impact de ce qui m'est transmis. Il y a évidemment le revers de la médaille, la part d'ombre, qui veut être entendue, comme pour chacun de nous. Elle me murmure des choses à l'oreille comme parfois, sur l'autoroute : *Vas-y, Jan, là tu peux doubler… !*

Ces fruits-là, je les connais aussi, et je tombe souvent dans le piège, mais le comte, je l'identifie tout de suite, à sa façon directe, sèche et pleine d'humour, et à l'ambiance chaleureuse qui se dégage de la pièce. Il tente toujours d'aller à l'essentiel et de ne pas me détourner de moi-même. Je n'ai jamais gardé par écrit les conversations, car les réponses étaient toujours liées à la situation. Il répond évidemment à des questions politiques ou autres. Comme ce chapitre traite de la manifestation de son destin et du fait de trouver sa personnalité, je vais adopter la même attitude en lui posant une question. Et nous verrons bien ce qu'il me répond…

– Cher Saint-Germain, ne veux-tu pas me révéler ton secret ? Tu ne vieillis pas, tu fus très riche… Es-tu un voyageur temporel ou un deuxième Connor MacLeod, The Highlander… ?

– Jan, tu m'as demandé jadis, avant que tu ne prennes cette enveloppe corporelle, de te former et de t'aider à devenir maître de ton existence. C'est ce que je vais faire. Je ne vais pas encore te dévoiler mon secret, cela ne te servirait à rien, mais je vais te donner les outils pour que tu puisses te mettre sur ta voie, et accéder – pourquoi pas ! – à ce que j'ai compris. Cela dépend de toi et de ta propension à travailler sur toi-même. Tu connais déjà mon secret : l'esprit domine la matière. C'était aussi le secret de Jésus, qui disait : « À chacun selon sa capacité », ce qui revient au même. Si tu crois que tu tombes toujours sur les bonnes personnes, que tu as toujours de la chance, que tu peux marcher sur des braises ou que tu peux plier des cuillers, ce qui contredit les lois de la nature, et pourtant cela ne les contredit pas, alors tu peux aussi planer en suspension dans l'air ou voler. Si tu y crois, tu peux ralentir les battements de ton cœur ou ton métabolisme.

Cela dit, il n'est d'aucune importance que je sois un voyageur temporel ou un extraterrestre, aie trouvé l'élixir de vie ou vienne du centre de la Terre. D'ailleurs, c'est toi qui te connais le mieux. Si je te disais que je voyage dans le temps, tu serais tellement fasciné que tu en oublierais ta charge actuelle et passerais ton temps à penser aux voyages temporels. Tu ne dois pas te préoccuper de l'avenir, mais penser à ta vie actuelle et aux épreuves auxquelles tu fais face en ce moment. C'est cela qui doit accaparer toute ton attention. Tu as déjà parcouru la moitié du globe et rencontré les gens les plus fascinants. Là, il s'agit de réaliser ton potentiel. Tu ne deviendras pas un deuxième Jésus ou un deuxième

Saint-Germain, mais Jan à 100 %. Tu comprends ? Je n'ai pas suivi le chemin de Jésus, du Bouddha ou de quiconque, je me suis laissé guider par le « je suis dans le présent », le créateur en moi, je me suis développé pour me réaliser. Nous prenons facilement quelqu'un comme modèle, mais c'est seulement pour voir comment il s'est réalisé. S'il a réussi, tu peux y arriver aussi, mais tu ne dois pas suivre quelqu'un ou répéter ce qu'il a fait, tu dois créer ta destinée et la manifester. Dieu ne veut pas de suiveurs, il veut des pionniers...

La chose la plus importante que tu dois savoir, la loi suprême, est que la force du Créateur repose en toi ! Tires-en profit et sois-en convaincu. Si tu l'es, tout peut te réussir. C'est mon grand secret. Cependant, il n'y a que toi qui puisses arriver au point où tu es persuadé que tu ne mourras plus, que tu es immensément riche ou que tu as atteint le plus haut niveau de conscience. C'est ce que tu veux, non ? Ceux qui t'assistent, dont je fais partie – peut-être suis-je un de tes assistants les plus intimes, car une amitié sur plusieurs vies nous relie – t'ont promis de te guider vers ton but. Nous t'avons toujours montré le meilleur chemin, mais il n'y a que toi qui puisses prendre des décisions, et tu dois marcher seul sur ton chemin spirituel. Tu es venu seul sur cette planète et tu la quitteras seul. C'est ainsi que l'a voulu le Créateur. Chaque être humain est appelé à mener son chemin spirituel seul. Cela signifie qu'il est capable d'aller seul vers son but, son apothéose, son illumination. Il n'a pas besoin d'une organisation ou d'une aide pour atteindre les plus hauts niveaux de conscience. Tout a été aménagé de façon parfaite par le Créateur. Personne ne m'a rien enlevé, par chance. Sinon, je n'aurais pas pu devenir ce que je suis.

L'objectif est la maîtrise, ta maîtrise personnelle, et c'est là que je t'amène. Ou alors veux-tu être mon serviteur, mon écuyer, mon esclave, qui fait ce que je lui dis ? Non, bien sûr, notre accord impliquait de te former à devenir un maître, et c'est ce que nous faisons. Nous avons tout notre temps, et tu es tout à fait capable de surmonter les revers de fortune. Indépendamment de tout cela, je voudrais m'entretenir avec toi de façon raisonnable et échanger, de maître à maître, d'homme à homme de même rang, et non de maître à élève qui me caresse dans le sens du poil. Mais toi, tu ne le fais pas, de toute façon.

Je n'ai pas non plus toujours pris le chemin le plus court. À un certain moment, je m'étais même égaré dans mon ego, j'étais devenu arrogant, j'avais mal géré une affaire, j'ai dû l'abandonner. L'expérience mène à la connaissance. Toi aussi, tu as connu des coups du sort, que tu avais provoqués toi-même, en partie, pour mesurer ta force. Cela arrive à tout le monde, mais toi, tu as un avantage, tu ne renonces jamais ! J'étais et suis comme toi... Ma devise a toujours été « Maintenant plus que jamais » ou « Tout commence maintenant ». Tu es pareil, non, mon cher Jan ?

C'est précisément cette attitude, de toujours vouloir aller plus loin, de ne pas s'attarder, de tout accepter, qui te mène vers ton dieu intérieur, vers le divin en toi. (J'en ai les larmes aux yeux, je dois m'interrompre momentanément... C'est en voyant ces fruits – qui coulent – que je me rends compte que c'est vraiment lui, mon vieil ami.)

C'est de cela dont Dieu est fier, de ses enfants qui ne restent pas les bras croisés mais passent à l'action. Il veut être fier, comme un père l'est de ses enfants. Et plus tu te connais et te reconnais, plus tu apprends à connaître Dieu, ses mécanismes, comment Il a créé, dans quel but Il nous a donné le libre arbitre, et plus tu avanceras sur ta voie, plus tu le sentiras près de toi. Tu éprouveras de l'empathie, comme Lui, et tu sentiras son amour. C'est indescriptible... À quoi te sert-il de savoir comment je fais pour influencer la matière ? Tu ne le peux pas pour l'instant, pas comme moi, du moins, mais je peux t'aider à croire si fort en toi que tu finisses par y arriver aussi. Cela se fait par paliers, et je mettrai sur ton chemin assez d'épreuves pour aiguiser ton esprit, pour que tu puisses mûrir, pour que tu aies le courage, que tu prennes des risques, mais aussi pour que tu pardonnes, à toi-même et aux autres, que tu aies la prévoyance et la clairvoyance, et la capacité de te mettre à la place des autres et d'accepter leur point de vue, c'est-à-dire de pénétrer dans leur cerveau, dans leur ressenti. C'est l'une des choses que tu sais faire le mieux.

Quand les défis et les épreuves t'auront fait mûrir, tu seras de plus en plus convaincu de toi-même, tu oseras plus, tu douteras moins et tu accéderas à ce que tu veux. Si ton vœu est de ne pas vieillir, tu ne vieilliras pas, mais ce n'est pas ce que tu veux. Bientôt, tu auras atteint ton objectif – que je ne nommerai pas pour l'instant. Tu vas subir une épreuve importante, et tu as encore peur de ne pas réussir, de ne pas faire ce qu'il faut, mais tu y arriveras, aie confiance en toi. Regarde en arrière, n'as-tu jamais été seul ? N'as-tu pas tant de fois constaté que, lorsque tu crois ne plus pouvoir aller plus loin, il y a alors quelque part une lumière qui se manifeste, une porte qui s'ouvre ?

Tu as toujours été protégé, comme tout le monde l'est, mais si tu n'entends pas ton intuition, nous pouvons murmurer pendant des jours, Jan ne nous entend pas. Tu te surpasseras au cours de cette épreuve, tu abandonneras une vision du monde dépassée et les personnes qui y sont liées. Je sais que c'est douloureux, mais c'est un cran de plus sur l'échelle de ton apprentissage. Tu as beaucoup appris de ta dernière épreuve, surtout en ce qui concerne le mot « jamais ». Maintenant, tu sais que la vie trouve toujours un moyen de te convaincre du contraire, à 100 %. Pas vrai, Jan ? Et dans les moments de grande émotion, tu as pris position et ancré ces points de vue au plus profond de ton champ d'énergie, par la façon émotive dont tu as exprimé le mot jamais. Tu as créé toi-même les épreuves qui t'attendent, car la vie te présentera ce que tu n'as jamais voulu faire, mais ne te fais pas de soucis, tu comprendras que tu ne voyais qu'une face de la médaille, tu réaliseras que l'autre côté a aussi son bien-fondé, qui n'est pas aussi désagréable que tu pouvais le croire.

Cependant, les circonstances que tu vas rencontrer seront inédites pour toi, ce sera un grand défi, peut-être même une tentation.

– Saint-Germain, pourquoi n'as-tu pas partagé ton savoir avec le public, mais seulement avec les riches et les puissants ?

– Pour deux raisons : d'abord, peu de gens savaient lire ou écrire, sans parler de ceux qui ne pouvaient pas comprendre ce que j'avais à dire. J'ai dû pénétrer dans les cercles des gens instruits. Et le peuple n'avait rien à dire. C'est pourquoi je me suis adressé à la tête. Je me disais que si j'arrivais à ensemencer l'esprit d'un roi, il ferait de même avec l'esprit de ses sujets. C'est plus efficace. Mais cela n'a pas marché comme je l'imaginais. Je devais respecter le libre arbitre des gens, et si quelqu'un a fait le choix du chemin de souffrance, je dois en tenir compte et le respecter. C'est pour cela que j'ai partagé une partie de mes connaissances en alchimie et des secrets de l'existence avec ces messieurs. Cela peut paraître incompréhensible aujourd'hui, mais un jour cela aura un sens. Sois patient. Des choses étranges vont se produire, mais elles n'influenceront pas les puissants de ce monde. Remettons à plus tard la suite de cette conversation, tu ne dois pas en dire plus pour le moment. Ceux qui liront ce livre devront faire un travail sur eux-mêmes, avant d'être réceptifs à des connaissances plus évoluées. Tout ce que je t'ai confié est valable pour tout le monde, pas seulement pour toi.

Prends soin de toi, mon cher ami !

Chercheur singulier de la nature dans son ensemble,
j'ai appris à connaître le grand principe du tout,
j'ai reconnu la puissance de l'or dans le lit de la rivière,
j'ai compris son essence et goûté sa levure.
Saint-Germain

18. À QUOI SERT TOUT CE SAVOIR ?

Pour quelles raisons avons-nous lu ou écouté ces histoires passionnantes ? À quoi nous sert-il de savoir que nous sommes venus un jour de l'espace ? Pourquoi faut-il savoir que des Lémuriens et des Atlantes vivent encore dans les grottes de *samâdhi*, disséminées autour du globe, que les pyramides sont des constructions des Atlantes, que les hommes avaient à cette époque un niveau de conscience supérieur et que certains, comme le comte de Saint-Germain, se mêlent régulièrement à la population, pour propager leur savoir ?

À quoi nous sert-il de savoir que des civilisations avant Sumer étaient plus évoluées que la nôtre ? Quel est le but de savoir que nous ne descendons pas du singe, mais qu'il y eut une manipulation génétique de la part de civilisations supérieures, que notre couillon de voisin a autant de valeur que nous devant Dieu, et que nous sommes même des frères d'esprit ? Pourquoi savoir que Jésus n'est pas mort sur la croix, mais ailleurs et bien plus tard ? Pourquoi savoir que les familles les plus puissantes de ce monde accélèrent la mise en place du Nouvel Ordre Mondial, pour surveiller et contrôler l'ensemble de la planète ? À quoi cela sert-il de savoir tout cela, si notre vie est tout à fait insatisfaisante, bien avant l'instauration du Nouvel Ordre Mondial ? Quand j'ai un différend avec mon voisin, peu importe que nous venions de Sirius ou que nous descendions du singe. Le fait est que nous sommes en bisbille, que cela ne nous fait pas du bien, mais nous bloque, altère notre santé et notre mental.

Comprenez-vous ce que je veux dire ? J'ai rencontré tellement de gens qui connaissent les rapports entre le monde politique et économique, qui savent quel homme politique est membre de quelle loge maçonnique, comment fonctionne un moteur à antigravité ou quel système monétaire, délivré de la dictature de l'intérêt, serait le meilleur pour nous. Pourtant, ils vivaient dans des conditions chaotiques. L'expression est sans doute assez dure, mais je trouve cela chaotique quand quelqu'un ne parle plus à son ancienne épouse, quand on fait un procès à son ancien compagnon, quand la belle-mère n'a pas de droit de visite ou que se manifeste le fanatisme. Le pire, c'est que ce sont des gens qui savent montrer du doigt les insuffisances des autres, mais ne paient pas leurs propres factures, n'ont pas de parole et se fâchent dès qu'on le leur fait savoir.

D'autres étudient des livres sacrés jusqu'à se penser les seuls à détenir la vérité, mais ils maltraitent leur femme, leurs enfants ou leurs congénères et se défilent pour ne pas changer, en récitant des phrases apprises par cœur dans leurs livres sacrés, en croyant ainsi justifier leur façon primitive d'agir. D'autres méditent de façon disciplinée le matin et le soir avant d'aller se coucher, ou s'accrochent fermement à leur rosaire, ou connaissent la moitié de la Bible par cœur et ont toujours un verset à la bouche pour chaque situation. Nous connaissons tous ce genre de « je voudrais bien » qui traverse la vie avec une auréole au-dessus de la tête. Beaucoup d'entre eux se donnent du mal, veulent tout faire à 200 %, mais sont incapables de gérer les choses les plus simples du quotidien, à cause de leur vanité ou de leur mesquinerie spirituelle.

Parmi ces gens se trouvent ceux qui sont devenus bornés et fanatiques, avec leurs idées élitistes, et tout à fait infréquentables. Ils vont voir ailleurs alors qu'ils sont en couple, sont en colère contre les « méchants Illuminati », etc. Ce sont ceux que je préfère et me dispenserai de tout commentaire vis-à-vis d'eux.

La plupart des gens vivent dans leur petit monde tordu, coincé, ont une vision du monde bornée et se moquent de tout ce qui leur est étranger. Ils combattent ce qui n'entre pas dans leur vision des choses plutôt que de se demander si cela ne pourrait pas enrichir leur existence. Il arrive qu'ils s'intéressent à un sujet passionnant, comme ceux dont j'ai parlé auparavant, les êtres qui sont en état de *samâdhi* dans les grottes de l'Himalaya, par exemple. Ils s'accrochent à leur monde, ne s'intéressent qu'à cela, sans avoir saisi l'ensemble du spectre.

Je ne peux rien faire pour eux et n'en ai pas envie. En revanche, à ceux qui sont sur le départ, insatisfaits de leur vie et en veulent plus, je peux dire à quoi peut leur servir tout ce savoir : c'est un moyen d'enrichir le temps libre et d'accéder à ces connaissances cachées, pour en tirer parti dans la vie personnelle ou professionnelle. Si vous êtes entrepreneur dans le bâtiment, la géométrie sacrée peut vous être très utile ; si vous êtes ingénieur en aéronautique, vous vous intéresserez aux différentes formes de propulsion ; si vous êtes développeur en informatique, vous serez curieux de savoir comment on utilisait les cristaux pour stocker des données ; si vous êtes astronome, vous pourrez sans doute obtenir des informations inédites sur l'Univers. Ceci concerne les facteurs extérieurs.

Ce savoir peut vous enrichir intérieurement, la sagesse des Anciens est toujours pertinente ; nous allons voir comment l'appliquer dans notre petit monde. Je prends du plaisir à vous expliquer comment elle m'a été utile dans ma vie. Je me suis mis à la recherche de preuves sur tous ces sujets, j'ai entrepris de nombreux voyages, j'ai rencontré des gens qui m'ont ouvert des portes, jusqu'à ce que je voie les preuves de mes propres yeux. J'ai vu des choses fantastiques que j'ai eu du mal à croire. J'ai surtout eu l'opportunité de m'entretenir avec des êtres, physiquement ou par télépathie, qui m'ont permis d'y voir plus clair pour trouver ma place dans ce monde. J'ai pu consulter des documents qui confirment tout cela. Ils parlaient de notre créateur, de Dieu et de la vision du monde qu'avaient ceux avec qui j'ai pu échanger. C'est là qu'est apparu en moi l'effet *Aha !* Quand j'ai digéré tout cela, ma vie a encore changé. Vous comprendrez dans les pages qui viennent ce que je veux dire, quand vous aurez lu de quelle façon Arian décrit sa vision de Dieu.

C'est pour cela que je peux vous dire, en quelques mots, à quoi m'ont servi toutes ces connaissances. Je suis devenu plus audacieux, prêt à prendre de plus gros risques encore, plus aventurier, plus fier, plus digne, plus fort, plus sûr de moi, mais aussi plus tolérant, plus décontracté, plus calme, plus objectif, plus compréhensif, plus aimant et… plus riche. Je suis devenu la personne qui écrit ce livre. Ce n'est pas grâce à la société ou à la démocratie, au contraire. Ce n'est que grâce à la vision du monde que j'ai acquise en m'intéressant à ces choses et aux voyages que j'ai entrepris. Dans ce sens, je dirais que nous devons nous atteler à…

19. LA MANIFESTATION

Récapitulons rapidement les sujets abordés dans ce livre :

1– Nous avons fait connaissance avec le comte de Saint-Germain, qui apparemment ne vieillit pas, prétend avoir effectué des études à l'intérieur des pyramides et se « repose » de temps en temps dans l'Himalaya ;

2– Nous avons suivi les recherches d'Ernest Muldashev sur les êtres en état de *samâdhi* (Atlantes et autres) dans les grottes de l'Himalaya, qui sont capables de ralentir leur métabolisme par leur force mentale et ne vieillissent plus ;

3– Nous avons déchiffré les tablettes sumériennes et fait connaissance avec les Anunnaki qui, selon l'épopée sumérienne des origines, ont procédé à des manipulations génétiques pour aider au développement sur terre. Ils ont initié les êtres humains nouvellement créés à la force de la pensée et ont laissé derrière eux, à leur disparition il y a quelques milliers d'années, des outils qui nous permettent d'entrer en contact avec eux, et des documents sur eux et le sens de la création ;

4– Nous avons appris par les écrits ce que les Templiers découvrirent à Jérusalem en 1114, qui renferme un savoir ancien remontant à l'Atlantide et enseigne aux hommes le sens de la création, la loi de résonance et la notion que l'homme n'est pas seulement une partie de la création, mais aussi une partie de la divinité que nous appelons le Créateur, et qu'il est donc responsable de ses actes ;

5– Nostradamus eut apparemment accès au savoir caché des Templiers, car on peut supposer qu'il eut connaissance d'un savoir concernant l'avenir de l'humanité, même s'il ne venait pas des Templiers. Il nous enseigne dans ses prédictions que tout peut être changé, même l'avenir de l'humanité, en prenant un chemin différent, selon le principe que l'on récolte ce que l'on sème. Si nous semons différemment aujourd'hui, nous récolterons autre chose.

6– Léonard de Vinci possédait un savoir incomparable à son époque, s'appuyant sur la géométrie sacrée et recouvrant le savoir des Templiers et des Atlantes ;

7– Nous avons survolé l'histoire des Illuminati, qui se sont emparés de la direction de la franc-maçonnerie. Les francs-maçons, par leurs liens avec les Templiers, détenaient la connaissance atlante. Les Illuminati mirent rapidement en application les lois psychiques de la manifestation, afin d'établir le Nouvel Ordre Mondial. Ils se servirent du même savoir, mais dans un but autre ;

8– Nous avons été fascinés par les enfants médiums et superpsychiques de Chine qui, par leurs dons de télékinésie, peuvent matérialiser des objets, les faire disparaître ou les modifier ;

9– Et, finalement, nous avons vu le bon vieil effet placebo qui nous ramène sur terre, après notre voyage temporel et notre exploration de l'Univers.

Ces exemples ont ceci en commun : ils nous montrent que nous pouvons obtenir tout ce que nous désirons par la force de notre pensée, même si cela peut nous paraître impossible pour le moment. Les exemples que nous avons décrits dans le livre démontrent que…

L'esprit domine la matière !

Tous les objets qui nous entourent, les machines, les maisons dans lesquelles nous vivons, les vêtements, ce livre, ont été pensés et réalisés, transformés en matière. Tout ce qu'a créé l'homme, sans exception, est issu de la pensée créative d'un être humain. Évidemment, cela s'applique aussi à toutes les immondices qui nous entourent, l'art « moderne », les films d'horreur, les implants mammaires…

La pensée est à l'origine de tout ce qui est et la cause de toute réalité. Toute pensée génère dans le champ cosmique, la chronique de l'Akasha, une forme qui va se manifester dans la réalité, d'autant plus rapidement que nous l'aurons nourrie avec force. C'est la loi de résonance. Cette pensée se maintiendra dans le champ cosmique jusqu'à ce qu'elle trouve une situation appropriée dans la vie pour se manifester. Cela peut aller très vite ou attendre une prochaine vie. Tout dépend de notre karma et des pensées que nous avons tout au long de notre vie. Se pose donc la question suivante : *Si nous sommes la cause de nos conditions de vie actuelles, comment façonner notre avenir autrement ?* Par la manifestation consciente, parce que pour la plupart des gens, les conditions de vie ont été créées de façon inconsciente. Cela commence quand votre partenaire vous dit : « Je ne peux plus entendre ça ! » et se rend compte, après avoir répété cette phrase tous les jours pendant des années, qu'il a besoin d'un appareil auditif. C'en est fini de ces choses-là. Nous voulons être créatifs dans le bon sens et arrêter de travestir. Nous voulons faire le tri et créer les meilleures conditions de vie possibles.

Pour bien manifester, il est important d'être pleinement convaincu, de croire fortement. Reprenons l'exemple de ceux qui marchent sur des braises. Le participant convaincu de pouvoir traverser sans dommages le champ de braises y parviendra. S'il a le moindre doute (« Je ne sais pas si je devrais le faire, peut-être vais-je me brûler »), il échouera. C'est pareil pour l'effet placebo. Si l'on donne à un patient une pilule dont il est persuadé qu'elle contient une substance qui va le soigner, elle fera son effet. Si le médecin explique au patient qu'il s'agit d'un peu de sucre, le patient perd confiance et la pilule n'a aucun effet.

C'est logique, n'est-ce pas ? Une pensée négative, pleine de doute, neutralise une pensée positive. C'est pour cela que nous devons formuler nos vœux avec une telle conviction, qu'il ne nous vienne même pas à l'idée qu'ils ne puissent se matérialiser. Cela dit, il est sans doute approprié de ne pas en parler, une fois le vœu réalisé. Le doute que peut exprimer une autre personne peut détruire ce que nous avons imaginé. Il est important également que les désirs que nous voulons concrétiser ne soient pas trop élevés. Ils doivent être crédibles pour nous-mêmes. Si je suis un ouvrier et désire devenir le patron d'une multinationale en quelques années, j'aurai du mal à m'en convaincre. Si je veux devenir chef de service ou me mettre à mon compte dans mon domaine, mon être intérieur peut l'approuver, et la probabilité de réussite augmente considérablement. Pourquoi ? Parce que j'en suis intimement convaincu. Nous devons être à l'écoute de notre être intérieur pour évaluer la possibilité de réaliser notre objectif. Notre cœur, l'aspect divin en nous, connaît notre plan de vie authentique, notre *matrice* personnelle. Si les deux sont conformes, tout peut se réaliser.

20. POUVEZ-VOUS VOUS IMAGINER PLEIN AUX AS ?

Quand nous voulons obtenir quelque chose, il est important d'imaginer concrètement le résultat, de le visualiser, de nous sentir bien, de nous imaginer devant notre entreprise et d'accueillir nos collaborateurs, de penser à notre extrait de compte avec un chiffre à plusieurs zéros, d'être enfin en bonne santé ou de plier des cuillers...

Si nous nous imaginons dans la situation désirée et ressentons le bien-être qui l'accompagne, nous donnerons de la force à notre pensée et à notre désir. Pour augmenter la capacité d'imagination, il est conseillé de pratiquer l'autorelaxation, l'autosuggestion, et d'aborder la méditation, qui permet de faire défiler des images ou des scènes dans son regard intérieur.

Si nous ne sommes pas entièrement convaincus, nous n'obtiendrons qu'une réussite partielle. Le doute détruit tout. Nous ne devons désirer que ce que nous pourrons gérer. Croyons-nous que nous pourrons disposer d'un jour à l'autre de millions de dollars ? Non, pas vraiment. Croyons-nous que nous pouvons doubler notre salaire ? C'est déjà plus probable, par une promotion dans notre entreprise, une participation sous forme d'idée, d'invention...

Et nous constaterons que nous serons plus confiants si nos désirs les plus simples se réalisent : « Si cela a fonctionné, je peux envisager quelque chose de plus grand. » Et là, il n'y a pas de limites. Regardons nos amis illuminés ! Donnons à l'univers et au champ cosmique la possibilité de réaliser notre vœu de la façon la plus appropriée, ne nous bloquons pas.

« Je veux beaucoup d'argent, en jouant au loto, en épousant un homme ou une femme riche, ou par une invention que je commercialiserai » sont des phrases facilement améliorables. Comment pouvons-nous savoir qu'il n'y a que le loto qui puisse nous procurer beaucoup d'argent ? Peut-être allons-nous sauver la vie d'une vieille dame tombée en traversant la rue, qui nous léguera sa fortune parce qu'elle n'a pas d'héritier ? Ainsi, nous aurions été dans l'erreur dans la formulation de notre désir.

Voyez-vous où je veux en venir ? Les chemins de la Providence sont pleins de miracles, nous ne devrions pas nous restreindre, par un comportement limité. La visualisation et la manifestation peuvent grandement aider à résoudre des conflits personnels. Nous pouvons imaginer prendre notre ennemi ou notre contradicteur dans les bras et lui pardonner, ce qui est plus difficile à réaliser dans la vie réelle. Nous constaterons une modification de l'énergie en nous, et de nouvelles sensations agréables.

Cela fait quinze ans que j'expérimente la manifestation, j'ai lu plusieurs livres sur le développement personnel et la création de nouvelles conditions de vie. J'ai pu constater que la formulation bloque souvent les projets. Prenons l'exemple d'une jeune femme qui désire épouser Paul, le jeune homme qu'elle aime. Elle prie Dieu de mettre tout en œuvre pour que le mariage ait lieu. Sa mère n'aime pas du tout Paul, elle demande à Dieu d'empêcher cette union. Que fait donc le bon Dieu ? Supposons qu'Il veuille exaucer les deux femmes. Que va-t-il se passer ? Le couple se marie et divorce au bout de six mois. Ainsi, les deux femmes ont été exaucées. Où était l'erreur dans la formulation du désir ? L'erreur était de se limiter à une personne bien précise.

Comment les deux femmes auraient-elles dû exprimer leur désir ? En priant de la façon suivante, peut-être : « Dieu, permets-moi ou à ma fille de trouver le mari qui lui convient le mieux. » Il existe des milliers de variantes de création imparfaite, comme « je voudrais une nouvelle Ferrari et une blonde avec de gros... » ou « j'aimerais vivre avec un homme riche ayant une maison dans un pays chaud, ou posséder une maison avec véranda et vue sur les montagnes... »

Je ne vous conseille pas d'énoncer de tels désirs, et n'en serai pas responsable. Il faut savoir que le vœu sera exaucé, même si cela ne nous rend pas heureux. Vous connaissez le dicton « Fais attention à ce que tu désires, car cela pourrait se réaliser ! » ou, avec un brin d'humour, « Que le seigneur me protège de la réalisation de mes désirs ! » Peut-être aurons-nous notre Ferrari, mais nous percuterons un arbre et boiterons toute notre vie, parce que nous n'avons toujours conduit que des Golf diesel et que nous n'avons pas appris à conduire de tels bolides ; ou bien les voisins nous éviteront, nous pensant devenus mégalomanes…

Ou alors, nous aurons le partenaire avec les caractéristiques que nous voulions, la maison en Espagne et beaucoup d'argent, mais peut-être sera-t-il alcoolique, volage, ou absent la nuit pour travailler… Nous voyons donc qu'il n'est pas si simple d'imaginer et d'exprimer un désir ; il peut même se révéler dangereux.

21. LE MEILLEUR CHEMIN VERS LE SUCCÈS

C'est pour cette raison que je vous conseille de créer de la façon la plus parfaite possible, et de transmettre ce que j'ai appris du comte de Saint-Germain. Nous prenons une feuille que nous partageons en deux colonnes : dans celle de gauche, nous écrivons tout ce que nous voulons changer dans notre vie : notre coiffure, notre façon de nous habiller, notre travail, notre partenaire, nos voisins, notre belle-famille qui sonne tous les dimanches matin à la porte quand nous voulons faire la grasse matinée, notre vieille voiture, nos revenus qui sont insuffisants. Il y a aussi les facteurs personnels qui ne nous conviennent pas : notre timidité, notre impulsivité, notre pessimisme, notre manque de persévérance, notre méfiance. Et il y a également notre santé...

Puis, nous approfondissons d'un cran. En écrivant, nous nous demandons pourquoi nous sommes malades et constatons que nous avons mal à l'estomac en allant au travail, parce que nous ne nous y sentons pas bien, ou que nous ne nous entendons pas trop avec notre supérieur ; ou les disputes avec notre partenaire mettent nos nerfs à dure épreuve, provoquent des migraines ou nous rendent dépressifs. Faisons ce qui est demandé et observons-nous. Je suis persuadé que nous savons pourquoi nous souffrons de telle ou telle chose. Ou c'est une querelle, un conflit ou le manque de capacité de s'imposer... Nous savons que notre santé s'améliorerait si nous avions un autre responsable, ou si nous n'étions plus obligés de faire ce travail qui nous met sur les nerfs. Cela vous paraît-il raisonnable ?

Dans la colonne de gauche, inscrivez ce dont vous voulez vous défaire ; dans celle de droite, ce que vous désirez : *mon style de vie, mes vêtements, ma voiture* ; une nouvelle vie, l'ancienne m'ennuie ; je fais depuis trop longtemps ce qu'on attend de moi, mon travail ne me donne plus de satisfaction. Je travaille volontiers, mais je voudrais faire ce qui me donne de la joie, un travail indépendant ? Mon appartement ne me plaît pas, trop petit, trop bruyant, pas d'espaces verts, je n'aime pas mes voisins, je préférerais habiter à la campagne, avoir une distance avec mes voisins ; je ne m'épanouis pas réellement au travail, je suis doué manuellement, cela me conviendrait mieux que de travailler sur un ordinateur... Je suis trop timide, je peux jouer du piano pendant des heures sans m'ennuyer ; au contraire, j'ai peur de la solitude, je n'ai pas de partenaire... J'aime voyager, je parle plusieurs langues, j'ai un don, je voudrais passer plus de temps avec ma famille. Je préférerais dresser mon propre emploi du temps, je préfère travailler le soir/le matin, je suis malade depuis longtemps, je suis ouvert à la nouveauté, j'aime travailler avec les autres, mais je ne supporte pas leur façon de se plaindre tout le temps... J'ai une grande capacité d'écoute, j'ai du mal à me laisser imposer quelque chose, je préfère être le chef, je suis trop gros. Je vais changer ma façon de m'alimenter, je vais perdre du poids, je m'accepterai mieux... Je suis trop maigre. Je commencerai la journée plus calmement, je n'aurai plus de stress, je ferai un travail qui me plaît. Je n'ai pas beaucoup voyagé. J'aime les pays lointains pour y rester un moment. Je n'ai pas assez d'argent, je m'intéresse à tous les sports, surtout au football. Dans la ville que j'habite, il y a trop de bruit, trop de stress... J'aime travailler au grand air, avec des fleurs, dans le domaine du sport, comme artisan. Je n'aime pas le climat de mon pays, je serais prêt à aller à l'étranger, je m'intéresse aux sciences, c'est mon dada. En travaillant chez moi, je serais près des miens... Je préfère travailler seul, j'aime méditer, j'ai une bonne mémoire, j'ai un intellect fort. Et beaucoup d'autres choses...

Ces pensées, il faut les écrire du côté droit : « Un autre travail, peut-être en indépendant, qui me donne envie de me lever le matin. » Du côté droit, nous mettons tout ce que nous aimons en nous, tout ce que nous maîtrisons, qui nous donne du contentement. Nous avons un don manuel ou pour la musique, nous jouons peut-être d'un instrument ; ou nous aimons les ordinateurs en général, nous sommes passionnés de sport, nous aimons le grand air, les montagnes, la mer, la plongée, les langues, nous aimons parler devant du public, nous sommes réservés et préférons travailler seul, comme écrivain... Peu à peu, nous obtiendrons une nouvelle image de nous-mêmes, que nous devrons examiner régulièrement et longuement.

Prenons un exemple pour vous montrer comment il faut procéder. Monsieur X est un original, a des dons manuels, communique bien avec toutes sortes de personnes, aime bien être au centre de l'attention. Il aime conduire, prendre l'avion et les voyages. Il n'a pas besoin d'une maison, un appartement lui convient tout à fait. Il n'aime pas cuisiner, préfère manger à l'extérieur, aime bien s'habiller, les belles choses, les femmes. Il joue de la guitare, seul, de préférence, ne veut pas rejoindre un orchestre, et compose même des pièces de musique. D'une façon générale, il aime être libre, n'est membre d'aucun club et n'aime pas dépendre des autres.

Imaginons que nous soyons thérapeute, et que ce monsieur vienne dans notre cabinet nous demander conseil au sujet de son métier. Nous lui conseillerions probablement un travail indépendant ou dans une entreprise commerciale, par exemple. Il doit vendre un produit, il circule avec sa voiture de fonction ; peut-être devra-t-il prendre souvent l'avion pour l'Asie. Peut-être doit-il devenir pilote ou musicien ? S'il est très bon, peut-être doit-il prendre un travail à mi-temps et se produire sur scène le soir avec sa guitare. Il pourrait travailler aussi comme animateur sur un bateau de croisière. Nous voyons qu'il peut prendre plusieurs directions.

Prenez votre temps, quelques jours peut-être. Saint-Germain m'avait conseillé de prendre trois jours, dans le calme et la solitude, pour arriver à un résultat clair. Il est important que le résultat soit clair, car si nous devions rencontrer une fée, il serait bien de savoir quoi lui demander, sinon elle ne peut rien pour nous. Si le désir n'est pas clairement formulé, il ne peut se réaliser. Nous ne devrions pas avoir peur d'exprimer nos désirs les plus profonds et les plus secrets, même s'ils paraissent exagérément sentimentaux. Nous avons le droit d'écrire que nous ne voulons plus travailler, que nous voulons seulement voyager ou faire de notre passe-temps favori un métier (la musique), ce que certains hommes de tête ne considèrent pas comme un vrai travail. Cela marche à merveille. Les désirs qui n'ont pas de sens sont ceux qui contentent notre ego, qui nous donnent ce que nous voulons. Mais savons-nous toujours ce qui est bon pour nous ?

Je pourrais répondre à cette question en citant plusieurs exemples de ma vie. J'ai désiré et obtenu beaucoup de choses, de belles voitures, certaines femmes, beaucoup d'argent et de nombreux voyages dans les pays les plus éloignés… Mais cela ne m'a jamais vraiment rendu heureux. C'est pour cette raison que Saint-Germain m'a enseigné une autre manière de manifester. Nous avons appris dans ce livre que nous sommes des êtres divins, qui ont accepté une mission sur cette Terre, et ces êtres ne se contentent pas de balivernes, ils veulent aller au fond des choses, à l'essentiel – « que ta volonté soit faite », celle du divin en nous. C'est pour cela que je vous montre un chemin, une manière de désirer qui ne sert pas notre ego, notre besoin de puissance ou notre désir de posséder, l'avoir, mais plutôt notre but dans cette vie, l'être. Et là, il est important de formuler de telle façon que l'univers nous donne ce qu'il y a de mieux pour notre âme. Voici comment procéder :

Nous formulons toujours dans le présent, comme si nous avions atteint notre but. Donc, pas de « j'aurai bientôt une femme agréable à mes côtés », mais « j'ai une femme agréable à mes côtés ! »

J'entends votre objection, ce n'est pas bien énoncé. Vous avez raison ! Il vaudrait mieux dire : « La femme qui m'accompagne est celle qui me convient le mieux. » Mais à nouveau avec l'ego ! Encore mieux : « J'ai une femme qui m'accompagne, et nous sommes heureux. J'ai le métier qui me correspond le mieux, et me permet de gagner le plus d'argent possible. J'ai le plus grand succès que je peux imaginer, parce que je ne fais que ce qui me plaît et me contente le plus. J'habite dans l'appartement qui me convient le mieux, là où je me sens le mieux… Je vis dans la plénitude. Je conduis la voiture qui me correspond. Je n'attire dans ma vie que ce qui correspond à ma mission. Je n'attire dans ma vie que ce qui augmente mon bonheur et ma santé. Je suis de plus en plus audacieux pour faire ce que je ressens, pour imposer mes idées, pour me consacrer à mon partenaire, à mes enfants, à mon passe-temps favori. » (Le cœur au lieu de la tête.)

Ces formulations ne peuvent pas échouer, car nos assistants spirituels sont toujours là pour nous aider, ils connaissent l'état de nos finances, ils savent si nous allons bientôt déménager ou changer de métier, ou si notre entreprise va faire faillite. Formulons toujours de manière que le meilleur nous arrive, que ce soit ouvert vers le haut, sans mesquinerie, sinon nous aurons encore à faire beaucoup de détours pour toucher au but.

Je vais vous dévoiler maintenant le secret des gens les plus puissants : ils manifestent selon ce schéma ; la plupart ne le font pas vers le principe le plus élevé, mais plutôt pour leur ego et leur puissance. Mais c'est ainsi qu'ils travaillent, que ce soient les rose-croix, les francs-maçons, les templiers, les magiciens, noirs et blancs, tous ceux qui ont du succès. Le principe de la manifestation est toujours le même, il n'y a que les désirs individuels qui varient.

La différence entre le côté lumineux et le côté obscur, pour ne pas utiliser le bien et le mal, est que le côté obscur a un but précis, la domination mondiale et le contrôle global, par exemple. C'est un objectif clair, le chemin est structuré, balisé (voir les documents des Illuminés de Bavière). C'est un chemin de tête, plus facile à imaginer qu'une formulation peu claire, d'un ésotérique qui cherche l'illumination, dont il ne sait comment elle doit se manifester, car c'est un chemin du cœur et des sensations. Et les sensations sont souvent difficiles à définir et donc peu précises.

Me suis-je bien fait comprendre ? Ai-je été clair ? Les uns ont un objectif précis en vue, il va se manifester ; mais si quelqu'un veut s'engager dans des projets utiles, qu'il ressent comme justes, il lui manque souvent le concept clair et la façon d'y parvenir. Les forces de l'ego (Illuminati) savent comment jouer de leur puissance. Elles connaissent les principes selon lesquels elles agissent, et ce à quoi elles doivent faire attention, vu qu'elles ont peu d'égard pour les autres.

Avons-nous la même conscience de notre objectif ? Savons-nous exactement ce que nous voulons, ce que notre cœur ou notre tête désire ? Si nous sommes capables de définir clairement ce que nous désirons pour cette vie, cela va se réaliser. Si ce que nous voulons n'est pas clair, cela ne pourra se réaliser. Ou alors, nous trouverons la clarté, mais après avoir traversé des états de souffrance ! Je vois la fée devant moi qui s'arrache les cheveux, car la personne pour qui elle veut réaliser quelque chose ne sait pas bien ce qu'elle veut.

Il faut se mettre au travail, pour quelques jours. Ce seront les jours les plus importants de notre existence, car nous allons prendre conscience de nous-mêmes et découvrir notre côté divin lorsque nous commencerons à créer !

22. DIEU EST BIEN LUNÉ !

Revenons à notre Dieu suprême, notre grand chef. Vous vous demandez avec quel dieu composer, maintenant que je vous ai perturbé dans votre vision vis-à-vis de lui. Depuis l'aube de l'humanité, les humains pressentent qu'il existe une force surnaturelle, ils lui ont donné les noms les plus variés : Wotan, Vishnu, Râ, Yahvé, Adonaï, Allah, Jéhovah, Zeus, Hélios, Aton, Manitou et plus d'une centaine d'autres noms, quasiment tous masculins. Or, Dieu est amour pur, ce qui parle plus en faveur d'une divinité mère.

Mais dans ces sphères ou dimensions les plus hautes, il n'y a plus de dualité, il n'y a qu'une entité asexuée, en intelligence avec « tout est Dieu » ou « je suis la Présence ». Selon les enseignements de Jésus, nous portons Dieu en nous, toute personne incarnée porte en héritage un aspect divin, l'image de Dieu. Cette entité originelle n'a pas de corps ou de bouche, mais elle parle. Dieu parle en nous ; aucun prophète n'aurait osé dire cela jadis ; de nos jours, tout un chacun peut converser avec Dieu.

Je voudrais donner la parole à des enfants, ils savent exprimer les choses mieux que moi. Stef, une jeune Américaine de quinze ans ayant grandi à la campagne, dont sa mère dit d'elle que c'est une enfant indigo. Quand à l'école on lui demanda d'imaginer le ciel, elle répondit ceci : « Le ciel est un autre mot pour le lieu où nous irons après la mort, le mot *ciel* lui-même est trop limitatif. Dieu n'a pas fini de créer, l'Univers change en permanence. Il crée les hommes et les choses de telle façon qu'ils l'aiment. » À la question sur la Providence, elle répondit : « Dieu ne sait pas ce que nous allons faire. Il t'a fait avec son amour et son savoir. Tu dois faire ce qui te paraît juste. Tu as un destin, mais le veux-tu ? Si tu frappes quelqu'un, ce n'est pas dans le plan de Dieu ; c'est ton choix. Dieu a pensé une chose, il a créé l'humanité, et l'humanité essaie de comprendre cette pensée. Je suis la pensée, et je suis un être humain. Ma mère et moi sommes une partie de Dieu, de la création. Je suis le créateur et la création. »

Marcos, le grand frère de Flavio, raconta à trois ans à sa mère ce qu'il savait de Dieu : « Parfois, je sais ce que tu penses ou plutôt ce que tu ressens. Tu sais, maman, quand Dieu m'a assemblé dans le ciel, il m'a dit : "Tu te souviendras de moi, et moi je me souviendrai de ton sourire." Je me souviens de lui et je sais à quoi ressemble sa maison. Je sais que nous venons de la maison de Dieu, et qu'après notre mort nous y retournerons [...] Dieu m'a dit d'autres choses, que j'ai oubliées. Je ne m'en rappelle que la nuit quand je dors. Je peux le voir les yeux fermés. Je vois Dieu, il n'a pas de corps, il n'a pas de bouche, mais il parle. Il est dans tout, même dans la nourriture et dans l'air. Dieu habite dans les gens, dans les voleurs, même s'ils sont méchants. Ils sont méchants, parce qu'ils ne savent pas que Dieu réside en eux, ils ne le sentent pas. Dieu est également présent dans les animaux. »

À l'âge de six ans, son frère Flavio rapporte ce qui suit : « Les multiples destinées rassemblées aboutissent à un destin, celui de l'humanité. Dieu n'est pas dans le temps. Tout ce qui est temporel a un début et une fin. Le temps existe pour qu'un être puisse naître, grandir et tendre vers l'infini, pour qu'il puisse faire tout ce parcours. Dieu est un processus et ne l'est pas. Il est la cause de ce processus. Nous n'avons plus besoin des religions, aujourd'hui, car chacun de nous trouvera Dieu au plus profond de lui-même. »

Je voudrais vous faire part de ce qu'Arian, le clairvoyant, nous dit à propos de Dieu. C'est tout à fait différent des discours habituels. Accrochez-vous !

« La plupart des religions sauf une, que je sache, vénèrent leur être suprême ; elles le craignent, se mettent à genoux, le prient, le supplient de leur venir en aide, de leur pardonner [...] Deux religions ont un Dieu qui punit, qui vous envoie au paradis ou en enfer. Ces religions implorent un Dieu, un Seigneur tout-puissant, en baissant la tête.

Mon peuple, par contre, n'a pas peur de son créateur : nous l'appelons l'ancêtre. Et ce « dieu », pour en garder le nom, est un dieu aimant : il est joyeux, il aime que ses enfants soient en bonne santé, il veut être fier d'eux, il aime les enfants fiers. Il ne veut pas que ses créatures, ses enfants, s'agenouillent devant lui. Nous devons le considérer comme nous considérons notre père et notre mère. Les parents veulent-ils que leurs enfants s'agenouillent devant eux, qu'ils les supplient ? Sûrement pas ! Chaque parent essaie de transmettre à son enfant ce qu'il y a de mieux. Les parents essaient que leurs enfants profitent des expériences qu'ils ont accumulées et tentent de les préserver des mauvaises influences. Un parent dira à son enfant : « Tiens-toi droit et regarde-moi dans les yeux, je veux être fier de toi. »

Pour cette raison nous avons sur notre planète un principe : nous ne baissons pas la tête devant Dieu, parce qu'Il nous veut sincères, courageux et droits. C'est pourquoi nous ne baissons pas la tête devant un ennemi ou une autre religion. Dieu veut des hommes droits, qui acceptent la responsabilité de leurs actes. Il veut être fier de sa création, et pouvoir dire qu'elle est bien. Dieu aime aussi les faibles, de même que des parents aiment un enfant plus faible. Il se réjouit de tous ceux qui s'attellent au devoir, à la tâche, avec courage, en prenant des risques.

Dieu est plein d'amour, joyeux et qui prend part à la vie, s'intéresse à toutes les expériences de tous les êtres, aime les pionniers, les individus conscients d'eux-mêmes, ceux qui créent : Il contemple leurs créations et ce qu'ils ont appris. Peux-tu t'imaginer que Dieu en ait marre de voir les gens le supplier, mendier ? Peux-tu t'imaginer disant à Dieu : « Regarde ce que j'ai accompli dans ma vie. Es-tu fier de moi ? » Comme un enfant ferait avec son père, quand il a bricolé quelque chose ? Dieu ne veut pas que ses enfants aient peur de lui, pour aucune raison. Il aime sa création, les êtres humains. Il voudrait être aimé, comme les enfants aiment leurs parents.

Très intéressant, n'est-ce pas ? C'est ainsi que nos ancêtres imaginaient Dieu avant d'être christianisés. Quand je pense à la kyrielle de croyants qui rampent devant leur créateur, poussent des gémissements, se lamentent, c'est triste, mais vrai…

Nous poursuivons notre chemin de façon intensive, laissons tournoyer nos pensées légèrement, pour ensuite plonger, tel un aigle, sur notre proie et la saisir.

23. UN MONDE GÉNIAL – À VRAI DIRE…

Pourquoi vous ai-je raconté l'histoire de ces êtres, dont on prétend qu'ils survivent pendant des millénaires dans des grottes, des villes souterraines, et celle du comte de Saint-Germain, qui réapparaît parmi les hommes de temps en temps, parce qu'il vient de ces grottes ou qu'il est un voyageur temporel ?

Au fond, j'aurais pu me contenter de vous expliquer la manifestation et cela aurait été bien, mais je ne suis pas comme cela. Ce serait trop simple. Mon propos est de vous présenter une autre vision du monde, une vision plus généreuse des choses. Nous n'en avons plus que pour quelques années. Le développement technologique est si rapide que nous ne pouvons plus planifier sur plusieurs décennies. Les êtres dont je vous parle comptent en siècles ou en millénaires, ils s'incarnent sans y être obligés. Pour eux, ce n'est pas important que des civilisations apparaissent ou disparaissent, qu'il y ait des guerres ou que règne la paix, car la vie dans sa totalité est soumise à un cycle gigantesque, d'une durée inimaginable, que nous ne pouvons concevoir, nous qui sommes habitués à penser en structures courtes.

C'est pour cela que je vous parle de ces êtres extraordinaires, qui veulent nous dire qu'ils ne sont pas si exceptionnels, mais que nous le sommes. Oui, c'est nous qui sommes prodigieux, prodigieusement inconscients et ignorants ! Il est donc primordial de nous initier, d'être familier avec ces dimensions de pensée beaucoup plus vastes, car nous sommes à l'aube d'un grand bouleversement sur cette planète, il fait peur à beaucoup. Il s'agit du Nouvel Ordre Mondial, qui prend de plus en plus de place dans notre vie. Ce nouvel ordre est à notre porte. Peu importe quand il sera là, à quelques années près, car il disparaîtra également, peu importe en combien de temps. Sans doute que notre civilisation va, elle aussi, disparaître, pour laisser la place à une autre. Ce qui risque d'être fâcheux. Il y aura un grand chambardement, plus important que ce que nous avons connu, parce qu'il y a aussi beaucoup plus d'êtres humains sur terre qu'auparavant.

Pour les êtres en état de *samâdhi*, pour le comte de Saint-Germain et ses amis, c'est une époque de l'humanité qui disparaît, que suivra une autre. Ils sortiront à nouveau de leurs grottes pour ensemencer la nouvelle humanité. Et je vous demande de ne pas avoir peur des changements. Ils font partie d'un long processus pour des milliards d'âmes qui se sont portées volontaires pour l'expérience. Ayez le courage de poursuivre, de continuer à créer, de participer de façon consciente à cette vie. N'est-il pas passionnant de penser que nous apprenons toutes sortes de choses à l'école : à écrire, à lire, à calculer, à mémoriser les faits historiques ? Nous apprenons les religions, la physique, la chimie, la constitution des États, mais les choses que nous n'apprenons pas sont les plus importantes : ce qui constitue la vie, ses lois, comment les appréhender, le sens à donner à la vie et l'usage de ses mécanismes pour notre bien-être et celui des autres.

Nous sommes réellement soumis à certaines lois sur terre, mais comment les suivre, alors que nous ignorons jusqu'à leur existence ? Si certaines familles ou loges secrètes, à l'instar des Templiers, sont devenues si puissantes, c'est qu'elles connaissent le contenu des sarcophages, l'histoire de nos ancêtres et les lois qui régissent le monde. Elles cachent ce savoir à l'humanité et s'en servent à leur profit. Je vous pose donc la question : voulez-vous rester des exploités et vous étonner de travailler sans cesse, alors que d'autres sont si puissants ?

Êtes-vous prêts à utiliser ces lois à votre avantage ? Ne perdez pas de temps ! Nous savons que tous les hommes ont le même créateur ; même si les concepts ou les termes changent, au bout du compte ils parlent de la même chose : de celui qui a créé les planètes, la physique et les lois qui sous-tendent la vie dans l'univers. Ce qui induit que nous sommes tous les enfants du Créateur, avec le même potentiel. La cornée, qui est de même taille pour tout le monde, en est un symbole magnifique. Les ultra-riches et les superpuissants ont un seul cerveau, deux yeux, deux bras, et vont aux toilettes, comme vous. Comment ont-ils fait pour mieux réussir que la plupart des gens ?

Posez-vous la question, honnêtement. Vous pensez que Dieu a été injuste ? Oubliez cela. Ce genre de propos ne traduit qu'un apitoiement sur soi, parce que nous manquons de discipline ou n'avons pas les reins assez solides pour nous le prouver à nous-mêmes. Tout ce dont nous avons besoin pour faire quelque chose de bien de notre vie est ancré en nous. C'est une jachère qui ne demande qu'à être cultivée. Nous avons la faculté de penser, alors pensons consciemment au succès. C'est ce que font les Illuminati. Eux aussi n'ont que vingt-quatre heures par jour pour réfléchir, mais ils pensent autrement ! C'est la différence entre eux et nous. Notre âme et notre cœur ont les mêmes capacités et le même savoir, nous nous interdisons l'accès à ces facultés, à notre âme et au savoir qu'elle contient par nos positions, nos points de vue, nos traditions et nos schémas de pensée dépassés, qui nous bloquent.

Ce n'est pas que nous ne pouvons pas, mais nous n'osons pas ou sommes trop paresseux. Car nous en sommes tous capables, nous avons accès à toutes les données de l'humanité, du cosmos, à notre partie divine dans notre cœur et à la mémoire cellulaire des corps physiques. Mais la plupart ignorent comment entrer en résonance, comment y accéder. Comment entrer en résonance avec les mémoires de l'Akasha ou avec le centre de mon cœur et y puiser des données ?

Les différentes sortes de méditation sont un bon moyen, en formulant une demande. Je les pratique depuis longtemps. Je pose une question et, en quelques secondes, une pensée traverse mon esprit ; je le fais souvent le soir avant de m'endormir. Je reçois ensuite une image, quand j'ai les yeux fermés. Je suis convaincu que tout le monde en est capable, mais peu de gens ont vraiment confiance quand ils reçoivent une pensée ou une image. Il y a toujours eu des médiums, des personnes très douées, comme Rudolf Steiner, Jakob Lorber, Helena Blavatsky, Edgar Cayce et des centaines d'autres, qui ont rempli des tonnes de livres d'informations venues du cosmos, de détails sur la conception de la création et l'origine de tout ce qui est, des civilisations, l'histoire du système solaire, etc.

Ceux qui ont consulté les annales de l'Akasha connaissent les pierres angulaires de l'histoire de l'humanité. Le jeu de la vie a quelques contraintes, elles ont été balisées au cours des millénaires. Osons la comparaison avec le jeu des petits chevaux. Les règles et le but du jeu sont clairement établis. Chaque joueur se comporte d'une façon différente, comme il l'entend, et tout le monde arrive au but.

À l'école, on sait qu'il y a douze classes pour arriver au baccalauréat. Les programmes sont de plus en plus difficiles, les matières sont connues. Chacun se débrouille comme il peut ; il y en a qui trichent, d'autres qui travaillent plus que les autres, la plupart atteindront le but, les uns avec mention, les autres sans. C'est ce qui épice le jeu.

Pour revenir à notre jeu de l'évolution sur terre, cela signifie qu'au cours des millénaires, il y a eu des paliers à passer, des examens à réussir, et que les prophètes et les voyants ont toujours été en mesure de prévenir les grands événements. Ils se sont peut-être trompés sur les dates, mais les choses ont toujours fini par se produire. Prenons les voyants qui avaient prévu les deux guerre mondiales. Ils n'étaient pas capables de donner des dates exactes, sauf le comte de Saint-Germain, le civil français qu'avait rencontré Andreas Rill, l'auteur des lettres écrites pendant la Première Guerre mondiale. Cependant, la description et le développement des événements avaient toujours été justes. Les prédictions de Jean dans l'Apocalypse, dans ce contexte, sont tout à fait remarquables. Il fut en mesure de voir des événements qui se vérifieraient deux mille ans plus tard, les images qui parlent, le code-barres, les implants sous-cutanés...

Je ne veux pas revenir sur le sujet de la peur, au contraire, je ne veux pas me perdre en conjectures qui nous éloignent de l'essentiel : notre destinée dans cette vie. Chacun de nous a la liberté de décider de devenir mature, pour être utile à quelqu'un ou devenir lui-même créateur. Certains lecteurs diront qu'on les conditionne depuis la naissance, par leurs conditions de vie sociale et familiale, qui les ont conduits dans une certaine direction, et ils pensent sans doute qu'ils ont pu se soustraire à cette influence. C'est faux ! C'est nous qui choisissons, avant de nous incarner, nos futurs parents, l'époque et l'endroit où nous voulons naître. Pourquoi ? Parce que notre âme sait ce qu'elle doit encore apprendre, ce qui lui manque pour être parfaite : ce peut être le courage, l'audace, la persévérance ou la discipline. Nous choisissons donc dans ce grand terrain de jeu, que nous avons pu observer symboliquement d'en haut, l'endroit approprié pour entreprendre l'expérience.

Voici un exemple : nous décidons ici-bas, quand nous quittons un organisme, ce que nous voulons encore apprendre, et nous choisissons notre prochaine incarnation. Peut-être voulons-nous expérimenter le pouvoir politique. Nous choisirons donc, pour les huit prochaines vies, la carrière politique masculine, dans différents pays, afin de faire le tour du sujet. Puis, nous voudrons expérimenter la maternité et nous changerons de sexe. Il est possible que le vécu de l'incarnation précédente, du corps masculin, ait une influence sur la femme actuelle, ce qui peut éventuellement compliquer les choses, et déboucher par exemple sur l'homosexualité. Je voudrais m'arrêter à deux cas d'enfants qui se souviennent d'une vie antérieure. J'ai souvent donné la parole au premier, Flavio M. Cabobianco. Il surprit ses parents par ses dessins et ses considérations sur Dieu, la vie et la destinée, à l'âge de trois ans. Le livre qu'il co-écrit en espagnol avec ses parents, à l'âge de onze ans, *Je viens du Soleil* (*Vengo del Sol*) présente des dessins sur la structure de l'Univers, la synergie entre la matière et l'antimatière, la relation entre le temps et l'espace, la réalité de l'âme et sa façon d'agir, l'énergie des planètes, les différents plans qui constituent l'au-delà, et beaucoup d'autres notions.

Quand son père lui demandait la formule magique pour se souvenir de tout, Flavio répondait que l'âme sait tout avant de naître, car elle est consciente des vérités divines. Mais au moment de naître, l'ange de l'oubli l'embrasse sur les lèvres et scelle la mémoire de cette façon (selon la mythologie grecque, après un grand nombre de siècles passés dans l'Hadès, les âmes des justes et celles des méchants qui avaient expié leurs fautes aspiraient à une vie nouvelle et obtenaient la faveur de revenir sur la Terre habiter un corps et s'associer à sa destinée. Elles devaient toutefois perdre, avant de sortir des demeures infernales, le souvenir de leur vie antérieure, et à cet effet boire les eaux du Léthé, qui provoquaient l'amnésie.) Flavio expliqua à son père qu'il était sur ses gardes quand il vit l'ange de l'oubli, qu'il avait tourné légèrement la tête et que l'ange l'avait seulement effleuré, ce qui lui permettait de se souvenir de tout. Son frère Marcos, qui a trois ans de plus que lui, a la même prédestination.

Flavio nous parle encore de sa vie avant sa naissance : « Je me souviens plus de ma vie avant ma naissance que de mes trois premières années de vie. J'ai une vision claire, sans limites, car je ne vois pas avec mes yeux. C'est la première fois que je viens sur terre. J'ai déjà expérimenté l'incarnation sur une autre planète. C'était comme si on apprenait à écrire dans l'air sans crayon. Ici, c'est tout à fait différent, j'ai un corps physique. Les quelques règles que je connaissais déjà pour survivre ici sont oui et non, le temps et l'espace. Ici, c'est le monde des contraires [...].

Je me souviens de centaines de boules lumineuses, tout ce qui vit est une boule de lumière. Certaines peuvent m'être utiles, pour m'orienter sur cette planète difficile. Je vois deux mères qui entrent en ligne de compte, une qui a l'ego très fort, l'autre qui est plus fine, ce qu'il me faut. La deuxième est reliée à une boule très lumineuse... Elles m'attirent, car elles sont pleines d'amour. Elles seront mes parents, je me sens de plus en plus attiré par elles. Puis vient un tunnel lumineux, tout est sombre autour. Quand j'entre dedans, je me sens à l'étroit, enfermé.

Antoinette, une jeune fille de seize ans originaire de Sarrebruck, est la deuxième personne que j'ai testée. Elle est clairaudiente : elle ne voit pas l'aura, mais elle entend une voix qui lui parle, son guide spirituel. Il s'appelle Abronsius. À propos de son arrivée dans le ventre de sa mère, il lui a confié ceci : « Quand une âme a choisi un couple de parents, elle séjourne avec eux avant la naissance. Elle se fixe parfois sur le père, souvent sur la mère. Cela dépend du parent qui est de la même famille d'âmes que celle qui arrive. Par cette présence auprès de ses parents, l'âme peut s'adapter à leur caractère et à leurs émotions avant de naître. Elle observe les parents et choisit le meilleur moment pour entrer dans l'œuf. Si les parents traversent une période difficile, l'âme attend que les choses aillent mieux. Parfois, elle arrive dans une période mouvementée, pour créer la paix et les relier à la Terre. »

Tout cela pour vous montrer que c'est nous qui choisissons notre vie, même si nous avons vécu une enfance modeste ou que nous le sommes encore. Mais maintenant, nous sommes adultes et les choses vont changer. À cette époque, nous ne connaissions pas la loi de résonance.

Désormais, nous savons. C'est le moment de faire le ménage : les conflits vont se résoudre les uns après les autres, et nous ferons enfin ce que nous avons toujours voulu faire...

Oui, je sais, cela a l'air facile, mais ce ne l'est pas ; ce ne le fut pas pour moi, en tout cas. J'avais un autre métier, mais j'ai vu que je me heurtais toujours à mes collègues de travail ou à mon responsable. Le travail en équipe était un cauchemar. J'ai réalisé que seul un travail autonome pouvait m'aider. J'ai réfléchi à l'allure que cela pouvait prendre, à mes compétences. Comme je n'en savais rien, je voulais seulement être un peu indépendant, trouver du plaisir, voyager souvent, rencontrer des gens intéressants, et avoir toujours assez d'argent pour financer mon prochain voyage.

24. MON PACTE AVEC LE CRÉATEUR

Je dois ajouter qu'au même moment, dans les cinq minutes les plus importantes de ma vie, je fis une déclaration solennelle, à la vie et à mon créateur ; elle fut décisive pour ma vie ultérieure ; je ne me laisserais plus opprimer par mon destin, et j'acceptais de faire ce que je m'étais promis dans cette vie, avec toutes les conséquences qui en découlent.

Et deux semaines plus tard, j'entendis une voix intérieure qui me poussa à m'asseoir et à écrire un livre, alors que j'étais décorateur d'intérieur et que les livres ne faisaient pas partie de mon monde. Deux ans après, mon indépendance s'est manifestée, comme je viens de le raconter. Mon désir s'est réalisé parce que je l'avais énoncé ouvertement, c'est-à-dire que je laissais au destin le soin de choisir la forme qu'il voulait pour moi. La vie pouvait me surprendre. Cela a marché, mais j'ai dû abandonner ma vision du monde, mes anciens amis, mes habitudes, et j'ai été récompensé par une vie nouvelle.

Pour vous, c'est pareil. Vous devez le vouloir vraiment. Nous n'avons pas à faire grand-chose, nous devons lâcher prise, nous libérer complètement de l'ancien, des gens qui nous tapent sur le système, de nos tables d'habitués, de notre club sportif, peut-être de notre village ou de notre ville. Si nous voulons du neuf dans notre vie, il faut se débarrasser de l'ancien, c'est logique. Nous ne pouvons pas remplir un verre déjà plein… Tout ce que j'ai écrit dans ce livre a bien une origine, j'y relate mes expériences de vie, pas des réalités apprises par Internet ou un jeu vidéo. C'est ainsi, l'expérience ne vient que par l'action.

89. Jan van Helsing au Caire lors du tournage de son film *Le mensonge de Khéops.*

Pourquoi ce livre que vous parcourez est-il un grand succès ? Parce que j'ai dû m'asseoir et m'astreindre à écrire toute la journée, durant des semaines, de sept heures à vingt-deux heures. Je n'étais disponible pour personne, exceptée ma famille (toujours aussi respectueuse de mon travail), je mangeais peu et j'étais discipliné... J'y ai mis toute mon énergie, j'ai beaucoup travaillé, j'y ai pris plaisir et j'ai réfléchi. Quand nous prenons du plaisir, ce n'est plus du travail. Notre passe-temps, notre vocation deviennent notre métier. Vous ne savez pas lequel pourrait vous procurer du plaisir ? Ce n'est pas grave, moi non plus ; c'est pour cela que je vous ai donné des indices sur la façon de « manifester ».

Récapitulons : il n'y a pas de hasard. Nous avons créé tout ce qui nous arrive. Tout ce qui nous tombe dessus, nous l'attirons par la loi de résonance. Ce n'est pas un hasard si vous tenez ce livre, il s'agit d'une manifestation de la loi de résonance. Cette même loi vous dit que le moment est venu de modifier le cours de votre vie.

Voici ce que le divin en vous, votre ange gardien ou une force invisible, vous propose, par ce livre qui a fait irruption dans votre vie : « Cher ami, le moment est venu de prendre une décision ; réfléchis-y, es-tu heureux dans la vie ? Si tu ne l'es pas, change quelque chose, mais n'attends pas que quelqu'un le fasse pour toi. Il faut d'abord savoir si tu veux être le seigneur ou le serviteur, l'apprenti ou le maître. Veux-tu décider ou préfères-tu que d'autres prennent les décisions ? Regarde ta vie : si c'est le chaos, mets-y de l'ordre ; si tu es en guerre, fais la paix. Si tu as de la haine, essaie d'intégrer plus d'amour. » Il n'est pas important que ce soit moi ou quelqu'un d'autre qui écrive ce livre : il s'agit de vous, de votre succès, de votre joie de vivre, de votre santé !

25. PARDON, C'EST *MA* VIE !

Beaucoup sentent intérieurement que la vie qu'ils mènent ne peut être leur véritable raison d'être. Ils sont occupés toute la journée, mais ressentent un manque. Les impressions virtuelles subies tous les jours – la télévision, les jeux vidéo, Internet – empêchent beaucoup de gens de se rendre compte que leur vie est dénuée de sens. Peu d'entre eux, des jeunes surtout, se demandent ce qu'ils font sur cette terre. Les valeurs imaginaires purement matérielles que nous propose le monde occidental, la richesse, la célébrité, la carrière, les signes extérieurs, empêchent le plus grand nombre de réfléchir de façon critique, de se questionner sur le sens plus élevé de la vie, de leur être. Si nous nous accordons une pause, et nous mettons à réfléchir plus profondément, nous nous retrouvons face à une peur, celle de l'inconnu, qui nous pousse à en savoir plus sur la vie, et peut-être à faire autre chose de notre vie. Heureusement, on sonne à la porte, et nous ne sommes momentanément plus contraints de répondre à ces questions pesantes.

Les religions ne nous aident pas beaucoup dans ce sens. Nous voyons bien en Irak, en Irlande ou en Israël, ce que les chefs religieux proposent à leurs fidèles. Et les Églises chrétiennes sont tellement obsolètes qu'elles ne peuvent plus représenter un idéal absolu. Comment cela peut-il marcher quand on s'accroche à l'Ancien Testament, qui est un capharnaüm de génocides et de vengeances, au lieu de réfléchir à l'enseignement de Jésus et à son message d'amour ? Il ne faut pas s'étonner que les églises soient vides. Les gens ressentent bien ce qui ne va pas, les jeunes en sont convaincus.

Il y a les courants socialo-communistes, qui ont banni le sentiment religieux, pour l'extrême inverse, l'absence de Dieu et de l'esprit. « Elles ne sont plus en accord avec notre temps », dit-on des religions ; des êtres comme Jésus sont désuets, surannés. Nous vivons dans un monde où il faut jouer du coude, où il n'y a pas de pardon ou de prise en considération d'autrui. Les gens se créent des espaces de vie qui les poussent à ne pas réfléchir.

Ceux qui aiment consommer se moquent de nous lorsque nous leur disons que nous nous préoccupons de l'au-delà. Ils ne sont pas seuls ; les athées les soutiennent, de même que les partis politiques qui se disent chrétiens. Notre président ne se sent plus obligé de dire, au cours de son assermentation : « Que Dieu me bénisse ! » Les médias font le reste. Ils sont les instruments les plus importants des vrais puissants de cette planète.

Les plus grandes agences de presse sont aux mains des mêmes loges, elles ont aussi les meilleurs conseillers, comme feu Edward Louis Bernays. Il domina l'industrie des relations publiques à compter des années trente, pendant quarante ans. Son objectif était d'influencer les masses. Les grands industriels lui confièrent des mandats pour vendre des produits nocifs pour la population. Son plus gros coup fut le slogan *Un monde plus sûr pour la démocratie !*, pour vendre la Deuxième Guerre mondiale à l'opinion publique américaine. Sa mission fut toujours de marteler des opinions qu'il avait développées dans l'inconscient des gens, afin d'arranger la vérité, créer une image artificielle ou mettre en lumière une certaine idée. Bernays considérait l'opinion publique comme « un troupeau qu'il fallait mener ». Cette façon de penser rendit la population réceptive à se laisser mener, son principe étant de contrôler les masses sans qu'elles s'en aperçoivent. Il écrit dans ses chroniques, qu'il intitula *Propaganda* : « Ceux qui manipulent les mécanismes cachés de la société créent un gouvernement invisible, qui est le véritable maître du pays. Nous sommes gouvernés, formés, conditionnés par des gens que nous ne connaissons même pas. C'est le résultat logique de notre façon d'organiser notre démocratie. La masse des gens doit coopérer de cette façon, pour vivre de façon équilibrée dans la société. Nous sommes contrôlés dans tout ce que nous faisons par un petit nombre de personnes qui comprennent les schémas de pensée et de comportement des masses. Ceux qui tirent les ficelles contrôlent l'opinion publique ! »

Et comme ces gens veulent continuer à dominer le monde, ils ont intérêt à ce que le plus grand nombre reste ignorant, et qu'on s'occupe de tout, sauf des questions essentielles à sa propre existence. Celui qui cherche son chemin en dehors des grandes « sectes » établies est considéré comme un déviant, un charlatan, le membre d'une secte. Tout ce qui n'entre pas dans « l'air du temps » manipulé est tourné en ridicule. Quand on est confronté à la mort ou à la maladie, les choses changent. On appelle au secours ceux qu'on a décriés, les prêtres, les guérisseurs et ceux qui ont connu des situations de mort imminente. On se questionne tout d'un coup sur la destinée après la mort. Et on veut savoir ce que d'autres ont fait pendant toute leur vie. Les matérialistes oublient que le savoir n'est pas obligatoirement ce qui fait progresser. Il ne s'agit pas seulement d'avoir compris ce qu'on a appris ; il faut mettre en application, de façon pratique dans notre vie, ce qu'on considère comme les fruits de la sagesse. Je peux vous dire qu'on trouve la vérité de façon limitée dans les livres : elle se trouve au fond de notre cœur, elle nous permet d'entrer dans le monde spirituel, que nous appelons le « divin ».

Le chercheur de vérité – celui qui la trouve, faudrait-il dire – vise le contact direct avec le « grand chef » au lieu du savoir poussiéreux qu'il déniche dans les livres anciens. On peut transmettre le savoir, mais pas la sagesse que nous devons apprendre par nous-mêmes. Il est donc important de connaître les lois de la vie ! On peut les résumer en quelques phrases qui mettent le doigt sur l'essentiel : « Ne fais pas à autrui ce que tu n'aimerais pas que l'on te fasse » (la règle d'or) et « On récolte ce que l'on sème », c'est-à-dire : « Traite les autres comme tu voudrais qu'ils te traitent. »

Si ces phrases sont bien intégrées et mises en pratique avec ceux que l'on rencontre, rien ne peut plus aller de travers. Je pense à cet instant aux chauffeurs de taxi du Caire. Je sais qu'ils semblent tous vouloir nous arnaquer et, si nous ne marchandons pas, nous payons un prix trop élevé. Mais le chauffeur lui-même, quand il demande un service à un autre, ne veut-il pas aussi payer le juste prix et éviter qu'on l'arnaque ? Ne pensez pas qu'il peut contourner les lois de la nature en se basant sur sa foi, qui lui donnerait peut-être le droit d'abuser d'un infidèle. Il n'en est rien ! Tout revient comme un boomerang, à 100 %, pour lui comme pour les autres !

Il manque actuellement une explication simple et sensée de la réelle signification de notre existence et des lois cosmiques, à la portée de tout le monde. Le travail commence par nous-mêmes : aucun sauveur ne viendra nous chercher ou nous pardonner. Nous sommes responsables et pouvons nous pardonner à nous-mêmes.

Je vous pose une question directe : pouvez-vous vous regarder dans la glace le matin, en pensant que vous êtes dans le vrai avec votre façon de vivre et de traiter les autres ? Êtes-vous fier de vous-même ? Ou mettez-vous de côté votre âme, votre moi, quand vous allez travailler et vous coucher devant votre patron ? Puisez-vous du plaisir à filer doux et à faire des choses qui vous montent à la tête ?

Aucun sauveur ne vous sortira de cette situation. Qui mieux que *soi-même* peut nous délivrer, en prenant des décisions (comme démissionner pour aller travailler ailleurs, et assumer son indépendance) ? Nous aimerions qu'un sauveur vienne nous délivrer de nos problèmes, un Néo (dans *Matrix*). Oubliez cela, personne ne viendra. Notre créateur nous a donné tous les éléments et les capacités pour nous sortir de l'impasse, pour nous libérer !

Personne ne nous a obligés à travailler où nous le faisons tous les jours. Nous ne sommes pas aux travaux forcés et c'est nous qui avons signé notre contrat de travail. Ce n'est pas la faute de Jésus ou d'Allah si nous ne tirons plus de plaisir de notre travail. C'est notre responsabilité, nous avons le libre arbitre et pouvons décider de changer. N'est-ce pas ?

Que dire du partenariat ou du mariage ? N'est-il pas fait pour faciliter la vie, la rendre plus harmonieuse ? Et nous passons notre temps à nous disputer ! Depuis des années. Coït… Comment s'écrit le mot ? On ne l'écrit plus depuis longtemps, ou cela n'apporte plus l'épanouissement. Donc, à quoi bon la relation ?

Qu'est-ce qui nous oblige à rester avec la personne avec qui nous nous disputons continuellement ? L'habitude ? La peur de la vie ?

Là aussi, il faut se poser les bonnes questions, nous demander si nos problèmes de couple ne viennent pas de nous, du moins en partie. Nous n'écoutons plus ou nous sommes bornés ? Parce que la tête mène, au lieu du cœur ? Une séparation n'arrangerait rien, car nous aurions les mêmes problèmes avec un autre partenaire. Il faut bien observer les causes des conflits et des problèmes.

Et comme nous en sommes à prendre des décisions, allons-y franchement.

26. LES PROBLÈMES SONT MES AMIS

Le plus grand problème éprouvé par les individus est l'impossibilité d'arrêter des décisions, car chaque option implique son revers, son opposé : c'est oui ou c'est non. Je parie que vous connaissez les causes exactes de vos conflits, de vos disputes et que vous sauriez en finir, mais vous ne vous décidez pas. Rien ne saurait être pire. Vous allez dépérir. Ce n'est ni chaud ni froid, c'est tiède ! Et que dit Jésus à ceux qui ne savent pas prendre de décisions ? « Ainsi, parce que tu es tiède, et que tu n'es ni froid ni bouillant, je te vomirai de ma bouche. » (Ap 3,16)

Imaginons-nous dans le rôle d'un ange gardien : notre protégé se trouve à la croisée des chemins et n'arrive pas à se décider. Nous ne pourrons pas l'aider. Il a peur de l'inconnu, craint de ne pouvoir surmonter ce qui l'attend. Hésitant, il prend son temps, mais les choses ne peuvent avancer de cette façon.

L'inertie, c'est la mort ; le mouvement, c'est la vie

S'il opte pour l'une des deux directions, l'ange gardien pourra à nouveau être actif et lui souffler des conseils. Même s'il fait fausse route, il n'aura fait qu'un détour. Il n'y a pas de *mauvais* chemin. C'est comme cela, dans le quotidien. Il y a tant de gens qui se défilent : bloqués, ils tombent malades, subissent des pertes, deviennent amorphes. Torsten, jeune médium de Reit im Winkl (sud-est de la Bavière) évoluant comme canal, transmettait les propos d'Adin, un extranéen (extraterrestre) :

> Ne te soucie pas, cher ami, ce n'est qu'à la fin, quand tu feras un retour sur ta vie, que tu comprendras le sens des événements vécus, et tu verras le plan de ta vie et les processus d'apprentissage nécessaires […].
>
> Souvent, les personnes confrontées à la souffrance ne comprennent pas le sens de ce qui leur arrive, ni pourquoi cela leur arrive de cette façon et pourquoi leur âme a choisi cette expérience pour grandir.

Il ne leur reste plus qu'à s'adapter à la situation, en sachant qu'ils ne sont pas seuls. Sur terre, on dit : « Aide-toi, le ciel t'aidera. » Autrement dit, il faut toujours faire le premier pas, agir et nous, les assistants spirituels, sommes là pour vous accompagner, par votre intuition, des sensations, dans vos rêves et par des signaux qui relèvent de la synchronicité. Mais c'est toi qui dois prendre la décision. Et ce qui est important, c'est ta façon de te laisser guider, aussi bien que la façon dont nous te conseillons. N'aie plus peur de ce que tu as causé jadis. Mes amis des vaisseaux spatiaux sont toujours à tes côtés. Nous avons nous-mêmes des êtres qui nous assistent, qui nous guident. Sur notre planète, nous sommes soumis aux mêmes lois que vous. Si je ne me laissais pas guider par mes maîtres spirituels, je ne pourrais pas bien te guider non plus. Comprends-tu ? Je t'ai déjà dit au début de notre collaboration que nous venons vous voir le plus souvent quand vous dormez. Nous vous donnons des informations, dont vous vous souvenez parfois au réveil. Et nous recommençons. Toutes les personnes que nous venons voir nous ont donné leur accord quand elles vivaient encore dans le ciel, comme vous dites, sur le même plan que nous, pour collaborer, afin que nous puissions les aider.

Voici mon conseil : considérons les problèmes comme des amis qui stimulent notre vie, qui nous permettent de mûrir. J'ai mis au point un plan d'action que j'utilise dans mon quotidien et dans mon travail.
- **Épreuve** : quand surgit une situation problématique ou conflictuelle, je me dis : quel est le problème, qui l'a causé ? Dois-je poursuivre en ce sens ou modifier le parcours ?
- **Prise de conscience** : puis vient la volonté de changer d'attitude, sinon je me mets en colère, ce qui amène des disputes, une indisposition ou même une maladie comme conséquences à long terme.
- **Décision :** je dois donc réagir, dans un sens ou dans l'autre. Le plus important est de prendre la décision : la clarté émerge, la tête est libérée à nouveau, la vie peut continuer.

Certes, c'est présenté de façon synthétique, mais c'est assez simple. Mon père, dans son livre *Tout est bien !* utilise la formule « Tout est Dieu » : éprouver, identifier, décider.

On ne peut pas toujours prendre de décision dans l'instant, il faut vérifier certaines choses ou en parler à quelqu'un, ou profiter de la nuit qui porte conseil. Parfois, nous avons besoin de quelques jours. Avec le temps, le délai se raccourcit : de plus en plus, je me décide sur-le-champ, dans l'ici et maintenant. J'y arrive de mieux en mieux, après des années d'entraînement.

27. FAIS FACE AU PROBLÈME

Il est important de ne pas fuir un problème, d'arrêter de trouver des échappatoires. Il faut faire face. Selon le principe d'aspiration et la loi de résonance, nous attirons fortement dans notre vie ce à quoi nous voulons échapper, ce qui nous fait peur. Le plus souvent, nous cherchons à fuir nos peurs, mais elles reviennent sous de multiples visages.

Comment faire face à nos peurs ? Je vais vous parler de ma vie. Beaucoup pensent, lorsque nous faisons connaissance, que je n'ai peur de rien, car j'ai l'air très sûr de moi. Cela ne fut pas toujours le cas. Il y a vingt ans, j'avais déjà l'air sûr de moi, mais ce n'était qu'une apparence. Je me faisais du cinéma et m'en rendais compte par mes rêves, où je me trouvais souvent dans un café lorsque, soudain, quelqu'un m'invectivait. La personne cherchait apparemment le conflit, et j'étais celui qu'elle avait choisi et allait frapper pour se défouler. Parfois, elle me lançait à la figure son verre de bière, ou me poussait. J'étais mort de peur, car l'individu me surpassait d'une tête. Je m'en allais en courant, mais il me poursuivait avec ses amis ; ils me rattrapaient, et je me réveillais toujours au moment où ils allaient me frapper.

Comme ce rêve se répétait régulièrement, j'ai essayé de comprendre à quoi je voulais échapper dans la vie réelle. J'avais vingt ans, j'étais apprenti en décoration d'intérieur, et je faisais partie du mouvement punk. Mon apparence me valait des regards hostiles et des remarques méprisantes. Il se trouve que j'avais une peur bleue de toute forme d'examen, y compris du permis de conduire, et même de simples interrogations écrites. Je suis passé en classe supérieure en m'absentant à deux tiers des contrôles, car je les redoutais. C'est la première chose qui m'est venue à l'esprit. L'autre chose que je fuyais était la solitude : il m'était impensable d'effectuer un voyage seul (dans le vaste monde). Je me rappelais le temps de mes études en Angleterre et à quel point le séjour avait été pénible.

Je décidais donc de confronter mes peurs, et j'ai commencé à voyager, à faire de petits tours en Allemagne, pour voir comment j'allais réagir. Il y eut une rechute subite. Peu avant mon examen de fin d'apprentissage, j'avais encore quinze jours de vacances à prendre : je partis en voiture vers Amsterdam, afin de monter à bord du ferry pour l'Angleterre et rouler jusqu'en Écosse. Je changeai d'avis, pour revenir vers le sud de l'Allemagne, d'où je pris le train pour Athènes, puis un bateau pour les îles des Cyclades. Je m'y plaisais tellement que je ne voulais plus rentrer. C'est alors que mon angoisse remonta à la surface, car je devais passer un examen important quelques semaines plus tard.

Et que se passa-t-il ? Je tombai malade et dus rentrer. Quel *hasard* ! Je vois mon ange gardien, se pencher vers moi en disant : « Maître Jan se dégonfle. Qu'allons-nous donc faire pour qu'il soit à l'heure le jour de son examen ? »

Voilà comment je me retrouvai à passer mon examen, que j'ai d'ailleurs réussi. Voyons-y une illustration de plus que la maladie ne survient pas par hasard, qu'elle veut nous montrer quelque chose. À la fin de ma formation, je décidai d'aller vivre à Munich et de m'inscrire à une école de naturopathie. Lorsque je pris la décision de faire face à mon avenir et de tout laisser derrière moi, mes rêves commencèrent à changer. J'étais toujours dans le café, je partais toujours en courant, sauf que là, je pouvais prendre les coups.

En plus des cours, je travaillais chez UPS, où je lavais les voitures, triais les colis, pour me faire un peu d'argent de poche. Ce travail avait une incidence sur mes rêves. Je partais toujours en courant, mais je voyais un morceau de bois qui traînait par terre, je le ramassais et pouvais me défendre contre mes assaillants. Dans ma vie, les choses changeaient, je sortais souvent seul le soir, sans mes amis de l'école. J'effectuais des promenades en voiture, dans les montagnes, et mes rêves évoluaient. Je pouvais non seulement me défendre, mais je repoussais mes assaillants. Prenant confiance en moi, je décidais de découvrir le monde et proclamais à l'Univers : « Le premier paquet de prospectus de voyage qui tombe par terre ce soir (à mon travail chez UPS) décide de ma première destination. »

Le soir, un paquet de prospectus de la société TUI AG (Touristik Union International) glissa du tapis roulant. Sur la couverture se dressait une magnifique photo d'Hawaï. Le lendemain, j'allai à l'agence de voyages et acheta un billet pour cette destination de rêve. C'est ainsi que je commençai à voyager. Le premier séjour dura trois mois, et je voyage autour du monde depuis quinze ans.

J'ai réveillé ma soif d'aventure, mes peurs se sont transformées en curiosité. Et plus j'allais loin, plus le défi était grand, plus mon rêve de persécution se modifiait. L'étape suivante était que je partais encore en courant, mais que je me défendais bien : je faisais même fuir certains des amis de mon poursuivant, et je réussissais maintenant à lui démonter le portrait... Bientôt, je fus capable de lui rentrer dedans, et j'en étais tout étonné ; dès qu'il émettait une réflexion contre-indiquée, je lui donnais une bonne raclée, et l'affaire était réglée sur-le-champ. C'était aussi la fin de ces rêves. Je m'étais livré à mes peurs, j'avais changé certaines choses dans ma vie, mes rêves continuaient à me montrer où j'en étais.

Il y a quelques années, réapparut un rêve en ce sens, me montrant que j'avais évolué : je marchais seul la nuit sur une route, et un groupe de jeunes me provoquait. Une bagarre éclata, au cours de laquelle je m'en prenais directement au plus fort et lui assenais quelques coups bien sentis. Quand il fut à terre devant moi et que j'allais lui donner le coup de grâce, je m'arrêtai un instant, le poing tout près de son visage, lui demandant s'il allait se tenir tranquille. Je l'aidais ensuite à se relever en le tenant par le bras. Il ne s'attendait pas du tout à cette réaction. Il avait soudain du respect pour moi. Nous commençâmes à parler et le rêve s'interrompit.

Je compris que j'avais évolué, mon ennemi n'était plus celui à combattre, à abattre. J'étais conscient que les coups n'avaient aucun sens, que seules la compréhension et la communication étaient logiques. Je pris surtout conscience du lien entre ce personnage et moi, même si c'est désagréable, selon la loi de résonance. Si je me retrouve en face d'une situation difficile ou d'un problème à affronter, il m'aidera à grandir et à avoir du succès dans la vie.

Il y a des gens qui ont peur de mourir. Je pourrais leur conseiller de se confronter aux récits d'expériences de mort imminente, dans le but de découvrir qu'ils n'ont aucune raison de redouter la mort, au lieu de se lamenter en disant : « Mon Dieu, ne me parle pas de la mort, ça me fait tout bizarre... »

28. QUE TON VŒU SE RÉALISE !

Je vous ai parlé de la feuille à séparer en deux colonnes. Peut-être avez-vous commencé à noter vos points forts et vos points faibles (cela ne vous ferait pas de mal d'accrocher cette liste à votre frigo, sur le miroir de votre salle de bain ou à côté de votre lit, et d'y ajouter régulièrement ce qui vous passe par la tête). Nous devons profiter de cet instant pour aller en nous-mêmes et sonder les talents cachés qui somnolent en nous. Nous devons les trouver et réfléchir à la meilleure manière de les exploiter. Essayons d'imaginer ce que nous pouvons obtenir, et visualisons l'image. Nous pouvons trouver notre vocation, être conscient de nos capacités, avec lesquelles nous venons dans notre incarnation. Nous devons faire de cette vocation notre métier, gagner notre vie avec ce qui nous procure le plus de joie et de contentement, et qui nous amène le plus de succès possible.

Si un enfant a des prédispositions pour la musique, il faut l'encourager, il pourra en faire son métier, gagner sa vie avec ce qu'il sait faire de mieux. Il serait dommage qu'il devienne mécanicien ou vendeur de voitures parce que les parents en ont décidé ainsi, ou parce que c'est mieux considéré, ou pour je ne sais quelle raison...

Et vous, que savez-vous faire de mieux ? Êtes-vous plutôt manuel ? Vous aimez la menuiserie alors que vous êtes dans le commerce ? Vous adorez cuisiner et vous vous verriez bien en chef ou tenant un restaurant ? Vous travaillez à l'export dans une grande société ? Aucun problème. Peut-être pouvez-vous combiner les deux et, un jour, si votre passe-temps préféré rapporte assez d'argent, oser le changement... Vous êtes femme au foyer et vous avez un don de médium ? Suivez une formation, comme en Angleterre où il existe des formations professionnelles en la matière. Dans votre pays, il doit y avoir une possibilité d'évoluer. Quand vos prédictions seront exactes et que vous aiderez des gens, écrivez un livre sur ce que vous recevez en esprit... Il n'y a pas de limites à tout cela.

Rêvez, réfléchissez… Où avez-vous de la facilité ? Que pourriez-vous faire du matin au soir sans vous ennuyer, sans perdre le moral ? Vous aimez les trains électriques, vous l'adulte ? Montez un site Internet qui vend des trains électriques ! Aujourd'hui, tout est plus facile. Vous pouvez faire de votre passe-temps un métier. Osez ! Essayez ! Si cela ne marche pas, vous pourrez toujours reprendre le métier mis de côté. Au moins, vous aurez tenté votre chance. Peut-être aurez-vous beaucoup de succès. Agissez !

Si nous avons du mal à déterminer ce que nous aimons le plus faire, il existe une astuce : imaginez-vous dans la peau d'un multimillionnaire, qui n'a plus besoin de travailler. Que feriez-vous de vos journées ? Notez-le sur une feuille de papier, cela vous indiquera la bonne direction. Une deuxième m'a beaucoup aidé : imaginez-vous sur votre lit de mort et pensez à votre vie. Que voudriez-vous avoir accompli et à tout prix avoir évité ?

Prenez des risques, changez, débarrassez-vous de vos vieilles habitudes. Si nous n'avons pas le courage de démissionner, de devenir indépendant, nous ne pourrons pas faire l'expérience de gagner de l'argent dans le domaine qui nous plaît. Évidemment, nous pouvons faire faillite en tant qu'indépendant, nous pouvons y laisser beaucoup d'argent, mais quel est le prix de notre liberté ? Je préfère personnellement risquer le tout pour le tout plutôt que de me voir dépendant et tributaire.

Chacun de nous doit savoir ce qu'il veut faire de sa vie.

« On n'a rien pour rien ! » « Qui n'ose rien n'a rien ! » « Qui ne risque rien n'a rien ! » « On récolte ce qu'on sème ! » Celui qui ne sème rien de personnel ne récoltera rien, sauf les parasites. Eux aussi sont soumis à la loi de résonance : « Bien mal acquis ne profite jamais ! » « Qui creuse un puits, finira par s'y noyer ! »

Le mentor Peter Kummer est persuadé qu'il y a des millions de morts vivants autour de la planète. Il parle de ceux qui meurent à vingt-cinq ans, mais qu'on enterre à soixante-quinze. Je suis totalement d'accord. À vingt-cinq ans, la plupart des jeunes ont trouvé leur métier, se marient et en ont fini avec les premiers grands défis de la vie. Ensuite, il ne leur est plus possible de changer quoi que ce soit. Ils ont fait construire une maison, avec un livret d'épargne-logement ; ainsi, ils sont liés à leur banque pour les prochaines décennies… Il n'est évidemment plus question de changement.

Pourquoi autant de jeunes sont-ils déjà coincés à cet âge ? Parce que l'individu moyen n'a aucune envie de changer. Il n'aime ni les contrariétés ni les problèmes. Même ceux qui ont suivi des formations sur l'entraînement mental, la pensée positive ou la manifestation abandonnent au bout d'un certain temps, n'ayant pas vu venir dans l'immédiat le succès tant espéré. Il faut un certain temps pour y arriver, comme la semence que l'on met en terre a besoin de temps pour germer. Nous pouvons bondir d'impatience et sauter dans tous les sens, la graine dans la terre n'en a que faire.

N'abandonnez pas, s'il vous plaît, si la manifestation n'arrive pas aussi rapidement que vous le voulez. Ce qui compte, c'est que vous soyez convaincus de ce que vous souhaitez et attendez de la vie.

« **Que ton désir se réalise !** » clame le génie qui sort de la lampe merveilleuse quand nous la frottons, et « **Demande et tu seras exaucé** » de l'Ancien Testament correspondent au même principe. Certains de nous ne savent formuler correctement leurs désirs. Pourquoi ? Parce qu'ils ne savent pas qui ils sont, pourquoi ils sont sur terre et ce qu'ils devraient demander.

Mauvaise prière, mauvaise livraison. La cause et l'effet ! Plusieurs livres traitent ce sujet. Je voudrais seulement vous donner l'envie de chercher plus profondément. « Si c'était si facile… » me répondra-t-on. Je n'ai pas dit que cela l'est, mais à quel prix estimez-vous votre liberté ? Pas seulement financière, la liberté d'esprit aussi. Pour moi, ma vie en est le prix ! Si vous vous permettez de travailler tous les jours, en serrant les poings dans vos poches, à poser des gestes qui ne vous intéressent pas, libre à vous. Si vous conduisez une voiture qui ne vous plaît pas, c'est aussi votre choix. Si cela ne vous dérange pas de vous faire humilier par votre patron, ou insulter par un collègue qui ne partage pas votre vision du monde, c'est encore votre affaire. Certains ont rapidement compris qu'ils n'étaient pas prêts à subir ce genre de comportements : ils ont travaillé d'arrache-pied, réfléchi, ont pris des décisions, qui les rendent aujourd'hui indépendants. Et surtout, ils prennent plaisir à faire ce qu'ils font.

Nous en sommes tous capables. Soyons audacieux et prenons des risques. Qu'avons-nous à perdre ? De toute façon, nous n'emporterons rien au paradis : nous arrivons nus et repartirons nus. Nous devrions penser à la chance unique de vivre maintenant sur cette planète, de vivre chaque jour consciemment, de créer quelque chose, de mieux nous connaître et de mieux comprendre la vie. Nous devrions sauter sur l'occasion qui nous est donnée de mieux saisir les lois de la vie et de participer activement, de façon constructive, à la création et au projet de Dieu.

Effectuons un voyage dans le temps et retournons un instant dans notre enfance, dans notre jeunesse. Rappelons-nous ce que nous voulions accomplir à cet âge. Vous vouliez être quelqu'un d'unique, de célèbre, quelqu'un qui agit comme une bonne fée ou un preux chevalier ? Et maintenant ? Vous êtes un employé à moitié endormi à côté de gens que vous ne pouvez plus supporter, ou encore vous êtes un médecin qui prescrit abondamment des médicaments à ses patients, malgré les effets secondaires nocifs – mais le laboratoire paie tellement bien...

Ou vous êtes une actrice qui doit coucher avec le producteur pour obtenir le rôle tant convoité...

Qu'ont en commun ces trois personnes ? Nous le savons, elles ont anéanti les émotions de leur âme, elles l'ont vendue. Elles ont abandonné la seule chose que Dieu leur avait confiée : leur liberté, leur libre arbitre. Vous trouvez que ce sont des mots durs, que je tranche de façon sévère ? Ne jugez pas trop rapidement. Que se passera-t-il quand vous arriverez dans l'au-delà, et que vous regarderez votre vie avec votre guide et votre famille d'âmes ? Votre maître spirituel vous demandera : « Qu'as-tu fait là ? Tu avais tant de talent, tu es allé travailler dans cette société pour la seule et unique raison que tu voulais assurer ta sécurité matérielle. Et toi qui voulais être médecin, aider les autres... Pourquoi as-tu flanché ? »

Quand nous serons dans l'au-delà, de retour à la maison, il sera trop tard, nous aurons honte de ne pas avoir tenté notre chance, d'avoir baissé les bras aussi souvent. Nous devrons attendre une nouvelle incarnation, recommencer à tout apprendre, comme un nouveau-né. Ne serait-il pas plus pratique, maintenant que nous sommes là et que nos années d'études sont derrière nous, de tirer profit au maximum de cette vie ?

La peur de mourir est la peur de beaucoup de choses réunies. La peur de mener sa vie en est une plus grande encore ! Il y a tellement de gens qui ont peur d'exprimer leur opinion à leur partenaire, à leur chef, au système politique et à ces messieurs dans les coulisses. Ils manquent de courage pour changer de métier ou quitter leur partenaire, avec lequel ils passent leur vie à se disputer. Il y a la peur de quitter son pays pour répondre à une offre unique, la peur du changement tout court. Il y a le manque de courage, la peur du risque, de la solitude, des hauts et des bas, qu'on dise du mal de vous, la crainte de perdre son argent, ses possessions, ses enfants peut-être, ou un être cher. La peur de changer sa vision du monde, de devoir la justifier devant ses collègues... On a peur de ne pas aller au ciel, d'atterrir en enfer, d'être repoussé ; on redoute la maladie, la souffrance, le vieillissement, les déceptions, les moqueries. On craint de ne pas être pris au sérieux, de ne plus être aimé ou pire, d'être trahi. N'avons-nous pas tous peur de quelque chose ? Souvent sans raison apparente ? La peur est le plus grand outil de manipulation, corporelle et mentale. On contrôle les gens le mieux par la peur (les dieux en colère, le chômage, les retenues de salaire, les krachs boursiers, la solitude, et des facteurs souvent plus intimes).

L'éveil spirituel – analyser, prendre une décision et agir – entraîne la disparition progressive des peurs. Il est primordial d'apprendre des choses sur la vie et sur la mort pour mieux comprendre l'existence. Il faut être à l'écoute de ce que nous racontent les enfants sur l'au-delà, les mondes subtils et le sens de la vie. Cela minimise nos peurs. Si nous savons que nous avons des anges gardiens, des maîtres spirituels et d'innombrables amis dans le monde spirituel, qui sont à nos côtés et nous protègent, pourquoi aurions-nous plus de peur que de joie de vivre ? Vous voyez l'importance d'aller au fond des choses en abordant les questions fondamentales : d'où venons-nous et où allons-nous ?

En vous confrontant à ces questions, il est tout à fait possible que vous soyez déçus par beaucoup de situations, de relations, de ne pouvoir vivre autrement... Néanmoins, vous commencez à voir la lumière, qui est restée cachée bien trop longtemps, il n'y a plus d'illusion, vous ne voyez plus seulement ce que vous voulez voir, mais la réalité, parfois douloureuse. Videz les placards, jetez les vieux vêtements, vous êtes davantage dans le présent et ne retomberez plus dans l'illusion. Continuez à vivre, en essayant de rencontrer des gens comme vous, qui ne vous décevront pas. Il ne sert à rien de s'accrocher à d'anciennes douleurs, qu'on ne peut de toute façon changer, et qui nous empêchent d'aller de l'avant.

Nous n'avons pas à avoir peur de la mort, elle est même une cousine sympathique. Au printemps 2002, j'eus de nouveau l'irrépressible envie de m'acheter une voiture de sport ; sitôt dit, sitôt fait. J'en profitai largement, mais, à l'automne, je fis un rêve étrange : je me trouvais dans la maison de mes parents, et un homme tout vêtu de noir se présenta devant moi. Il avait le visage très pâle, était grand et musclé. Il me souriait et me montra sans faire de commentaires comment il emportait des âmes vers l'au-delà. La première était celle d'une fillette méchante qu'une femme avait poussée dans l'escalier. Morte dans la chute, je voyais son âme traverser un faisceau de lumière vertical et disparaître, un peu comme dans les films *Stargate*. La deuxième était celle d'un homme d'âge mûr, mais le personnage en noir ne me dit rien et quand je lui demandai s'il était mort, il me répondit avec un léger sourire, en acquiesçant : « Il va faire un bilan de santé. » Il me sourit à nouveau, me prit par le bras, se retourna et disparut. Je me réveillai tout excité : « Ce type très fort, je dois l'interviewer, lui demander comment il va, comment il se sent quand il vient chercher les âmes, s'il a déjà rencontré le grand patron, là-haut... »

Mille idées me vinrent à l'esprit, sauf une : il était sans doute venu me voir pour d'autres raisons que de m'accorder une entrevue. Trois semaines plus tard, je faillis le croiser à nouveau... En vacances avec mon fils en montagne, nous revenions de Berchtesgaden après un repas copieux. Je conduisais en direction de notre hôtel en altitude, lorsque nous percutâmes un arbre dans un virage serré. La voiture dévala ensuite la pente, pour terminer sa course en tas de ferraille. Nous pouvons dire que nous avons évité le pire, car, heureusement, nous n'avions que de légères blessures. Soudain, je me rappelai mon rêve de l'homme vêtu de noir… Mon Dieu !

Comme je l'ai déjà mentionné, les événements s'annoncent toujours d'une façon ou d'une autre. Je veux vous dire que le personnage vêtu de noir dégage beaucoup de sympathie, et que nous n'avons aucune raison d'avoir peur de lui.

29. C'EST UN SIGNE

Essayons d'approfondir les signes que la vie nous donne. Selon la loi de cause à effet, nous savons que nous devrons expérimenter un jour nous-mêmes ce que nous avons fait aux autres, pour rééquilibrer l'ensemble. La conséquence logique est qu'à l'avenir nous devrons être encore plus vigilants et conscients de nos pensées, paroles et actions, pour « semer » mieux et ne récolter dans le futur que des fruits savoureux. Face à la maladie, à la souffrance ou à une perte importante, nous devons essayer de connaître ce qui nous a menés à une telle situation.

Les circonstances entourant une situation nous montrent souvent la solution à envisager. Tous les événements se déroulent dans le jeu parfait de la création et sont régis par la loi de résonance, rien n'arrive par hasard. Soyons vigilants quant aux signes qui se présentent. Chaque jour, nous recevons des « signes » de personnes, d'animaux que nous croisons dans notre quotidien. Les coïncidences et concours de circonstances en font partie. Nous avons tous vécu ce genre de choses : vous pensez à quelqu'un, il vous appelle au téléphone. Là, je parlerais plutôt de télépathie : on sent que l'autre pense à soi, c'est peut-être aussi une forme de résonance. Vous venez d'entamer un travail, comme puéricultrice par exemple. Vous êtes chez le médecin, dans la salle d'attente, vous entamez la conversation avec la femme qui attend à côté de vous. Et que fait-elle dans la vie ? Elle est puéricultrice. « Quelle coïncidence ! »

Vous allumez la télévision, que voyez-vous ? Un reportage sur un nouveau jardin d'enfants : « Ce n'est pas possible, il y a trop de coïncidences ! » Voilà comment réagissent la plupart de ceux qui n'ont pas encore compris que nous vivons dans un monde de réseaux obéissant à des règles très claires. La synchronicité des événements est régie par **la loi de résonance**, « ce qui se ressemble s'assemble », ce qui signifie que les vibrations subtiles de même fréquence s'attirent mutuellement. Toutes les vibrations que nous émettons nous reviennent, nous « tombent dessus », « par hasard », comme tout ce qui nous est propre et avec lequel nous vibrons en harmonie. C'est un type de signes, de clins d'œil qui nous montrent où nous en sommes dans notre vie.

La **synchronicité** n'est pas exactement la même chose. Ce terme a été introduit par le psychanalyste suisse Carl Gustav Jung. Un jour qu'il était dans son cabinet en train de parler de l'Égypte avec un de ses patients, un scarabée surgit et traversa la table à toute vitesse. Personne ne sait comment il fit le voyage pour arriver en Suisse, Jung y vit la preuve que l'univers n'est pas chaotique, qu'il suit en réalité un schéma ordonné, parfait, qu'il est *synchro*, comme il dit.

En voici quelques exemples : vous êtes assis pour votre petit-déjeuner, vous lisez le journal, votre fille n'arrête pas de remuer sur sa chaise en parlant à sa grand-mère et, dans le fond, on entend la radio qui donne les dernières infos. Soudain, vous vous rendez compte que votre fille vient de prononcer les mêmes mots que ceux que vous venez de voir dans l'article que vous êtes en train de lire. Ou encore, le présentateur lit une phrase qui est le titre de votre article.

Vous êtes au restaurant et vous discutez de choses et d'autres avec la personne qui vous accompagne. Elle dit une phrase et peu après une personne à la table d'à côté dit la même phrase. Vous êtes sur l'autoroute, vous téléphonez à quelqu'un qui vous raconte qu'il a peint des étoiles sur le mur de la chambre de son enfant et, juste à ce moment, vous doublez un poids lourd dont les parois sont parsemées d'étoiles. Quelqu'un vous dit que son nouveau numéro de téléphone se termine par 999, et la plaque minéralogique de la voiture devant vous se termine par 999.

De quel phénomène s'agit-il ? Quel est le signe ? Revenons au schéma de la vie. Comme nous le savons déjà, nous créons avec nos assistants spirituels un schéma de vie, une sorte de matrice. Nous fixons, sur un type de programme, tout ce que nous voulons faire au cours de cette incarnation. La plupart des personnes arrivent à faire 60 % de ce qu'ils voulaient. Très peu d'entre elles arrivent autour de la note parfaite. Plus nous vivons ce que nous avons envisagé, plus notre schéma de vie ressemble à ce que nous avons imaginé, plus nous verrons les synchronicités. Pourquoi ? Parce que nous serons plus souvent au bon endroit, au bon moment. C'est tout l'art !

Comment être au bon endroit au bon moment ? En faisant confiance à notre intuition. Comme vous pouvez le constater, nous tournons en cercles. Il s'agit toujours d'intuition. C'est la clé ! C'est la « voix » de Dieu en nous. On ne peut pas acheter l'intuition, personne ne peut nous en donner, on ne peut pas l'ingérer comme une pilule, aucune Église ne peut la taxer, et aucune secte ne peut en profiter. Par le travail sur l'intuition, nous apprenons à être au bon endroit avec les bonnes personnes, au moment opportun, et seulement comme cela.

Nous pensons toujours être seuls, livrés à nous-mêmes, mais ce n'est pas vrai (Dieu est en nous, notre ange gardien, nos affinités d'âme). Et la réponse, à savoir si nous avons bien suivi notre intuition, nous arrive directement dans notre vie, sous forme de synchronies. Elles sont en quelque sorte le thermomètre de notre incarnation, elles nous indiquent parfaitement où nous en sommes dans notre vie. Plus nous rencontrons de cas de résonance, de coïncidences, de synchronicités, plus nous sommes proches de notre plan de vie, de nous-mêmes, sur notre voie.

Cela peut changer tous les jours, en fonction de nos choix. Et cela devient réellement passionnant, quand nous sentons quotidiennement comment la vie communique avec nous, comment nous sommes inscrits dans un système parfait, et comment nous commençons à entendre lentement sa voix mystérieuse. Néanmoins, c'est toujours un système basé sur le libre arbitre.

En respectant ces lois de l'esprit, nous devenons les artisans, les forgerons de notre propre bonheur. Nous n'accusons plus personne d'être responsable de nos malheurs, nous les assumons. Ainsi vue, la vie est un cadeau pour nous aider à nous développer, à chaque inspiration, vers l'amour et la compréhension de l'esprit.

30. HOURRA ! JE CRÉE !

La différence entre celui qui cherche et celui qui trouve est que celui qui cherche **suit** une loi, un gourou, une croyance, une idéologie. Celui qui trouve écrit ses propres lois, il est l'élément moteur, il **décide**. Il décide lui-même s'il veut mourir de froid en hiver ou s'il préfère se brûler les pieds en courant sur des braises. Il décide de la nourriture qui ne lui convient pas et de la boisson qu'il trouve pleine d'esprit divin, parce qu'il le veut ainsi.

C'est le pas à franchir pour passer de créature à créateur. Notre « mission » sur terre est d'apprendre que nous sommes des créateurs et que nous pouvons déplacer des montagnes, par nos convictions. Nous décidons de ce qui ne nous fait pas de bien et de ce qui nous est profitable. Nous sommes une partie du créateur et nous avons les attributs de Dieu, à notre échelle, selon nos capacités de compréhension. Les qualités sont les mêmes. Comme une goutte d'eau a les mêmes caractéristiques qu'un océan gigantesque. Et nous sommes sur terre pour prendre conscience de notre capacité de créer, tous les jours.

Oubliez tout ce que vous avez lu ou entendu, tout ce qu'on vous a inculqué. Commençons par nous demander ce que nous voulons obtenir, ce qu'en pense notre intuition. Si notre intuition est favorable, avançons. Nous y parviendrons, si nous sommes convaincus. Personne d'autre n'a à le croire. Comme personne ne pensait que Bill Gates, quand il était encore programmeur, deviendrait un jour l'homme le plus riche du monde. Nous avons le potentiel, toutes les semences, c'est le bon moment. Et que répondit Bill Gates quand on lui demanda à quoi il attribuait la raison de son succès ? « Fais ce qui t'amuse le plus ! »

31. JE SUIS ILLUMINÉ !

Revenons une dernière fois à nos familles les plus riches. Qu'importe leur orientation vers le ciel, le cœur, ou vers le diable, la tête, on ne peut leur enlever ceci : elles utilisent leur intellect toujours à propos, dirigé exclusivement vers leur but. Là-dessus, nous sommes d'accord, non ? C'est ainsi, et la différence entre elles et la majorité des gens est qu'elles ont un objectif ciblé. C'est aussi cette certitude qui les différencie des autres, qui se contentent de croire. Un illuminati ne croit pas qu'il est capable : il sait, il fait, comme le font tous les sages de l'univers.

C'est la différence fondamentale avec certains ésotéristes ou « magiciens », qui n'ont pas d'objectifs clairs. Ils connaissent les lois, mais ont du mal à les appliquer. Souvent, ils mettent l'**illumination** au-dessus de tout, et quand on leur demande de la définir, ils ont beaucoup de mal. Aucun d'eux ne sait vraiment à quoi elle ressemble, ou comment y parvenir. Ceux qui ont vécu un tel moment restent silencieux ou ont du mal à le décrire, comme l'illuminati a du mal à expliquer l'ivresse du pouvoir, ou la mère ne peut décrire à sa fille l'amour qu'elle ressent pour elle.

Tout cela est marécageux.

Si nous n'arrivons pas à établir nos priorités en fonction de nos aspirations, je peux peut-être vous suggérer de vous asseoir, prendre une plume, et écrire sur une feuille que vous êtes prêts à accepter la *mission* de votre présente vie sur terre : « J'accueille tout ce qui a été planifié comme devant me revenir et tout ce qui est dirigé vers moi. J'accomplis déjà ce en quoi j'excelle et cela me comble de joie. J'ai toujours suffisamment d'argent disponible et je suis en compagnie d'une personne qui me rend heureux/heureuse et me convient merveilleusement. »

Vous datez, vous signez, vous fixez le texte au mur, discrètement, vous remerciez d'être sur le bon chemin, de voir que les choses vont venir, pas à pas. Et vous attendez patiemment de voir ce qui va se passer. Si les choses se réalisent, nous sommes heureux. Si nous sommes heureux, les chances d'atteindre un jour un état d'équilibre, d'harmonie, de complétude, voire d'illumination, sont plus grandes. Je n'ai jamais entendu dire qu'un être perturbé ou agressif ait pu connaître un état proche de l'illumination, mais ne parlons pas d'illumination, plutôt de petites choses que nous pouvons mettre en pratique tout de suite.

Je dois constater, malheureusement, que beaucoup d'Occidentaux ont un gourou indien ou qu'ils méditent tous les jours, dans l'espoir de l'illumination. Ils ne veulent plus travailler de leurs mains, se disent authentiques, arrivent toujours en retard, sont désordonnés et souvent désagréables et peu attentifs, à cause de leur fanatisme. Nous ne sommes pas venus sur terre dans le monde occidental, pour aller ensuite en Inde, fuir le défi de notre monde, appelons-le *monde de Lucifer*. En parcourant les mondes subtils, j'ai réalisé que ces âmes étaient auparavant incarnées dans la sphère asiatique et qu'elles avaient vécu de façon ascétique. Elles ont décidé que le moment était venu de s'incarner à l'Ouest, pour vérifier leur discipline et voir si elles pouvaient résister aux tentations. Évidemment, l'âme aura tendance à vouloir retourner vers ce qui lui est familier, mais où accomplir la tâche qui l'attend ?

Comment voyez-vous les choses ? Suis-je dans l'erreur ? La phrase qui dit qu'il y aura toujours assez d'argent disponible, je l'ai mise là consciemment. Vous savez pourquoi ? Quand nous avons de plus en plus d'argent, nous avons de plus en plus de temps, nous devons travailler moins, nous avons moins de soucis. Nous avons tout le temps pour voyager, lire, être créatifs et, au moyen de tout cela, nous nous épanouissons, trouvons notre véritable potentiel et, donc, l'aspect divin en nous.

L'argent dirige le monde ! est un vieux dicton qui contient beaucoup de vérité. Tout est lié à l'argent, mais tout dépend aussi de notre relation à l'argent. Chacun a sa vision. Il y a celui qui pense que c'est un mal nécessaire, celui qui passe son temps à en chercher, celui qui l'accumule. Pour certains, c'est du domaine diabolique. Il y a des gens doués pour les aspects financiers, d'autres qui dilapident à mesure. Certains ont trouvé la solution : « C'est ma femme qui s'en occupe. »

Demandons-nous : suis-je obsédé par l'argent, lui suis-je attaché, m'est-il indifférent ? Seulement quelques personnes sont conscientes que leur attitude face à l'argent est directement reliée au compte en banque... Nous avons vu, grâce aux lois du cosmos, que nous avons créé nos propres conditions de vie et tout ce qui est en rapport avec l'argent. Les maladies qui nous affligent émanent de notre psychisme, il en est de même des problèmes d'argent. Le manque d'argent perpétuel n'est pas de la malchance, mais le résultat d'une mauvaise programmation mentale qui remonte souvent à l'enfance et aux valeurs transmises par les parents. Ceux qui ont vécu une enfance difficile, dans une pauvreté relative, et ont dû travailler dur, n'ont pas le même rapport à l'argent. Notre éducation et le rapport à l'argent sont inscrits dans l'inconscient. Ainsi, il faut scruter, examiner à nouveau et choisir une attitude vis-à-vis de l'argent, puisqu'elle dessinera notre avenir.

C'est souvent les personnes attirées par la spiritualité qui sont en manque d'argent. Pourquoi ? Elles ont assimilé les lois cosmiques, sont plus équilibrées, en meilleure santé, mais il y a toujours des soucis pécuniaires.

« L'argent, c'est sale, c'est mauvais, c'est le mal qui ronge le monde ! » En fait, le véritable mal, c'est quand on n'a pas assez d'argent pour vivre convenablement. N'êtes-vous pas d'accord ? Évidemment, nous ne pouvons pas nier que certaines institutions ou structures de pouvoir utilisent l'argent pour contraindre et oppresser plus faibles qu'eux, mais quel est le rapport avec ma vie à moi ? Au Rwanda, on a tué des centaines de milliers de gens avec des couteaux ou des machettes. M'interdirait-on, pour cela, d'utiliser mon couteau de cuisine pour trancher du pain ?

Il y a des tonnes de gens qui ont des solutions à la faim dans le monde, à la paix au Moyen-Orient et au danger des essais nucléaires. On désigne des coupables pour éviter de se regarder dans le miroir. Le mieux serait encore de dire que les riches pourraient donner une partie de leurs richesses et le monde s'en porterait mieux. Que croyez-vous que le clochard fait de l'argent que vous lui donnez ? Ou le toxicomane ? Si vous le donniez au vieux monsieur qui habite au fond de la ruelle ? Lui seriez-vous réellement utile ? Ces gens seraient-ils capables de modifier leur comportement et le cours de leur vie ? Ne serait-ce pas plutôt leur vision du monde limitée et inadaptée qui les a mis dans cette situation? En leur donnant de l'argent, ne faites-vous pas comme celui qui met un cataplasme sur une jambe de bois ? Les apparences semblent avoir résolu le problème, mais il n'en est rien.

Il y a ceux qui veulent régler les problèmes des autres, du monde entier même, mais sont incapables de maîtriser les leurs. On dit que « l'argent corrompt », « l'argent ne m'intéresse pas ». Il est clair qu'il ne peut affluer dans ces conditions... Le manque d'argent vient d'une mauvaise attitude. Un motivateur comme Arthur Lassen vous dira : « Ne donne jamais l'impression à l'argent que tu lui es indifférent, car il a promis de ne rester près que des gens qui le respectent et l'aiment. Ceux qui parlent sans savoir et s'en servent mal ne doivent pas s'étonner s'il fait un grand cercle autour de lui. » En forme de conclusion, il ajoutera : « Respecte l'argent, donne-lui l'impression d'une sympathie infinie, il sera flatté de remplir tes poches et tes comptes en banque. »

Agissons avec l'argent comme avec notre partenaire. Quand nous le dépensons, nous devrions lui dire : « À bientôt, cher billet, reviens vite, et viens avec tes frères et sœurs ». Si vous pensez que j'exagère, vous avez sans doute raison, mais il y a tellement de gens qui ont un rapport tendu avec l'argent. Mon oncle est consultant en entreprise, il a du succès. Il m'a parlé d'un homme de son entourage qui économisa pendant toute sa vie. Il allait très peu au restaurant alors qu'il voyageait beaucoup et n'invitait jamais ses amis à manger. Il gagnait bien sa vie, mais habitait un petit appartement et achetait les produits les moins chers. Il était un ingénieur respecté et demandé. Quand on lui demandait pourquoi il était si économe, il disait qu'il mettait de côté pour profiter de la vie quand il serait vieux. Et il arriva ce qui devait arriver... Au début de la cinquantaine, il fit la connaissance d'un conseiller en placement financier, à qui il confia ses économies, celles de sa femme et de sa belle-mère. Il se vantait devant ses amis d'avoir placé son argent à un taux bien supérieur à la moyenne, il s'agissait de plusieurs millions d'euros, mais il perdit tout, le conseiller financier était un escroc.

Résultat, notre homme put continuer à vivre comme il l'avait toujours fait, comme un pauvre, car il n'aimait pas l'argent et ne s'en était pas servi pour créer un environnement harmonieux. Nos conditions de vie reflètent notre mentalité. Si tout est bien rangé dans ma tête, ma maison et ma voiture le seront aussi. Toute richesse et tout succès proviennent d'une idée qui a germé dans nos têtes. Il faut de l'audace et du courage pour matérialiser cette idée. Les grands hommes ont récolté leur succès grâce à leur initiative personnelle. Essayons de voir comment adapter notre vision des choses, afin de vivre en harmonie avec l'argent. Il ne faut ni l'aduler ni le rejeter, il faut trouver la voie du milieu.

Si je sens que je ne « vaux » pas beaucoup, que je n'ai pas beaucoup d'estime pour moi-même, je vivrai comme cela. Si nous avons un objectif, un rêve, nous ne devrions pas nous demander combien il va coûter ou prétendre que nous n'avons pas assez d'argent. Si nous avons un but ou une idée géniale, allons-y ; l'argent vient souvent en chemin, pour nous permettre une réalisation. S'il vous est arrivé de perdre de l'argent, beaucoup d'argent, le remords et la tristesse ne vous aideront pas à avancer. Soyez optimistes, dites merci pour la leçon que vous venez de prendre, essayez autrement. Je parle d'expérience. Nous pouvons néanmoins nous demander pourquoi nous n'avons pas repéré les signes avant-coureurs, ou pourquoi nous n'avons pas réagi. Quelles étaient les véritables raisons de ces pertes financières ? Ai-je des problèmes à dire « non » ? Ai-je été trop crédule, trop naïf ?

Reprenons notre cahier, pour noter notre relation à l'argent et la reprogrammation de notre inconscient. Il existe des livres d'accompagnement individuel très efficaces pour ceux qui ont vraiment du mal avec l'argent : « Je vis ici et maintenant, mes pensées et mes actions positives déterminent ma vie. Je la dirige comme je l'entends, je m'amuse à avoir du succès. Mes succès dépendent de ma persévérance à penser de façon positive, à planifier de façon créative, et à agir de façon déterminée. J'ai un sens créatif de l'argent. J'ai un doigté phénoménal pour l'argent et de bonnes perspectives d'en gagner beaucoup. Je prends la responsabilité de tout ce qui m'arrive dans cette vie merveilleuse : de mes pensées, de mes paroles et de mes actes. Je m'améliore constamment dans mon métier, et j'aime être bien préparé. Je me comporte de la même façon avec tout le monde, indépendamment de la position sociale ou du rang. Je sais que tout dépend de mon attitude, je regarde vers l'avenir, et je suis bien décidé à faire de ma vie ce qu'il y a de mieux. Je souris beaucoup et je rayonne, je sais que tout ce que je donne me reviendra, je suis au sommet de ma forme.

32. LE PRINCIPE D'ASPIRATION

Encore un autre principe, me direz-vous ? Oui, je l'admets, j'aime bien vous contraindre à envisager ce que vous n'avez jamais voulu savoir. C'est très simple, il y a deux principes dominants dans la nature : la pression et l'aspiration. La plupart d'entre nous vivent selon le principe de pression, que l'on peut comparer à la volonté ou à l'entêtement, et ne s'en rendent pas compte.

Le principe d'aspiration vient du monde technique, il fut décrit par le génial Viktor Schauberger, Autrichien, le constructeur de disques volants, le précurseur de la « technologie hydraulique harmonieuse ». Il observa les mouvements de la nature, les adapta et les transforma en mouvements mécaniques, puis il fabriqua des machines. Par exemple, il observa le mouvement de la truite remontant le courant d'une rivière par sauts successifs, ce qui est scientifiquement impossible. Un scientifique peut mesurer la force d'un coup de nageoire nécessaire pour propulser la truite vers l'avant, en combinant la taille de la nageoire, la force du muscle et d'autres paramètres. Le résultat que l'on obtient ne peut pas expliquer les formidables sauts des truites. C'est pareil pour le bourdon, incapable de voler, selon la science, pourtant il vole. Le secret de son vol réside dans le champ d'antigravité (l'absence de gravité) qui se crée, par la fréquence des battements, la forme et le mouvement de ses ailes.

La nature influe sur l'énergie vitale de l'eau par l'entremise des tourbillons (chi, KI, éther, Orgon, Vril, pr'ana) ; elle se sert des mouvements rotatifs inversés du tourbillon. C'est un exemple d'annulation de champ de gravitation dans la nature. La partie extérieure du tourbillon pousse l'eau vers le bas et la partie intérieure l'aspire vers le haut, comme dans un cyclone ou une tornade. À l'intérieur de la tornade, les objets en bas sont aspirés vers le haut, à l'inverse de la loi de gravitation de Newton. Dans l'œil du cyclone, le point neutre, les objets planent, sans faire de rotations. C'est pareil avec les tourbillons. La truite connaît ces principes et se sert du tourbillon comme d'une catapulte : elle nage en s'approchant du bas du tourbillon, puis se laisse aspirer par la force ascendante. Sans donner de coup de nageoire, elle arrive à se propulser, par aspiration, de plusieurs mètres en avant.

Viktor Schauberger étudia la technique de la truite pendant plusieurs années, et en utilisa le principe dans les années trente pour mettre au point son premier disque volant. L'idée fut reprise par d'autres scientifiques, et appliquée ensuite à l'électromagnétisme. En créant des champs d'énergie rotative qui tournent l'un contre l'autre, on annule la gravitation. Le pilote d'un disque volant est assis au milieu, dans l'« œil » du disque, et n'est pas soumis aux forces qui agissent autour de lui. Ce n'est pas un miracle, c'est la copie d'un phénomène naturel. Ces disques sont ce qu'on appelle communément un « ovni ».

Et ce principe d'aspiration repose sur la loi de résonance. Je m'explique : ces soucoupes volantes (je ne parle que des versions allemandes, que j'ai pu voir de mes propres yeux, et dont je connais un pilote) projettent un champ magnétique nul, un vacuum, vers l'avant ; elles se laissent ensuite aspirer par ce champ créé artificiellement. Elles n'ont pas de moteur à explosion ou à réaction, elles se laissent aspirer par le vide qu'elles créent continuellement, en le projetant devant elles. Vous trouverez de plus amples détails dans mon livre *L'opération Aldébaran*. Je vais tenter d'être encore plus clair. Ce principe subtil appliqué à notre vie se résume comme suit : plus je fuis une chose, plus elle me rattrape ; plus je la veux, plus elle m'échappe.

Encore un exemple dans le domaine du comportement : nous sommes en couple. Plus nous demandons à notre partenaire où il va, quand il revient, avec qui il était... plus il s'éloigne intérieurement. Pourquoi ? Parce qu'il sent une pression. C'est le thème de la jalousie : plus nous sommes jaloux, plus nous restreignons le champ d'action de l'autre, plus notre partenaire nous en fournira le motif et cherchera son espace de liberté. Il ou elle se sentira à l'étroit.

Plus nous donnons de liberté à notre partenaire, plus nous l'attirerons, car c'est cette liberté qu'il ou elle apprécie. Pour moi, c'est pareil. Une personne sur dix me pose toujours la même question : comment fais-je pour obtenir toutes les informations que je présente ensuite dans mes livres ? Chaque fois, je réponds : « Ce n'est pas moi qui vais vers elles, elles viennent à moi. » Je ne fais rien d'autre que le principe des soucoupes volantes : je crée un vide, dans lequel sont attirés des personnes ou la connaissance. Je crée dans mon champ d'énergie un vacuum, un vide et je demande à l'univers de le remplir. Nous avons tous vu cela au cours de physique, quand nous avons créé du vide dans un tube. Quand nous ouvrons le tube, l'air s'engouffre, et l'univers le remplit automatiquement. Je ne fais rien d'autre. En sciences humaines, on appelle cela « le principe d'équilibre ».

Oui, mais comment ? J'émets un désir non pas seulement dans ma tête, mais aussi avec mon cœur. Puis j'essaie de m'en distancier, je pense à autre chose, j'oublie ce que je désire, je ne m'accroche pas. Je lâche prise ! Et ce que je désirais apparaît soudainement. Vous pouvez faire pareil, vous le faites d'ailleurs plus souvent que vous ne le pensez, mais dans un sens négatif, du côté de la peur. Plus vous craignez, plus vous attirez l'objet de la crainte. Plus il y a de pression (pensez au démarcheur à qui vous ouvrez la porte...), moins vous avez envie d'aller voir plus loin. La pression va à l'encontre de la création. Laissons-nous aspirer par notre champ de résonance, laissons faire, et cela marche tout seul.

Comprenez donc qu'au cours du siècle dernier, on nous a désinformés, de façon intentionnelle. L'Univers travaille selon le principe d'aspiration, Dieu même agit selon ce principe, pas en imposant de la pression ou avec une énergie à explosion ou à réaction, mais en n'intervenant pas dans la création, en la laissant faire. La Terre a-t-elle un moteur à explosion pour tourner autour du Soleil ? Non, elle se laisse aspirer par des champs magnétiques.

Nous pouvons appliquer le principe de pression en disant : « Je dois, je dois, je dois... », et celui de l'aspiration par : « Je laisse faire, je laisse faire... »

Aujourd'hui, tout le monde court après la technologie. Au contraire de mon entourage, je considère les ordinateurs et Internet comme la tentation parfaite. On y trouve beaucoup d'informations indépendantes des grands groupes de médias, surtout en ce qui concerne les sujets politiques. Je vois le danger ailleurs, sur un autre plan. C'est la façon de penser de la plupart des internautes qui pose problème : « Je veux cette information, je vais la trouver. » On passe des heures devant son écran, on ne se rend plus compte qu'on s'éloigne de la vraie vie. Les gens sont de plus en plus cérébraux, la mentalité change. C'est exactement l'inverse de ma façon d'agir, car l'utilisation d'Internet repose sur le principe de pression.

Plus nous voulons posséder une chose, plus elle nous échappe. Plus nous fuyons une chose, plus elle nous rattrape. Ce que nous craignons a d'autant plus de chances d'arriver. C'est tellement évident ! Plus nous cherchons, moins nous voyons ce qui est à côté de nous, car notre attention est ailleurs. Il faut arrêter de chercher pour trouver, ou être trouvé plutôt, car selon la loi de résonance, notre destin vient vers nous. Si nous sommes tout le temps en quête, nous passons souvent à côté de la solution, qui se trouve sous nos yeux.

Nous vivons ensemble une nouvelle période, une nouvelle ère, avec plus de risques et autant de belles occasions ! On a toujours imposé leurs croyances et dicté leurs pensées aux populations. Pour ce qui est de Dieu, il était impensable de mettre en doute ce que les Églises enseignaient. Au XXIe siècle, les valeurs ont changé. La morale, la tradition, la culture ont perdu de leur lustre. C'est une calamité, car il n'y a plus aucun ordre ; en même temps, c'est le temps opportun pour l'apparition de nouvelles choses. Selon l'ancienne devise du Rite écossais de la franc-maçonnerie *Ordo ab chao !* (*Du chaos jaillit l'ordre*), pour qu'il y ait du neuf, l'ancien doit disparaître. Cette destruction de l'ancien monde est peut-être la plus grande chance de l'humanité. C'est peut-être aussi la chute absolue, cela dépend de la direction que prendront les forces en présence : vers la lumière ou les ténèbres, vers l'être ou l'avoir.

Pour les prisonniers des traditions ou d'une religion, c'est la fin des temps, la fin de leur vision du monde étriquée. C'est aussi le début d'un nouveau monde, avec une vision nouvelle. Les ruminations de l'ancienne génération laissent place aux défis qui attendent la nouvelle. Saura-t-elle profiter de son pouvoir de décision, débarrassée de ses liens ? Ou tombera-t-elle dans des abysses insondables ? Beaucoup d'entre nous ont été guidés par les croyances qu'on nous a inculquées. Nous avons intégré les théorèmes que nous avons repris d'autres personnes. Nous avons soupesé les choses et comparé les unes aux autres : ce qui était agréable, désagréable, bien ou mal. Nous avons intégré les notions apprises. C'est ce qu'on appelle l'EXOTÉRISME (de l'extérieur vers l'intérieur).

Nous n'en sommes plus là. Une nouvelle façon de penser et de percevoir s'impose peu à peu. On l'appelle l'ÉSOTÉRISME. L'ésotérisme enseigne exactement le contraire de ce que la majorité des gens avait toujours considéré et accepté comme LA vérité jusqu'à maintenant. L'ésotérisme nous dit que nous trouvons tout à l'intérieur : la vérité, l'amour, la sécurité et, par-dessus tout, ce que nous appelons Dieu. Quelque chose s'éveille et s'ouvre en chacun de nous.

Le moment est venu d'arrêter de courir derrière les dogmes et les rituels, dont personne ne sait à quand ils remontent exactement. Il faut aussi arrêter d'apprendre des textes par cœur et de les répéter, d'adresser des prières à des destinataires dont personne ne sait s'ils existent ou ont réellement existé. De plus en plus de gens veulent croire leurs sentiments, leur conscience, au lieu de ce qui leur est suggéré, voire imposé, de l'extérieur. Ils ne veulent plus être des « citoyens soumis », de « bons membres de la société », « de petits engrenages perdus dans l'immensité de la machine sociale », et surtout pas de « simples agneaux dans le troupeau ». Ils veulent une seule et unique chose, de façon consciente : être responsables d'eux-mêmes.

Ils ne veulent pas être sauvés, pas davantage qu'ils voudraient contrôler quelqu'un d'autre. Ils veulent être conscients dans leur corps physique, veulent vivre, chaque jour, de la façon la plus constructive possible, et prêcher par l'exemple, sans se sentir « missionnés » pour autant. Le véritable enseignement part de l'intérieur. Dieu parle dans le secret du cœur de chacun. Toutes les religions de la planète l'ont oublié. Et avec leurs règles, leurs traditions et leurs rituels, elles ont oublié le principal, l'AMOUR.

Les enfants d'aujourd'hui nous apprennent à reconnaître l'amour ainsi que les vibrations du cœur.

33. RIEN NE POURRA M'ARRÊTER

Tout d'abord (à condition de connaître quelques lois cosmiques...), il faut avoir à l'esprit que nous sommes les créateurs de ce qui arrive dans nos vies (que ce soit le manque d'argent, la maladie ou une querelle avec la belle-mère...) et qu'il faut arrêter de blâmer les autres.

Ensuite, il faut adopter la règle de l'*ici et maintenant*. Il est important de nous concentrer sur le présent, sur notre famille, sur notre métier, sur nos passe-temps sans nous laisser envahir par le passé. Surtout, nous ne devrions pas nous soucier de l'avenir, car nous avons déjà tout programmé. Tout ce qui nous arrive est le destin que nous nous sommes créé. Il ne faut pas nous juger, mais plutôt nous observer (comme un acteur qui joue dans un film), pour prendre un peu de recul. Cela permet de trouver rapidement une issue à un conflit, à une situation désagréable. Soyons notre meilleur ami, qui sait donner un bon conseil.

Il faut savoir transmuter des vibrations négatives en vibrations positives, c'est une grande qualité. On vit mieux quand on est plus conscient des choses, quand on traite les autres comme on voudrait être traité. Mettons-nous à la place d'autrui et essayons de comprendre pourquoi les gens agissent ainsi. « Chaque être que nous rencontrons a quelque chose à nous dire, un message à nous transmettre. » C'est la sagesse même. Cette phrase trotte dans ma tête depuis des années. Elle me permet de traverser la vie de façon plus consciente. Peut-être vous aidera-t-elle aussi ? Savez-vous que nous rencontrons en moyenne une personne deux fois dans notre vie ?

La vie est un jeu, la Terre est le terrain de jeu. Quel est notre rôle ? Sommes-nous les pions sur un échiquier ou les fous, peut-être même le roi ou la reine ? C'est à nous de décider. Alors pourquoi autant de drames, de meurtres, de haine, de jalousie, de guerres ? Parce que cela fait partie du plan de vie de ce jeu et des hommes. Dans cette vie, dans la dualité, le mal et le bien coexistent, s'expriment et doivent être vécus pour que nous soyons conscients des abus de la force créatrice que nous commettons tous.

La clé est l'intuition, sans aucun doute. C'est la voix intérieure qui nous mène sur notre chemin individuel, qui nous aide à mener notre vie de la meilleure façon possible. Que ce soit notre ange gardien qui nous murmure à l'oreille, notre moi supérieur ou Dieu, ou tout simplement notre âme, importe peu. C'est la voix intérieure qui nous aide à manifester le mieux possible. Quand nous prononçons une phrase, nous écoutons tout de suite pour savoir si nous nous sommes exprimés de la meilleure façon possible. Et nous avons instantanément la réponse.

La vie est passionnante, ne trouvez-vous pas ? Nous pensions tout savoir et il faut tout recommencer du début. Ce n'est pas si grave. Nous ne repartons pas à zéro, notre expérience nous permet d'envisager ce que nous allons faire avec plus de conviction. Nous avons trop refoulé et pas assez décidé. Et puis tout dépend de savoir si vous faites partie de la catégorie de ceux qui pensent que leur vie est déjà jouée et sont résignés, ou si vous êtes encore prêt à casser la baraque. C'est votre choix.

Pour conclure, cela ne pourrait pas nous faire du mal de remercier notre créateur, qui nous a donné la possibilité de nous connaître. Sans lui, nous n'existerions pas, et supposez qu'il en ait un jour marre de créer, de continuer à jouer. Que se passerait-il si Lucifer comprenait que son combat a une fin, et qu'il retourne dans le giron de son père ? Notre jeu de la polarité pourrait cesser d'exister. Que feraient les Illuminati si leur chef jetait l'éponge ? La vie serait-elle ennuyeuse sur terre si personne ne nous embêtait plus, si personne ne nous défiait plus ?

Nous verrons. Lucifer a l'esprit sportif, il a bien défié Jésus dans le désert, mais il ne l'a pas mangé tout cru. C'est un jeu et cela le restera, même s'il est souvent très cruel. Nous en faisons partie, nous avons tous contribué à l'état des choses. J'ai décidé personnellement de refaire un tour de création et de ne pas me mettre la tête dans le sable. Et vous ?

Travaux appliqués

Je suis un dieu miniature

Avant de créer, je prends à nouveau conscience de qui je suis, de mes talents, de ce que je veux. Voici quelques points pour m'aider :

- La feuille aux deux colonnes : ce que je veux lâcher, ce que je veux atteindre...
- Quels sont mes défauts et mes qualités ?
- Que changerais-je si ma dernière heure était venue ?
- Comment bâtirais-je mon quotidien si j'étais indépendant financièrement, sans besoin de travailler ?
- Je remets en question mon attitude vis-à-vis de l'argent, je m'adapte pour vivre une vie complètement épanouie.
- Je passe un contrat avec le créateur pour accepter cette vie, cette incarnation et ma « mission ».
- Si la situation est problématique, c'est un défi ; je l'analyse avec le recul intérieur ; je comprends le message, le processus d'apprentissage, et je prends une décision.
- Je suis l'élan de mon cœur de plus en plus, j'oublie un peu ma tête (mes certitudes).
- J'entends ma voix intérieure et mes intuitions.
- Je vis ici et maintenant, je suis conscient de ma force créative, dans toute situation, professionnelle, avec les enfants, pour les jeux d'amour...
- Cela m'aide d'adopter la perspective d'un observateur externe, car je me conseille d'un autre point de vue.
- Je vois la vie du bon côté, je suis optimiste, même si la situation est tendue ou figée.
- Je me comporte avec les autres comme je voudrais qu'ils me traitent.

BIBLIOGRAPHIE

ALLEN, Gary, avec la collaboration de Larry ABRAHAM, *Die Insider – Wohltater order Diktatoren,* tome 1, Wiesbaden, Verlag für Angewandte Philosophie (VAP), 1996 (1974), 213 p.

BAIGENT, Michael, Richard LEIGH et Henry LINCOLN, *L'énigme sacrée,* traduit de l'anglais par Brigitte Chabrol, Paris, Pygmalion, 1983, 451 p.

— *Holy Blood, Holy Grail,* New York, Dell Publishing, 1983 [édition princeps : *The Holy Blood and the Holy Grail,* Londres, Jonathan Cape, 1982].

— *Der heilige Gral und seine Erben. Ursprung und Gegenwart eines geheimen Ordens. Sein Wissen und seine Macht,* Buchbeschreibung, Bastei-Lübbe, 2005 (1984), 472 p.

— *L'énigme sacrée* suivi de *Le message,* coll. Aventure secrète, Paris, J'ai lu, 2005, 567 p.

BERLITZ, Charles Frambach, *1999 : L'Apocalypse ?,* cartes et dessins de J. Manson Valentine, Paris, Flammarion, 1981, 274 p. En allemand : *Weltuntergang 1999,* Knaur, 1981, 192 p.

BERNAYS, Edward Louis, *Propaganda. Comment manipuler l'opinion en démocratie,* Paris, Éditions Zones, 2007 (2004), 141 p. Traduit de l'anglais : *Propaganda,* New York, Horace Liveright, 1928,159 p.

CABOBIANCO, Flavio M., *Je viens du Soleil,* Paris, Auréas, 2003 (1999), 150 p. Traduit de l'espagnol : *Vengo del Sol,* Buenos Aires, Manrique Zago, 1991, 151 p.

DETHLEFSEN, Thorwald, et Dr Rüdiger DAHLKE, *Un chemin vers la santé – Sens caché de la maladie et de ses différents symptômes,* traduit par Paule Lehr, Paris, Ambre, 2005, 350 p. *Krankheit als Weg – Deutung und Be-Deutung der Krankheitsbilder,* Goldmann, 2000.

DONG, Paul, et Thomas E. RAFFILL, *China's Super Psychics,* New York, Marlowe and Company, 1997, 250 p.

DRAKE, W. Raymond, *Graf Saint Germain – Der Mann, der niemals stirbt,* série Kosmobiosophische, no 3, Wiesbaden, Ventla, 1963.

ERDMANN, Stefan. *Banken, Brot und Bomben*, tome 1, Ama Deus, 2005, 374 p.

— *Banken, Brot und Bomben*, tome 2, Ama Deus, 2003, 384 p.

FARKAS, Viktor, *Unerklärliche Phänomene* [*Phénomènes inexplicables*, Umschau]. *Jenseits des Begreifens*, préface de Peter Schattschneider, Francfort, Umschau, 349 p.

FRISSELL, Bob, *Zurück in unsere Zukunft, vorwärts in die Vergangenheit*, Peiting, Michaels-verlag, Edition Neue Perspektiven, 1999 (1996), 284 p.

GELLER, Uri, *My Story*, Londres et Sydney, The Companion Books [Henry Holt and Company], 1975, 349 p.

GÖRING, Lothar Walter, *Apokalypse Seele – Das A-Omega-Projekt* [Âme de l'Apocalypse – Le projet Oméga], Velden, Vesta, 1997.

HARDO, Trutz, *Children Who Have Lived Before – Reincarnation Today,* traduit en anglais de l'allemand, Saffron Walden (Essex), C.W. Daniel Company, 2000, 256 p. *Reinkarnation aktuell – Kinder beweisen ihre Wiedergeburt,* Trutz Hardo, Silberschnur, 2000, 209 p.

HELSING, Jan van, *Buch 3* [Livre 3] – *Der Dritte Weltkrieg,* Ama Deus, 2004 (1996), 368 p.

— *Unternehmen Aldebaran* : Kontakte mit Menschen aus einem anderen Sonnensystem / Die sensationellen Erlebnisse der Familie Feistle, Ama Deus, 2000 (1998), 343 p.

HOFFMANN-SCHMIDT, Helga, *Das Vermächtnis von Atlantis – Das Legat der Hegoliter,* autoédition, 2004, A-9232 Rosegg 91.

HOLEY, Jan Udo, *Die innere Welt – Das Geheimnis der Schwarzen Sonne,* Ama Deus, 1998, 340 p.

— *Die Akte Jan van Helsing* [*Dossier Jan van Helsing*], Ama Deus, 1999.

— *Die Kinder des neuen Jahrtausends. Mediale Kinder verändern die Welt,* Ama Deus, 2001, 467 p.

HOLEY, Johannes, *Jesus 2000 – Das Friedensreich naht,* Ama Deus, 1997.

— *Bis zum Jahr 2012. Der Aufstieg der Menschheit (…mit praktischen Anleitungen),* Ama Deus, 2000, 464 p.

— *Alles ist Gott* [*Tout est Dieu*]. *Anleitung für das Spiel des Lebens*, Ama Deus, 2002, 306 p.

KRASSA, Peter, *Der Wiedergänger – Das zeitlose Leben des Grafen Saint-Germain – « Der alles weiß und niemals stirbt »*, Herbig, 1998, 269 p.

MORPHEUS, von, *Matrix-Code*, Munich, Trinity, 2003, 289 p.

MULDASHEV, Ernest, *Das Dritte Auge – und der Ursprung der Menschheit*, Halle, Büchner and Selke, 2001.

QUEENBOROUGH, Lady [Edith Starr MILLER], *Occult Theocracy*, Abbeville (France), F. Paillart éditeur, 1933, 2 vol., 741 p.

RISI, Armin, *Machtwechsel auf der Erde – Die Pläne der Mächtigen, globale Entscheidungen und die Wendezeit*, Der multidimensionale Kosmos, no 3, Neuhausen, 2006 (1999), 594 p.

SCHNELTING, KARL B., *Les scénarios du futur des sciences de l'esprit et de la prophétie*. Traduction du titre allemand.

SITCHIN, Zecharia, *La douzième planète*, traduit de l'anglais par François Fargue et Patricia Maré, Louise Courteau, éditrice, Saint-Zénon, Québec, 2000, 437 p.

VÉZELAY, JEAN DE (JEAN DE JÉRUSALEM), « Protocole secret des prophéties », 1099. *Das Buch der Prophezeiungen*, Heyne-Verlag, Munich, 1995.

VOLDBEN, Amadeus, *After Nostradamus – Great Prophecies for the Future of Mankind*, Londres, Neville Spearman, 1973, 186 p. *Nostradamus – Die großen Weissagungen* über die Zukunft der Menschheit, Munich, 1988.

L'autre Journal, mars 1991.

Crédits photos

1. www.joconrad.de
2. www.defenselink.mit/news/Sep2001/010914-F-8006R.html (lien inactif)
3. Jim Garamone, American Forces Press Service, Washington www.defenselink.mil/news/Sep2001/n09112001200109114.html
4 et 5. Krassa, Peter, *Der Wiedergänger*, Herbig, 1998
6. Privé
7. *Etidorpha*, tome 1, Kopie ohne Verlagsangabe
8. Jan Lamprecht, Afrique du Sud, Hohlwelt-Forscher
9. William Hamilton III, *Cosmic Top Secret*, Inner Light Publications
10. www.detailshere.com/tunnelmachine.htm
11. Muldashev, Ernest, *Das Dritte Auge – und der Ursprung der Menschheit*, Halle, Büchner and Selke, 2001
12., 13. et 14. comme (11)
15. *Unsolved Mysteries – Ausstellungskatalog der gleichnamigen Ausstellung* vom 22.6.-23.9.2001 Vienna Art Center (Centre d'arts de Vienne), à Schottenstift ; Klaus Dona, photo originale : Dr Cecil et Lydia Dougherty, Cleburne, Texas, 1971
16. comme (15), Dr Carl Baugh
17. comme (15), photo originale du Dr Carl Baugh
18. comme (15), S. 133, photo originale du Dr Carl Baugh
19. Privé
20. film de *Santilli*
21. comme (20)
22. Musée égyptien du Caire
23. Museo Arquéologico R. P. Gustavo Le Paige, San Pedro de Atacama
24. comme (11)
25. Mary King et Etsuko Shimabukuro, www.furinkan.com/mermaid/culture
26. Vorderasiatisches Museum, Berlin, Archives de Stefan Erdmann
27. comme (26)
28. Zecharia Sitchin, *Der zwölfte Planet*, Munich 1995
29. Privatarchiv

30. comme (28)
31. comme (28)
32. comme (28
33. comme (28)
34. Michael Hesemann, *Geheimsache U.F.O.*, Güllesheim, Silberschnur, 1994
35. comme (34)
36. comme (34)
37. comme (34)
38. Dr Zecharia Sitchin, *Stufen zum Kosmos*, Munich, 1996
39. Stefan Erdmann, *Den Göttern auf der Spur*
40. Stefan Erdmann, *Den Göttern auf der Spur*
41. Archives privées
42. Archives privées
43. Archives privées
44. Archives privées
45. Francis Hitching, *Die letzten Rätsel unserer Welt*, Umschau
46. comme (15) Originale : Prof Charles Hapgood
47. comme (15) S. 183, Originale : Prof Charles Hapgood
48. Stefan Erdmann, *Den Göttern auf der Spur*, Ama Deus, 2001
49. comme (48)
50. Archives privées
51. comme (15)
52. Archives privées
53. Bernhard Bouvier, *Die letzten Siegel*, Ewertverlag, 1996
54. comme (15) Originale : Reinhard Habeck
55. comme (15) Originale : Reinhard Habeck
56. comme (15) Originale : Reinhard Habeck
57. comme (15) Originale : Reinhard Habeck
58. comme (15) Originale : Reinhard Habeck
59. comme (15) Originale : Reinhard Habeck
60. comme (15) Originale : Reinhard Habeck
61. comme (45)
62. comme (15) Originale : Sammlung Dunkel, Braunschweig und Sammlung Johannes Fiebag, Northeim

63. comme (62)

64. comme (62)

65. Drunvalo Melchizedek, *Die Blume des Lebens*, Burgrain, KOHA, 2000

66. comme (65)

67. comme (65)

68. Paul M. Allen (éditeur), *A Rosicrucian Anthology*, Michael Maier, *Atalanta fugiens* (ce livre d'alchimie fut d'abord publié en latin en 1617)

69. www.geocities.com/iyce3/leo.htm

70. comme (69)

71. Gary Allen, *Die Insider [L'initié]*, tome 1, VAP éditeur

72. comme (71)

73. comme (71)

74. comme (71)

75. *Mein Geldbeutel*

76. comme (75)

77. Archives privées

78. www.amessi.org

79. Eva Katharina Hoffmann, *Kanarische Blütenessenzen der Liebe*, AT-Éditions

80. Paul Dong et Thomas Raffill, *Indigo-Schulen*, Koha

81. Wikimedia Commons

82. comme (80)

83. Jan Udo Holey, *Die Kinder des neuen Jahrtausends*, Ama Deus

84. Archives privées

85. Archives privées

86. Archives privées

87. Archives privées

88. Archives privées

89. Archives privées

E1 Les tablettes de Tartaria

E2 La vision des Hopis

E3 Le code-barres

TABLE DES MATIÈRES

Pourquoi ?	5
Pour quelle raison ?	12
Dans quel but ?	15
Qui ne pose pas de questions reste ignorant	20
1. Un monde miraculeux	29
2. L'homme qui sait tout et ne meurt point !	31
3. Le secret de l'Himalaya	52
4. La Genèse – le terrain de jeu des dieux	77
5. Les tablettes sumériennes	84
6. L'Arche d'Alliance	109
7. Le savoir caché des Templiers	122
8. Qui était Nostradamus ?	134
9. Que sont devenus les Templiers et les écrits des Atlantes ?	136
10. Le Nouvel Ordre Mondial	144
11. Les lois cosmiques	174
12. Qui est responsable de ma maladie ?	188
13. Y a-t-il des forces obscures ?	193
14. Les enfants superpsychiques de Chine	212
15. Craignez-vous le Nouvel Ordre Mondial ?	219
16. Le pouvoir des enfants	227
17. Le comte de Saint-Germain et moi	231
18. À quoi sert tout ce savoir ?	241
19. La manifestation	244
20. Pouvez-vous vous imaginer plein aux as ?	247
21. Le meilleur chemin vers le succès	250
22. Dieu est bien luné !	256
23. Un monde génial – à vrai dire…	259
24. Mon pacte avec le Créateur	266
25. Pardon, c'est MA vie !	268
26. Les problèmes sont mes amis	273
27. Fais face au problème	276

28. Que ton vœu se réalise !   279
29. C'est un signe   286
30. Hourra ! Je crée !   289
31. Je suis illuminé !   290
32. Le principe d'aspiration   295
33. Rien ne pourra m'arrêter   300

Travaux appliqués – Je suis un dieu miniature   302

Bibliographie   304
Crédits photos   307

Milton Keynes UK
Ingram Content Group UK Ltd.
UKHW030635221124
3049UKWH00028B/176

9 781913 191245